D0542827

Porta Coeli II

Cosecha Negra

Susana Vallejo Chavarino

Cosecha Negra

edebé

© EDEBÉ, 2009
Paseo de San Juan Bosco 62
08017 Barcelona
www.edebe.com

Dirección editorial del proyecto: Reina Duarte
Diseño: Francesc Sala
Ilustraciones de la propia autora
www.portacoeli.net

Primera edición, abril 2009

ISBN 978-84-236-9388-7
Depósito Legal: B. 7367-2009
Impreso en España
Printed in Spain

I

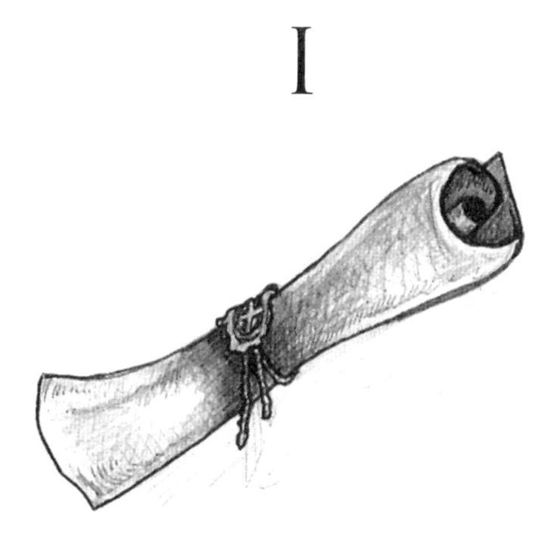

Que trata de la misión secreta y de sus comienzos en Toledo, la ciudad de los saberes prohibidos

En el palacio episcopal, se había fraguado su destino. Los pasos de Enrique resonaron por la sala. Sus ecos se perdieron en la inmensidad de los pasillos que dejaba atrás. Los sirvientes con los que se cruzó se inclinaron mostrando respeto hacia aquel joven que había sido recibido a solas y de una manera tan irregular por su Excelencia Reverendísima Juan de Aragón en persona, nombrado arzobispo de Tarragona dos años atrás, en 1327.

Enrique apretaba un legajo con fuerza en la mano y disimulaba bajo una máscara impasible la profunda impresión que le había causado la entrevista y que aún sentía recorriendo aquellas estancias buscando la salida. De las paredes colgaban amplios tapices que durante su espera previa había tenido tiempo de observar con detalle. Escenas piadosas, de caza, y una flora y fauna imaginarias adornaban unos aposentos que olían a incienso, a cera y a una riqueza antigua que le sobrecogía.

El artesonado del techo estaba realizado en nobles maderas y sus complicados dibujos geométricos le recordaron a Enrique los dificultosos caminos que había tenido que recorrer a lo largo de sus casi diecinueve años de vida hasta llegar a ese preciso momento.

Hacía unas pocas horas había atravesado esas mismas habitaciones nervioso, con el alma atrapada en un puño y una sensación de vacío en las tripas.

En cambio, ahora, al salir, era un calor extraño el que nacía en sus entrañas y terminaba muriendo en sus manos temblorosas después de haber recorrido todo su cuerpo.

Solamente cuando se encontró de nuevo en la calle y se alejó unos buenos cientos de metros del palacio se atrevió a interrumpir sus pasos. Entonces se apoyó contra una pared encalada de blanco y suspiró profundamente.

¡Lo había conseguido! Tantos años de esfuerzos y trabajo continuados le habían llevado a una situación desde la que podría seguir escalando posiciones según se había marcado como propósito años ha. Por fin, el fruto de sus anhelos permanecía sellado con lacre en su mano. «Maestro de Gramática», advertía el legajo. Maestro sí, pero había algo más que no estaba escrito allí… y sin embargo era ese algo lo que le inflamaba de aquella manera.

Inspiró de nuevo y guardó el pergamino entre sus ropajes. Echó una ojeada alrededor y se cercioró de que nadie lo seguía. Intentó tranquilizarse, y se dejó llevar por las calles que le condujeron hacia la plaza.

Nadie conocía el encargo que había recibido. La confianza que Juan de Aragón había depositado en él era la prueba definitiva de que avanzaba en la senda correcta. «Confianza y lealtad —le había dicho—, eso es lo que espero de ti, Enrique de Rascón y Cornejo.» Y él había besado su anillo sin atreverse apenas a levantar la vista.

Cuando desembocó en la plaza se dejó acariciar por el sol de un cálido día de primavera. Una sola nube blanca y algodonosa manchaba el intenso azul del cielo.

Enrique echó un último vistazo desconfiado alrededor, hacia las callejas que había dejado atrás, y por un instante le pareció distinguir unas sombras huidizas que se ocultaban entre la penumbra. Las ignoró como había aprendido a hacer a lo largo de toda su vida.

El calor de la emoción que lo embargaba lo empujó hacia la taberna. Aquel día habían sacado algunos bancos y mesas a la calle. El joven se acomodó en un espacio apartado de todos. Algunos lugareños charlaban ruidosamente alrededor, pero para él sólo era un murmullo del que fácilmente se abstrajo.

Su mente no podía dejar de recordar la conversación que acababa de tener lugar. Necesitaba repasar una y otra vez aquellas palabras para que quedasen grabadas a fuego en su memoria y se convirtiesen en la guía que dirigiese su sagrada misión. Porque eso era lo que le había encomendado Juan de Aragón: una misión sagrada y secreta.

—Busco en ti la misma confianza y lealtad que le has demostrado a Fernando de Vilamur en los últimos años. Su opinión sobre ti no puede ser mejor —la mirada oscura del arzobispo buscó los ojos azules de Enrique.

—Es un honor ser recibido por su Excelencia Reverendísima. Puede contar con mi fidelidad hasta el último aliento —contestó Enrique con una voz que comenzó insegura y terminó afianzándose en las últimas sílabas.

—Levántate, por favor.

El joven se alzó y permaneció en silencio esperando

que el arzobispo continuase, intentando que su mirada supiese transmitir la seguridad que aquel hombre requería de él.

—Algunas noticias que me están llegando de Toledo me llenan de congoja y acrecientan una inquietud que ya me acompañaba cuando dejé la ciudad para venirme a Tarragona.

Enrique se sorprendió de que su Excelencia le expusiera con aquella familiaridad sus sentimientos, pero no dejó que su expresión lo demostrase.

—Hace de eso apenas dos años —continuó—, dos años desde que dejé el arzobispado de Toledo por éste en Tarragona —Juan de Aragón clavó su mirada en la de Enrique—. Allá quedaron mis hombres de confianza, sí, amigos casi podría decir. Y las noticias que recibo de ellos atormentan mi espíritu y nos han obligado a tomar medidas...

Su Excelencia se puso en pie y se acercó hacia el joven.

—Las obras de la catedral de Toledo apenas avanzan —su voz se convirtió en un susurro que recordaba al de una confidencia—. Las obras en la torre se eternizan a causa de los problemas más diversos. Las tierras se mueven, la piedra escasea... En fin, Enrique —el arzobispo tragó saliva como degustando lo que iba a decir—, y para colmo de males, el maestro Vicente ha desaparecido.

Enrique no pudo sino reprimir un gesto de sorpresa.

—Pero eso no es lo peor... Es que no es un caso único —el arzobispo buscó una vez más en los ojos azules del joven esa confianza que ansiaba encontrar—. Cuando era primado en Toledo corrieron ya algunos rumores, a los que, he de reconocerlo, no concedí mayor importancia... —saltándose todo protocolo el arzobispo se acercó aún más al joven para murmurar—: Decían que los judíos habían raptado y asesinado a hombres, niños y mujeres. «¡Historias de viejas!», pensé. ¡Desapariciones! ¡Raptos! —prosiguió—. Bah, fantasías de un pueblo aburrido que no tiene nada mejor que hacer que inventar leyendas.

Juan de Aragón hizo una pausa y Enrique creyó entender en su gesto una sombra de fatiga.

—Pero mis informantes me han hecho llegar más noticias preocupantes: otras desapariciones se han sumado a aquéllas. Y la última ha sido ésta del maestro Vicente de la catedral. ¡Eso es algo muy serio! ¡E inadmisible! —exclamó su Excelencia sobresaltando al joven—. Y ahora las obras vuelven a paralizarse...

Enrique pensó por un instante qué preocuparía más al arzobispo, si el destino del maestro Vicente, o que los trabajos en su antigua catedral se retrasasen.

Su Excelencia volvió a su asiento y se acomodó en él con parsimonia.

—¿Conoces Toledo, Enrique?... —el cambio de tema tomó al joven por sorpresa—. ¡Toledo es la ciudad en la que un buen cristiano puede estudiar todo lo que no debe conocer! Judíos y árabes conviven con cristianos, que esconden y comparten todo tipo de saberes paganos. Las *Ars Toletana:* magia, alquimia, nigromancia, cabalística, astrología... Todo está allí, y gentes de todo el mundo, no sólo del mundo cristiano, sino también procedentes de países herejes, acaban recalando en esa ciudad que guarda en su seno las ciencias más impías.

Enrique nunca había visitado Toledo, pero quién no había oído hablar de la ciudad en la que todo podía estudiarse, a la que magos y sabios de todos los confines acudían.

—Deseo serte sincero... Hasta ahora nadie ha osado entrometerse con Toledo. Pero las cosas están cambiando. Nuestro amado Papa, Juan XXII, que Dios guarde por muchos años, está empeñado en la santa misión de garantizar la unidad de la fe y de castigar la heterodoxia y la herejía. Castilla es una tierra fronteriza entre el reino de Granada y la santa cristiandad. Y Toledo... En Toledo, en el alma de Castilla, mis informantes de toda confianza aseguran que los judíos en sus sinagogas lanzan imprecaciones contra los cristianos y que por las noches los gritos de los inocentes desaparecidos resuenan por toda la ciudad. Dicen que es con sangre cristiana con la que realizan sortilegios y hacen invocaciones...

Enrique permanecía en silencio, expectante, esperando que el arzobispo le explicase el papel que le tenía encomendado en aquella historia.

—Bien es verdad que pudiera ser que alguien esté cobrándose con sangre cristiana lo de Estella.

Enrique sabía que más de seis mil judíos, entre niños, mujeres y hombres, habían sido pasados a cuchillo en Navarra el año anterior.

—Me han llegado noticias de que el tribunal especial que lo investiga está a punto de alcanzar sus conclusiones y tiene pruebas que demuestran que no fue sólo fray Pedro de Ollogoyen el instigador de la carnicería de Estella tal y como se afirmó... —el arzobispo bajó su voz hasta el punto de hacerla casi inaudible—. Los nombres de algunos Grandes del reino saldrán a la luz... Pero, en fin, también... puede que no salgan.

Juan de Aragón carraspeó y se revolvió en su asiento.

—Y si no salen, ay, si no salen, los judíos no permitirán que la sangre de miles de los suyos quede impune...

Pero te aseguro, Enrique —su Excelencia apretó los dientes en un gesto de rabia y firmeza que sorprendió al joven—, que nosotros tampoco dejaremos que asesinen cristianos. ¡Nosotros siempre protegeremos a los nuestros!

Juan de Aragón hizo una pausa estudiada y clavó su mirada en la de Enrique como si con ella quisiese expresar algo que no se atrevía a dar vida con palabras.

—Quiero que seas mis ojos en Toledo, Enrique. Quiero que seas mis ojos y mis oídos. Fernando de Vilamur me ha hablado mejor que bien de ti y de tu discreción. Tu noble familia es de toda confianza. Y... he hecho averiguaciones y todos tienen buenas palabras sobre tu persona. Creo que eres aquél al que necesitamos.

El arzobispo se había levantado entonces y había guiado a Enrique de Rascón y Cornejo hacia una mesa cubierta de legajos. Los repasó y, cuando encontró lo que buscaba, sonrió al joven.

—Maestro de Gramática, ¿qué te parece?... Me han hablado de tu *peritia litterarum.* Ya sabes de las nuevas disposiciones: las iglesias importantes de cada diócesis han de contar con un maestro de Gramática. Éste será el artificio que cubrirá como un velo tu auténtica misión... Recuerda: serás mis ojos y oídos. Necesito que encuentres a maese Vicente, y si han sido los judíos, como dicen, los causantes de su desaparición y de las otras que han atemorizado a la ciudad, quiero que encuentres a los culpables. Pero no me basta con el nombre de los culpables, deseo pruebas que demuestren su culpabilidad. Pruebas, Enrique, quiero pruebas.

Juan de Aragón había tomado una barra de lacre y, después de calentarla al fuego de una vela, había sellado el documento que lo recomendaba como maestro de Gramática en el convento de los dominicos. A Enrique le pareció que aquel gesto también sellaba su destino.

—Excelencia, no le defraudaré. No tengo palabras para agradecerle la confianza que ha depositado en mí y... le aseguro que no cejaré en mi empeño hasta saber qué ha sido del maestro Vicente y conseguir las pruebas que acusen a los culpables de las desapariciones, sean quienes fueran.

A Enrique le gustaba repetir a sus superiores sus órdenes. Así se aseguraba de haber comprendido con exactitud su misión.

El arzobispo cabeceó mostrando su aprobación y dejó el documento lacrado al alcance del joven.

—Quiero que recuerdes este nombre: Alfonso Barroso. Es el representante de la Inquisición romana en Toledo. Cuando tengas cualquier noticia, házmela llegar por medio de Alfonso Barroso —el arzobispo hizo una pausa como si desease remarcar la importancia de aquel hombre—. Sólo tú, yo... y Alfonso Barroso sabremos de tu auténtica misión. Lo encontrarás en el convento.

—Alfonso Barroso —repitió Enrique para que su memoria no olvidase aquel nombre que tanto parecía significar para el arzobispo—. En el convento de los dominicos.

Don Juan de Aragón asintió y le acercó el anillo para que lo besase.

El joven creyó entender que daba la entrevista por finalizada, pero cuando iba a retirarse, el arzobispo añadió distraídamente, como si se tratase de un comentario casual:

—Mis ojos y oídos, recuerda. Bien sabremos recompensártelo...

Enrique interrumpió su marcha y asintió de nuevo.

—Escucha, hay algo más… —su Excelencia contagió su voz de la misma confianza que esperaba en el joven—. El Sumo Pontífice no desea que el «asunto de la fe» quede simplemente en manos de la Inquisición de franciscanos y dominicos. También está en nuestras manos la persecución de la herejía y el castigo de los herejes, y… por supuesto la condena de los asesinatos de cristianos inocentes. En nuestras manos —y el arzobispo recalcó ese «nuestras» con un grave tono de voz.

A Enrique le dio la impresión de que algo importante se le escapaba, algo que Juan de Aragón no le decía abiertamente y que sin embargo podría ser capital. Porque él sabía que la Inquisición romana y las investigaciones de los asuntos de fe y sus sentencias dependían directamente de dominicos y franciscanos; y sólo el Papa podía revocarlas. Los inquisidores únicamente rendían cuentas al Sumo Pontífice, y aunque los obispos contribuían a las persecuciones de los herejes o a las ejecuciones de sus penas, eran sin embargo los inquisidores los que dirigían las investigaciones.

Por un instante Enrique tuvo la sensación de que se convertía en una pieza diminuta dentro de un juego de poderes que le era ajeno.

—Sabremos recompensarte… —reiteró el arzobispo, y con sus palabras interrumpió los oscuros pensamientos de Enrique y afianzó la seguridad en una misión de la que en un fugaz momento había dudado.

El joven aferró el documento que el arzobispo Juan de Aragón le había entregado y se inclinó ante él.

—Por el triunfo de la fe y de la cristiandad. Confianza y lealtad. Eso es lo que espero de ti, Enrique de Rascón y Cornejo —le había repetido.

—Eso es lo que encontrará su Excelencia Reverendísima.

«Confianza y lealtad», repitió para sí mismo el joven. Y dio un último trago al vino que, sin darse cuenta, se había agotado en su tazón.

Las emociones que le habían alterado volvían a estar bajo su control. Enrique inspiró con fuerza, como si quisiese llenarse de todo el vigor que se respiraba en el aire de aquel día de primavera. El arzobispo de Tarragona le había encomendado una misión secreta y él sabría, como siempre había sabido, satisfacer a su superior. No, nunca podría conseguir el título que ostentaba su hermano mayor, el conde de Rascón y Cornejo. Pero su ambición era inmensa y su deseo de alcanzar una posición podría con todo. Y ahora, finalmente, las más altas puertas comenzaban a abrirse. Sus sueños empezaban a hacerse realidad.

Tendría que prepararlo todo. Despedirse de Fernando de Vilamur y del reino de Aragón para marchar a Castilla.

Toledo, la ciudad de los saberes prohibidos, le estaba esperando.

Veridiana había aprendido a amar la ciudad que le servía de refugio.

Al principio, Toledo le había parecido provinciana, triste y sobriamente castellana. Echaba de menos la alegre Toulouse, el habla cantarina de sus gentes, el caudaloso Garona, los verdes prados y los frondosos bosques. Toledo era en cambio una ciudad áspera; rodeada de agua, sí, porque el Tajo envolvía la colina sobre la que se encaramaba casi por completo. Y sin embargo, allí apenas llovía, los inviernos eran tan secos como el asfixiante verano. Y los campos que rodeaban Toledo se teñían de amarillos, tostados, y arbustos y bosques bajos, en contraste con el intenso verdor de las tierras francesas.

Pero a todo lo que a Veridiana le disgustó al principio, acabó por encontrarle una cierta belleza. Y así llegó un momento en el que contemplaba con ojos embelesados los atardeceres dorados en las colinas cercanas, la niebla del otoño, espesa y sólida como el sebo, las sombrías callejas... E incluso reencontró en el habla seca de los castellanos tiernos recuerdos de su infancia en León que ya creía haber olvidado.

Y así, en pocos años, Veridiana había recuperado la alegría perdida y se había hecho a una nueva ciudad y a una familia que sentía como la suya propia. Rodeada de sus sobrinos, la pequeña Clara y Rodrigo, a los que veía crecer con alegría, y de su cuñada María y su hermano Juan, Toulouse se iba convirtiendo en una imagen cada día más borrosa y lejana. Brillante y hermosa sí, pero a medida que pasaba el tiempo, menos definida. Como si de un reflejo en el agua se tratase.

A veces ella tenía la impresión de que llegaría un momento en el que pasase una mano por la superficie del lago de su memoria y las hasta entonces nítidas imágenes del Garona, de San Saturnino o de los jacobinos se disolverían para siempre en la nada.

En ocasiones echaba en falta los fastos y los lujos que había vivido en Francia cuando era la baronesa de Fleurilles. Se complacía en recordar los complicados detalles de los trajes que había lucido, las fiestas que habían organizado en su castillo junto al Garona. Se recreaba en la remembranza de detalles absurdos, como el diseño de una de las joyas que Guy le había regalado cuando cumplió veinte años, las canciones de un juglar en un festejo de estío, o los dibujos de los relieves de las maderas preciosas de sus muebles... Cada noche cuando se acostaba en su sencillo jergón de heno, añoraba su colchón de plumas y la bujía que alumbraba durante toda la noche su estancia y alejaba las sombras que la aterraban en la oscuridad.

Eran esas pequeñas cosas de la vida diaria lo que más echaba de menos.

Ahora todo aquello quedaba atrás, y cuando su corazón se teñía de nostalgia intentaba pensar en Guy, en lo peor de aquel viejo con el que la casaron siendo apenas una niña, y en la muerte. Porque la muerte le rondaba en Toulouse, y porque milagrosamente había conseguido burlarla por dos veces.

Entonces, recordando todo aquello de lo que había huido, rezaba y agradecía a Dios el estar viva. Y se decía que en efecto más le valía haber huido de Francia y haberse ocultado en Castilla con su hermano Juan —el más pequeño, el que había mancillado el honor de la familia dedicándose al comercio—, que haber permanecido con todas sus riquezas en una ciudad en la que habrían conseguido acabar con ella tarde o temprano.

Y sin embargo..., sin embargo Veridiana seguía sintiéndose señora de una de las más bellas ciudades del mundo. Y a veces, cuando caminaba entre las callejas y las plazas de Toledo, no era consciente del aire altivo y de dama distinguida que adoptaba sin darse cuenta, y que hacía que rufianes e hidalgos volviesen la cabeza para observar a aquella mujer que, aunque vestida con ropajes corrientes, mostraba el porte de toda una reina.

Casi todas las tardes —porque las mañanas se reservaban para los trabajos del hogar y los asuntos domésticos—, Veridiana y María, su cuñada, recogían sus labores y atravesaban la calle para marchar a casa de María Isabel.

Los vecinos también se dedicaban al comercio. Al principio Veridiana se había mostrado reticente a mantener una amistad con alguien que debía su hacienda y posición a un grosero negocio y no a la noble herencia de la sangre. Pero el cariño que su cuñada profesaba a su vecina acabó por convencerla de que aquella mujer no sólo era una buena persona, una persona de Dios, sino que además era divertida y ocurrente. Así que su inicial recelo desapareció para verse convertido en un aprecio sincero.

Por las tardes, las tres se reunían en el patio, cosían y bordaban, tomaban un refrigerio y charlaban de lo humano y lo divino.

Y allí es donde Veridiana comenzó a sentirse realmente en casa, cuando encontró en aquellas mujeres que Dios puso en su camino, a las amigas que nunca había tenido en Francia y que le recordaban a las compañeras de su infancia en un León que ya casi había olvidado.

—Tu marido más que bueno, es tonto —decía Isabel.

—Es un santo —respondía su cuñada sin tan siquiera levantar la mirada de su labor.

—Un berzotas diría yo.

—No te metas con mi hermano —intervino Veridiana con un murmullo distraído.

—Si no me meto, hija, es que si no lo digo reviento

—María Isabel dejó la labor sobre sus rodillas para ponerse a gesticular—. A ver, ¿quién le manda comprar a Antonio? ¡Si todos saben que vende a precios hinchados!

—A mi Juan no le importa. Y además sus paños son los mejores.

—Los más caros.

—Los mejores.

—Bueno, mira, di lo que quieras. Pero cualquiera diría que tira el dinero... ¡Y no están los tiempos para tirarlo!

—En eso estamos de acuerdo, mira por dónde.

Veridiana mantenía la mirada baja, fija en su labor. Bordaba una flor de pétalos largos y curvos, y no quería que ninguna puntada escapase del lugar que le correspondía. Estaba ya acostumbrada a escuchar porfiar a Isabel y su cuñada María. Ella era más silenciosa, se mantenía al margen de los debates y pequeñas disputas de las otras dos, y se afanaba en su trabajo con discreción.

Una puerta se cerró de golpe en el piso de arriba. Las tres mujeres saltaron en sus asientos.

—¡Jesús, María y José! —Isabel se persignó—. ¡Vaya susto! Por poco me clavo la aguja.

—En este patio todo resuena de una manera distinta. Es como... un eco que aumenta los sonidos... —explicó María.

—¿Sabéis?... —Isabel dejó la labor sobre sus faldas de forma exagerada y teatral, y susurró—: Anoche volví a oírlos...

—¿Oír? ¿El qué?

—Los gritos —murmuró en voz aún más baja.

María se persignó. Y Veridiana copió su gesto.

—Me desperté y los escuché, igual que otras veces... Era como si un niño llorase... Y de pronto, plaf, esos golpes secos y húmedos a un mismo tiempo. ¡Un último grito! Y... ¡más golpes! Como si cortasen a alguien en rebanadas.

—Por favor, Isabel, no digas barbaridades —rogó Veridiana.

—¡Pero si es verdad! No es la primera vez que los oigo, ya lo sabéis... Pero anoche fueron más nítidos. Y yo, desvelada, no hacía más que pensar: «A ver, Isabel, no dejes que tu imaginación se desborde. Dejemos que Dios me ilumine, analicemos esos ruidos. Veamos qué pueden ser»... Y bueno, pues escuché atentamente, y ¡nada! ¡Que me sigue pareciendo un niño que grita! Y los golpes esos que suenan después... —hizo una pausa estudiada— son..., son húmedos y secos a la vez. ¡Como si lo despedazasen!

—¡Ya estamos con lo mismo! —María chasqueó la lengua.

—Lo hacen pedazos —aseveró—. Y por la noche los sonidos llegan del sótano y se desparraman por la casa entera... Yo os digo que algunas noches los judíos desmiembran niños cristianos.

Y como si quisiera reafirmar la idea, golpeó con su dedo índice el paño de su labor.

—Lo que te pasa, Isabel, es que tienes unas ideas muy raras y una imaginación demasiado viva. Te han contado demasiados cuentos cuando eras pequeña.

—Que no. Que os aseguro que esos ruidos no pueden ser otra cosa... Pero ¿sabéis qué más dicen?... —no esperó a que ninguna le contestase—, pues dicen que ha desaparecido otro niño. En Santa Leocadia. Que su madre lo perdió un momento de vista y nadie más volvió a saber de él.

—Bueno, basta —Veridiana por fin intervino en la conversación. Las otras se sorprendieron de su tono de voz, umbradas como estaban a sus modales discretos, os y suaves—. Vamos a ver... ¿Alguien conoce de verdad a esa familia, la de Santa Leocadia?... ¿A esa madre o a ese hijo?

—¡Ah, no! Pero me lo ha contado Leonor, y a ella se lo ha dicho una amiga que era amiga de la familia. Y esa amiga es de toda confianza...

—¿Ah, sí? ¿Y qué amiga es ésa? ¿Cómo se llama?, quiero decir.

—Ay, Veridiana, hija, yo eso no lo sé. Pero es amiga suya, y a mí con eso me basta y me sobra.

—Pues a mí no. De verdad que estoy cansada de estas historias. Que si los judíos esto, que si los judíos lo otro... ¡Que no me lo creo! Juan hace negocios con Sahwán, y aunque judío, es un hombre de toda confianza y de honor.

—Eso es verdad —aseveró Isabel.

—Ea, ¡se acabó! —Veridiana retiró su labor—. Se me ocurre algo que nos sacará de dudas de una vez... María, Isabel, hagamos una cosa: preguntemos a Leonor. Que nos diga quién es la amiga de su amiga. Y si damos con esa mujer y resulta que su hijo ha desaparecido de veras, os lo aseguro, empezaré a creerme todas estas historias de judíos, de raptos, asesinatos y desapariciones. ¡Y hasta me creeré que esos ruidos que dices que oyes son de descuartizamientos!

—¡Lo son! Te lo aseguro, Veridiana —le contestó Isabel convencida.

—No sólo son niños... Acordaos del maestro Vicente... —fue esta vez María la que intervino.

Un silencio sólido y frío se instaló de pronto en el patio.

—Eso es cierto. Maese Vicente... —la voz, por lo general alegre de Isabel, se tornó sombría.

—Dicen que se lo tragó la tierra.

—Dicen, dicen... Pero no conocemos a nadie que ciertamente viese cómo se lo tragaba —apostilló Veridiana.

—Sí, ya, cuñada. Pero en este caso no me lo negarás: sencillamente el maestro no está. Un buen día desapareció. Y el señor obispo todavía está buscando al que pueda continuar las obras de la catedral.

Veridiana guardó silencio. Ahora era ella la que tenía una nueva información. Y no estaba segura de si debía darla a conocer, porque después de todo no haría más que dar más argumentos a sus amigas para seguir arremetiendo contra los judíos. Por eso se quedó mirando unos momentos el bordado que estaba casi acabado, y por fin, después de un largo suspiro, se decidió a hablar.

—Pues... ¿sabéis lo que esta misma mañana me ha contado doña Rosa? Que un alarife mudéjar, Beltrán de Toledo, ha desaparecido sin dejar ni rastro.

—¡Ves! ¡Otro! ¡Ya te lo decía yo! Miedo me da... Seguro que ése es el que despedazaron anoche —los ojos azules de Isabel se posaron nerviosos en los de sus dos amigas.

—¿No decías que eran los gritos de un niño? —preguntó Veridiana con ironía.

—Era un aullido agudo, como el de un niño. ¡Pero vete a saber!

María Isabel se persignó otra vez.

—Cuando el río suena, agua lleva —recitó María—. Están pasando demasiadas cosas extrañas aquí en Toledo.

Veridiana guardó silencio y, aunque no era una mujer miedosa, un escalofrío la recorrió de arriba abajo.

Se arropó con el mantón y contempló el trozo de cielo que asomaba desde el patio. Pronto llegaría la noche. Un viento frío y húmedo la rodeó, como si la lamiese con una lengua viscosa. Y entonces tuvo la sensación de que algo iba a pasar. Algo que no era bueno. Y no pudo más que iniciar una oración entre dientes y volver a su labor, porque coser, dar una puntada tras otra, le calmaba esa angustia sinuosa que a veces la rodeaba como una fría serpiente.

Desde la primera vez que lo vio, Alfonso Barroso le pareció a Enrique una cigüeña. Y aquella primera impresión ya no pudo quitársela nunca más de la cabeza. Porque Barroso era delgado y huesudo, y se movía como si le costase cargar con aquellos miembros largos que Dios le había otorgado. Tenía una nariz ganchuda y larga, como el pico de una cigüeña, y una piel tan seca que su ropa estaba siempre cubierta de pequeñas escamas blanquecinas.

Barroso había empezado por preguntarle por sus orígenes y su familia. Enrique le había contado que era el segundo hijo del conde de Rascón y Cornejo, señor de Navas. Su hermano mayor había heredado el título, las posesiones, el señorío, en fin, ¡todo! Y Enrique, como tantos otros segundones, no había tenido más remedio que labrarse un futuro arrimándose a la Iglesia.

Mientras relataba su historia, Alfonso Barroso había sabido leer en el joven el resquemor que guardaba hacia un destino que le había arrebatado todo lo que creía merecer, tan sólo por haber nacido un año después que su hermano el primogénito.

—Hijo —le dijo con una voz agradable y bien modulada—, harás carrera en Toledo. Te lo aseguro...

Y por un momento asomó a la mirada del dominico con aspecto de cigüeña una expresión de esas que no pueden aprenderse, tan aguda y fría que podría helar el corazón de cualquier buen alma cristiana.

—Déjame que te explique, joven Enrique. Aquí, en Castilla, la Inquisición romana apenas es conocida, pero es cuestión de tiempo. La Inquisición es poderosa en Aragón y, ya lo sabes, depende directamente del Papa. No tenemos que rendir cuentas a nadie, ni al arzobispo de Toledo, Jimeno de Luna, ¡ni a nadie! ¡Directamente al Papa!, ¿comprendes? —sus ojos volvieron a brillar como el frío acero—. La Inquisición es el camino más recto hacia el Papa, hacia el poder... Hoy por hoy la Inquisición pasa por encima de jerarquías. Sólo hay que saber hacer bien el trabajo, con tesón, ¡con rectitud! —Barroso dejó caer un puño cerrado sobre la mesa y ese gesto sorprendió a Enrique, que no se esperaba una salida así por parte de alguien que aparentaba tanta calma—. Investigar, inquirir la herejía y los asuntos de fe son asuntos prioritarios para nuestro pontífice —continuó—. Nuestra sagrada misión cada vez dispone de más recursos, y te aseguro, hijo, que no hay mejor lugar para medrar que aquí, conmigo en Toledo, en esta Inquisición que sin duda ganará en relevancia.

Enrique pronto se daría cuenta de que Barroso, desde aquella primera entrevista, siempre lo llamaría así, «hijo», como si se tratase de un hijo propio, como si la cigüeña zancuda y delgada lo hubiese acogido desde aquel primer momento bajo su ala.

Pero ese apelativo cariñoso de «hijo» no le acababa de cuadrar con la mirada helada del dominico. Al joven le pareció que Alfonso Barroso tenía algo diabólico, y no sólo era por ese brillo atemorizador que dejaba asomar a veces en sus ojos, sino también por sus propias palabras y la astucia que enseguida adivinó en su viva inteligencia. Porque Barroso estaba diciendo a Enrique exactamente lo que el joven estaba deseando oír. Era casi como si estuviese leyendo sus más profundos deseos.

El joven aprendería pronto a valorar la experiencia de aquel hombre que sabía conocer el alma, los anhelos y los puntos débiles de los hombres que se presentaban ante él.

Por su parte, Barroso había calado desde el primer momento a Enrique. Había interpretado en la seria y oscura mirada de sus ojos azules, y en sus cejas pobladas que le daban un aire de tozuda concentración, la misma determinación y la misma ambición que él había sentido cuando era joven. Y por eso articuló en su discurso de bienvenida todos los anzuelos con los que ganarse la confianza y manejar los deseos del «maestro de Gramática» que Juan de Aragón le había enviado.

—Bien sabe el arzobispo lo que puede llegar a ser la Inquisición en Castilla. Bien lo sabe... Tanto que no quiere perder el contacto conmigo aunque ahora sus asuntos se centren en Tarragona.

Barroso hizo un gesto con su mano sarmentosa como si quisiese espantar un pensamiento incómodo y continuó:

—Y te lo aseguro, no hay un lugar mejor desde el que hacer crecer la Inquisición que desde esta ciudad, desde Toledo —por un momento cruzó su mirada con la de Enrique y entonces tiñó su voz de convicción—. Pero... a mí me conocen todos y no puedo moverme como podrás hacerlo tú, hijo... Tú podrás llegar allí donde yo no alcanzo.

—Seré sus ojos y oídos, señor —contestó Enrique

recordando lo que el arzobispo de Tarragona le había ordenado.

Barroso juntó sus manos como si fuese a ponerse a rezar de un momento a otro, pero en cambio comenzó a explicar:

—Todo empezó hace tiempo... Siempre ha habido leyendas y cuentos de desapariciones en Toledo, pero hace un par de años... Desde entonces sucesos aún más inexplicables nos rodean. He tenido tiempo de pensar en ello, y diría que todo empezó cuando enterraron a Gonzalo Ruiz de Toledo, el Señor de Orgaz. Dicen que dos santos, los mismísimos san Agustín y san Esteban, aparecieron para enterrarlo en Santo Tomé. Yo no estuve allí para verlo, pero me lo contaron, y diversas fuentes coinciden en lo mismo: dos ángeles que aparecieron de la nada tomaron el cadáver y se lo llevaron hacia la tumba.

Barroso interrumpió su discurso y por primera vez interrogó directamente al joven.

—¿Qué piensas de esto?, dime. ¿Qué te hace pensar un acontecimiento extraño como éste?...

Enrique tuvo por seguro que esa pregunta era una especie de prueba a la que el dominico le sometía para averiguar su forma de pensar o para enfrentarse al tipo de hechos con los que ahora tendría que lidiar. Así que se esforzó para que su voz sonase lo más seria y firme posible.

—Siempre debe haber una explicación lógica para todo. Y a menudo la más lógica es también la más sencilla...

—¡Vaya, ah! Un amante de la lógica y la razón...

A Enrique le pareció que su respuesta no debía de haberle desagradado del todo aunque le respondiese con aquel tono irónico, así que continuó:

—Primero intentaría hablar con el mayor número de testigos posible, aquellos que hubiesen asistido al entierro, los que conozcan la historia de primera mano por haberla vivido.

Barroso cabeceó asintiendo.

—Y después, después intentaría encontrar una explicación lógica que esclareciese el suceso.

—Una explicación «lógica».

—Ajá.

—Y..., ¿y si nos encontrásemos con una intervención del Maligno? ¿Y si se tratase de algo diabólico más allá de la lógica humana o las leyes divinas?...

Enrique tragó saliva. Estaba convencido de que esa pregunta no era más que otra prueba y que de su respuesta dependería ganarse la confianza del dominico que podía hacerle medrar, ahora lo sabía, en la Inquisición.

—Me resulta difícil imaginar... —fue todo lo sincero que pudo—. Imaginarme al Diablo dedicándose a enterrar a un hombre bueno... Primero buscaría una explicación lógica, y si no la encontrase, sólo entonces, buscaría las pruebas que demostrasen que era obra del Demonio... O de unos santos o ángeles divinos.

Alfonso Barroso sonrió y dejó escapar la respiración que había estado aguantando.

—Me agrada cómo piensas, hijo. Sigues un orden, eres metódico. Creo que serás un buen discípulo y que éste es el comienzo de una fructífera relación...

Enrique disimuló un suspiro de alivio.

—Comenzaremos por el asunto de maese Vicente, el responsable de las obras de la catedral primada. Si aclaramos su desaparición, primero nos ganaremos el apoyo de nuestro arzobispo, Jimeno de Luna, que ve desesperado cómo las obras de la catedral se eternizan. Y tú, hijo, conseguirás el respeto de Juan de Aragón, arzobispo de Tarragona, y con él, influencia en aquel reino donde la Inquisición, no lo olvides, tiene mucho más peso que aquí en Castilla. Y quizás con ello regreses a Aragón en una situación ventajosa. Y, por encima de todo, si lo aclaramos, y si los judíos tienen algo que ver en esta desaparición, como todos afirman, entonces, querido Enrique, hasta el mismo Papa nos estará agradecido...

Enrique guardó silencio pensativo. Porque por un instante se planteó que, si no eran los judíos los responsables de aquellos hechos extraños, como todos pensaban, ya podría dar con unos condenados apropiados. Por lo que parecía, todos querían encontrar a los judíos culpables.

Y el hecho era que, tanto para Alfonso Barroso como para él mismo, eso sería en efecto lo más beneficioso.

Donde se descubren los secretos de Veridiana

Por las mañanas, cuando su sobrina Clarita estaba en la planta de abajo con su madre, una lengua de luz se filtraba entre las portezuelas que protegían los lienzos de las ventanas y atravesaba las tinieblas de la estancia. Entonces se hacían visibles las miles de motas de polvo que flotaban en el ambiente.

Sólo en esos momentos, cuando se encontraba sola, Veridiana se atrevía a jugar con las motas de polvo. Ése era uno de sus secretos.

Había comenzado a hacerlo cuando apenas era una niña y nunca había abandonado aquella costumbre que no se había atrevido a confesar a nadie.

Veridiana introducía sus manos en el rayo de claridad y las movía muy despacio, y entonces podía observar los dibujos que formaba el aire al ser removido. El polvo tomaba forma ante su vista en espirales simples y dobles, en suaves ondas y bruscas corrientes, y bailaba por una habitación aún en penumbras. Era como cuando en invierno la más fina nieve llegaba desde los cielos y revoloteaba hasta posarse en la tierra.

Jugar con las motas de polvo y contemplar el aire en movimiento le gustaba tanto como coser, y las dos actividades alejaban las grandes y pequeñas preocupaciones que atenazaban su alma y atormentaban sus pensamientos.

Su secreto nació cuando era adolescente. Un día descubrió que no era necesario mover el aire con las manos para crear corrientes. Le bastaba con soplar muy suavemente. Y después... Después se encontró con que, si se concentraba lo suficiente, era capaz de mover las partículas de polvo con la sola fuerza de su pensamiento.

Eso al principio le había llenado de confusión, pero luego se había acostumbrado a ello. Se decía que, después de todo, las motas de polvo debían de ser más ligeras que el aire, ya que flotaban en él, y en consecuencia suponía que su pensamiento era seguramente mucho más fuerte que ese aire tan tenue. Y así, cada día, siempre que la luz le permitía distinguir las corrientes de aire, jugaba con él. Creaba remolinos, a veces suaves, a veces violentos, e intentaba reproducir en él los mismos dibujos que bordaba en sus labores.

Era su secreto. Nunca se lo había contado a nadie... No se había atrevido a hacerlo. Tan sólo una vez, siendo niña, preguntó a sus amigas si ellas no «jugaban con el aire», y ni la entendieron, ni quisieron entenderla cuando ella comenzó a explicarlo. De hecho le pusieron unas caras tan extrañas y le dijeron tales cosas que desde entonces había guardado para ella su secreto.

Uno de sus secretos. Porque no era el único.

Era igual que cuando Clara, su sobrinilla, le pedía que le contase cómo se había librado de una muerte segura por dos veces en Toulouse. Entonces ella mentía. Mentía y se sentía culpable por hacerlo, pero callaba la verdad porque era mucho más increíble que sus inocentes mentiras. De modo que a fuerza de repetir sus invenciones casi había terminado creyéndoselas.

—Cuéntame otra vez lo del río, anda, tía. ¡Cuéntamelo, cuéntamelo! —le rogaba su sobrina.

—Por favor, Clarita, no seas pesada y deja a tu tía en paz.

—Mamá, si no la molesto.

—María, ya sabes que no me molesta...

—¡Ssshhh! Ni una palabra. De esas cosas no se habla...

—Por favooor...

Y a veces Clara ponía la palma de la mano sobre la de su tía para empezar una especie de juego que compartían entre las dos. Entonces Veridiana le decía:

—¡A ver tu manita!

—¡Todavía es pequeñita! —contestaba con rapidez la niña.

Veridiana medía sus dedos gordezuelos y le contaba:

—Cuando sean tan largos como los míos y seas toda una señorita, entonces ya no te contaré historias.

—¡¡¡Todavía es pequeñita!!! ¡¡¡Todavía es pequeñita!!! —le explicaba con una cara iluminada por la ilusión—. Veridiana, cuéntame lo del río, por favor, por favor, por favor...

Y le echaba sus bracitos al cuello y ella no tenía más remedio que ceder ante las peticiones de su sobrina favorita. Porque no podía negarse a contar una historia a esa niña que la contemplaba cautivada, aunque ello le supusiese recordar uno de los episodios más tristes de su vida.

—Guy había muerto hacía un par de semanas y ese día —comenzaba— yo había estado con Hortensia visitando a una señora que acababa de tener un bebé...

Aunque ya no se le humedecían los ojos cada vez que hablaba de bebés, Veridiana temblaba siempre que lo recordaba. En aquellos tiempos el hermano de Guy la mantenía prácticamente prisionera en su propio hogar y había tenido que salir sola con Hortensia, su ama, como si se tratara de una fugitiva.

—Y volvía a casa caminando —tampoco le contaba a la chiquilla que su casa había sido un bello castillo junto al Garona—. Aquél era un día precioso de verano. Y hacía un calor, ¡uff!, hacía un calor que no te puedes imaginar...

—Sí que puedo, tía...

—Bueno, seguro que sí que puedes. Porque sería el mismo calor que nos cuece aquí en Toledo en los veranos... Pues para llegar a mi casa había que atravesar un río, y había dos posibles caminos por los que llegar. Entonces... ¡Entonces tuve un pálpito! Me dio la impresión de que debía ir por el camino más largo, aunque hiciese un calor de mil demonios.

La niña se persignó al oír hablar de criaturas demoníacas. Y Veridiana intentó olvidar por milésima vez que, más que presentimiento, aquello que sintió fue la completa certeza de que no debía atravesar aquel puente. Fue tal la sensación de peligro la que le asaltó que a punto estuvo de vomitar. Así que se negó en redondo a ir por el camino habitual y se empeñó en dar un rodeo y marchar por el más largo.

Hortensia se enfadó de veras. Hacía tanto calor. Ella era mayor y estaba muy cansada. De ninguna manera quiso plegarse a los caprichos de una joven señora consentida, por muy embarazada que estuviese. Porque Veridiana entonces había contabilizado casi cuatro faltas. Así que el ama le dijo que o atravesaba el puente ahora mismo, o tendría que volver sola. Hortensia estaba segura de que Veridiana se negaría a ir sola. Pero se equivocó. Veridiana nunca hubiese atravesado ese puente. Nunca...

—Así que eso hice. Me di media vuelta y tomé el camino más largo. Pero, verás, hacía tanto, tanto calor y tanto sol —continuaba Veridiana relatando a su sobrina— que yo me había quitado mi manto. Era precioso, un manto blanco de verano, de fresca seda... Y era Hortensia la que cargaba con él. Y debió de ponérselo al cruzar el puente, porque era una mujer mayor que odiaba el sol... Y el asesino, ¡el asesino debió de confundirla conmigo! —por muchas veces que lo contase a Veridiana se le seguía poniendo la carne de gallina cuando hablaba de la muerte de Hortensia—. Porque ¡la arrojó al río!...

Veridiana nunca explicaba que durante todo el camino tuvo la sensación de que algo terrible pasaría con su ama, y que la única manera que se le ocurrió para combatir aquella desazón fue la de rezar. Pero ni aun orando fue capaz de tranquilizarse. Y cuando llegó a su hogar todavía tenía el cuerpo descompuesto, y al comprobar que Hortensia aún no había llegado, fue ella misma la que ordenó con urgencia buscarla en el río. Y tampoco le contaba a la niña que habían encontrado su cuerpo en la orilla, cosido a puñaladas... Y que incluso hoy, a veces, se le aparecía la imagen de su vieja ama, cubierta con su chal ensangrentado entre las sombras de la noche.

Hortensia había sido la única persona en la que confiaba en el castillo de Guy. Era una vieja malhumorada y arisca en la que sin embargo había encontrado una familiaridad que no llegó a alcanzar con nadie más en Toulouse.

Sin ella, Veridiana se sentía sola entre los lobos: con el hermano de Guy y sus hijos.

A ella no se le ocurrió ni por asomo que no era a Hortensia a quien querían ver muerta, sino a ella misma. Tan sólo le pareció un suceso terrible que enturbió aún más su triste existencia de joven viuda embarazada.

Pero después, cuando ocurrió lo del veneno, tuvo la certeza de que era precisamente a ella a la pretendían asesinar.

Los ojos oscuros de su sobrina se abrían como platos para rogarle que le contase lo de la sopa.

—Tía, tía, ¿y lo de la sopa? Por favor, cuéntame lo de la sopa.

—Lo de la sopa, lo de la sopa... —Veridiana se hacía de rogar—. ¿Estás segura de que quieres que te lo cuente?... ¿No te dará mucho miedo?

—¡¡Yo no tengo miedo!!

—Ah, o sea que eres una nenita valiente.

Clarita se hinchaba de orgullo.

—Pues claro, ya soy mayor. Oh, por favor, tía, cuéntamelo... —levantó sus ojillos hacia ella.

—Pues eso fue un domingo —empezaba a explicar Veridiana en un murmullo—. Me habían preparado uno de mis platos favoritos, sopa dorada...

A Clara tampoco le contaba que desde entonces había sido incapaz de llevarse a la boca cualquier alimento que incluyese azafrán, porque simplemente su olor le recordaba aquel fatídico día.

—Ese día no me encontraba bien —las náuseas que la asaltaron aquellas semanas fueron las que acabaron de convencer a todos de su embarazo—, así que me hallaba sola en mi gabinete cuando me trajeron la comida. Y al ver la sopa..., tuve el pálpito de que aquella sopa estaba mala y que no debía tomármela...

A Veridiana le gustaba usar esa palabra: «pálpito». Pero lo que le había pasado en realidad era que, al contemplar la sopa, una arcada enorme se le había quedado atascada en la garganta. Pero no era una arcada como las que le producían las náuseas del embarazo. Había empezado a sudar con el mismo calor y la misma sensación de peligro terrible que le había asaltado el día que mataron a Hortensia. Fue algo totalmente diferente al sencillo malestar matutino que a veces le importunaba. Era algo salvaje como una garra lo que se le clavó en las entrañas.

—Y entonces descubrimos que había sido una joven sirvienta la que había envenenado mi sopa, y la castigamos, y confesó que le habían pagado para que lo hiciera...

Veridiana recordaba con nitidez cómo se había sorprendido a sí misma de la seguridad con la que llamó a Michael, el viejo capellán, que había sido el único en el que había confiado su marido el barón. Le ordenó que hiciese subir a todos los que habían tenido algo que ver en la elaboración de la sopa, y cuando los tuvo delante, adoptó el aire de señora altiva que a veces le afloraba, y con una mirada oscura y mate, tan amenazante como un cielo en un día de nieve, los había contemplado a todos.

En cuanto observó a esa chica nueva y a su madre, se le retorcieron las entrañas. Y entonces, a gritos, les obligó a que ¡se comieran la sopa, allí mismo delante de todos! Y cuando ellas se negaron, Veridiana sacó fuerzas de no sabía dónde y, como un rayo, fue hasta la chica y hundió su cabeza en la escudilla. Y así la mantuvo hasta que su madre empezó a gritar y confesó hasta el último de todos los ingredientes que habían echado en aquella maldita sopa dorada.

Y Michael, el capellán, se llevó a la madre y a la hija, aunque nunca supo qué hizo con ellas el hermano de su esposo. Lo que sí sabía es que nunca nadie las había vuelto a ver. Nunca más.

—Y entonces decidí volver a Castilla, porque supe que librarme dos veces de la muerte había sido una suerte y una bendición de Dios, pero que a la tercera..., a la tercera la muerte podría conmigo... —concluía Veridiana con una sonrisa triste.

Su sobrina Clara la miraba con admiración rendida y Veridiana callaba que desde aquel momento todos sus sirvientes la miraban no con respeto, sino con auténtico miedo; y que era ella misma la que sentía pavor del pronto violento que había experimentado cuando sacó fuerzas de a saber dónde para hundir la cabeza de aquella chiquilla en la sopa.

Y nunca, nunca le contaba que en aquellos días comprendió que, si estaba viva, era de milagro. Tan milagroso le parecía haber esquivado a la muerte por dos veces, como el crecimiento de su vientre que cada semana estaba más tirante y redondeado. Y no sólo comenzó a temer por su vida, sino también por la de aquella criatura que milagrosamente Guy había engendrado en su interior justo antes de morir.

En aquella época se sentía sola. Tan sola como nunca se había sentido en muchos años. Y rezaba, rezaba a todas horas para adoptar una decisión que la hiciese sentir segura en el nido de víboras en que se había convertido lo que había sido su hogar.

El viejo Michael, el capellán, fue el único en el que encontró sabias palabras y un cariño sincero.

—Señora —le dijo una tarde de aquel estío infernal—, volved a Castilla. Volved a vuestra tierra. Con vuestro esposo Guy muerto, aquí sólo quedo yo para protegeros. Y aunque mi corazón es leal, mi brazo no es tan fuerte como antaño. Vos sois la señora de estas tierras, unas ricas tierras que el hermano de Guy siempre ha codiciado. Con vos muerta, y sin un heredero vivo aún —remarcaba el capellán ese «aún» dirigiendo una tímida mirada hacia su vientre—, todo será para él y sus hijos. Ya los conocéis, los cuatro son implacables.

A Veridiana nunca le había gustado el hermano de Guy y mucho menos sus vástagos. Eran unos brutos codiciosos que no se molestaban en disimular sus miradas y palabras hostiles y odiosas. Se sentía sola a merced de una manada de fieras hambrientas. Y se daba cuenta de que en Toulouse nunca había tenido amigos, y que la sociedad en la que se había movido siempre había girado alrededor de Guy. Ella sólo había sido una extraña, una hermosa y distante extranjera entre ellos.

—La decisión es simple: Toulouse y sus riquezas, o vuestra propia vida y la de vuestro hijo.

Veridiana suspiró y sus ojos se llenaron de unas lágrimas que no llegó a derramar.

La elección era simple: la vida.

De modo que preparó en secreto su huida. Y un atardecer, con poco más que lo puesto y unas joyas que cosió con maña a sus ropas, salió con Michael en dirección hacia

Aragón. Enseguida se unieron a una caravana cuyo objetivo era Zaragoza.

El viaje fue duro. Tan duro que cuando llegaron a Gerona comenzó a sangrar. Y allí perdió el hijo que esperaba y casi la vida.

Una partera desconocida consiguió frenar sus fiebres a base de sangrías y descanso. Y después de dos semanas, perdida entre los delirios de la sangre, había terminado por sobrevivir. Su cuerpo había demostrado ser tan fuerte como su voluntad por seguir adelante.

Después, cuando su tez recuperó el color y su espíritu las fuerzas que necesitaba para continuar el viaje, se dirigió hacia León. Allí permanecía casi toda su familia, pero tenía miedo de que la encontrasen en aquella ciudad.

De modo que luego decidió marchar a Toledo, donde vivía Juan, su hermano favorito, el pequeño, el que comerciaba con paños como un cualquiera, como si su sangre no fuese tan vieja y limpia como la del resto de la familia.

Allí, pensaba Veridiana, en la modesta casa de Juan y María, nunca la encontrarían.

Pero estaba equivocada.

Sólo era cuestión de tiempo.

Donde Veridiana conoce al hombre que marcará su destino

La plaza de Zocodover todavía olía a mercado. El polvo fino lo rodeaba todo y se empeñaba en introducirse en la garganta y la nariz, y en pegarse a la cara de los que aún se atrevían a caminar bajo el sol implacable. Los restos podridos de las verduras alfombraban el suelo ardiente y un par de perros flacuchos gruñían y trajinaban entre los restos inidentificables de lo que habían sido las tripas de algún animal.

—Se nos ha hecho muy tarde. Éstas ya no son horas decentes para comer.

—Llegaremos en un momento a casa, mujer.

—Tú y tus manías extranjeras de dar paseos. ¿Qué se nos ha perdido a nosotras en San Lucas?

Veridiana suspiró con cansancio y se decidió a contarle a su cuñada lo que hasta ese momento no se había atrevido.

—Quería ver a Leonor.

—¡A Leonor! ¿Y a santo de qué?

—Para preguntarle por su amiga y... Y por la del niño que raptaron, ya sabes.

María saltó en el sitio y terminó con los brazos en jarras.

—¡¡¡Pero qué se te ha perdido a ti en todo eso!!!

—Nada. Lo reconozco... Es simple curiosidad.

Los ojos azules de Veridiana se tiñeron de pura inocencia.

—¡¡Esa curiosidad tuya te meterá en líos, ya lo creo!! ¡Qué más te dará a ti!... ¡Ay, Jesús! Y con el calor que hace... Pues si querías ver a Leonor, ¡habérmelo dicho!.. Y no hubiésemos estado arriba y abajo por esos barrios de Dios en los que no se nos ha perdido nada...

A su cuñada empezaban a caerle churretes de sudor por la frente. Dibujaban un río claro entre el rostro polvoriento.

Veridiana se encogió de hombros y se sintió obligada a explicar:

—Tengo curiosidad, es cierto. Quiero saber qué pasa con esos niños desaparecidos. ¡Saber al menos si es verdad que han desaparecido!

—¡Ay, cuñada! ¡Pues claro que es verdad!

Veridiana estuvo a punto de gritar «¡pues yo no me lo creo!», pero en cambio se mordió los labios a tiempo, inspiró el aire caliente de la plaza plagado de polvo y se obligó a contestar calmada y pausadamente:

—María, no sabemos sus nombres. Lo que sabemos no son más que... habladurías. Y..., y... Ya sé que no se me ha perdido nada en esa historia pero..., pero...

Veridiana interrumpió su caminar y se quedó mirando fijamente a su cuñada.

—Nunca os lo he contado porque aún me duele. Porque me duele...

Los ojos de Veridiana brillaron inundados por esas lágrimas que a veces le surgían y ella contenía para que no llegasen a derramarse.

—Porque perdí un hijo que no llegó a nacer. Porque su pérdida me acompaña cada día y... —no se atrevió a contarle que fue en su huida de Toulouse—. De verdad que no puedo escuchar tan tranquila cómo Isabel habla de niños desaparecidos. Hay que hacer algo...

—Ay, Veridiana —María le cogió la mano—, ¿y qué mujer no ha perdido algún hijo? Mira a nuestra Clara, que casi tiene cinco años... Creo que Dios no se la llevará consigo ahora, pero ¿y mi pequeño Rodrigo?... Rodrigo no tiene dos años aún y no sé si Dios me lo arrebatará como se llevó a mi Guiomar, con sólo un añito... ¡Ay, Veridiana! ¿En qué casa no ha entrado la muerte para llevarse algún niño?

Las dos mujeres encontraron en los ojos de la otra el mismo eco de una herida que nunca terminaría de cicatrizar.

Una dulce sonrisa terminó de dibujarse en el rostro de María.

—¡Válgame Dios! Hay que ver cómo te pareces a tu hermano a veces, Veridiana. ¡Eres tan cabezona como él!... Así que quieres saber de los niños desaparecidos... Así que no te crees que son los judíos los que raptan niños cristianos para hacer sortilegios con su sangre...

—¡Todo eso son pamplinas!

—Pamplinas, ¿eh?... Verás si son o no pamplinas, cuñada. Esta tarde hablaremos con Isabel, que ésa es tan curiosa como tú, por no decir cotilla —se rió abiertamente—, y buscaremos a Leonor para que nos cuente del niño y de su madre y de lo que pasó en Santa Leocadia. María Isabel es la primera que querrá averiguar de dónde provienen esos chillidos que le roban el sueño... —María terminó con un susurro—. Pero ni una palabra a Juan, ¿eh?

—Por descontado.

—Lo único que nos faltaba es que se enterase de que nos dedicamos a preguntar si desaparecen o no los niños de Toledo. ¡Uff!

Veridiana sonrió agradecida.

Las dos mujeres se mantuvieron en silencio mientras comenzaban a subir por las calles que las llevarían hasta su casa.

—María, ¿sabes qué te digo?... —intervino Veridiana casi jadeando por el esfuerzo de andar por aquellas cuestas con ese calor—. Que qué te parece si dejas al pequeño Rodrigo dormir conmigo y con Clarita. Ya no es un niño de pecho. Casi tiene dos años... Si quieres, déjalo conmigo y su hermana. Así podrás dormir sola con Juan.

No se le ocurrió mejor manera de agradecerle a su cuñada que le apoyase en su inocente investigación.

María se carcajeó.

—¡Juan estará encantado, sí! Y el pequeño Rodrigo es ya un señorito... No es mala idea. ¡Lo dispondremos todo para que duerma en tu cuarto con vosotras!

Anduvieron unos cuantos pasos más.

—Gracias, Veridiana.

—No, gracias a ti, María. Estaré encantada de dormir con Clara y Rodrigo.

—Ja, ja, ja... No sabes lo que dices. Ese niño es inquieto como él solo. No para de moverse. No te dejará cerrar los ojos...

—Hija, me da igual. Ya sabes que los quiero como si fuesen hijos míos.

—Ja, ja, ja. No dirás eso en cuanto lleves una semana sin dormir.

Veridiana estaba encantada. Dormir sola era una maldición para ella. No se atrevía a decir que siempre había sentido un miedo terrible a la oscuridad. Las sombras habitaban la negrura de la noche y a veces hasta le parecía oír cómo se arrastraban entre las tinieblas. Por eso compartir el jergón con su sobrina no le molestaba; al contrario, estaba encantada con ello. Y no le importaría tener junto a ellas a Rodrigo ahora que ya era mayorcito.

—Da igual, María. Da igual... Nunca he dormido mucho. ¿Y con quién voy a estar mejor que con mis sobrinos?

Se internaron entre las callejuelas. Allí reinaban las sombras. Los toledanos tenían la costumbre de ampliar los segundos y terceros pisos de sus viviendas, construyendo sobre las vías públicas. Los llamados «cobertizos» cubrían casi todas las calles y en verano las protegían de los rigores del sol castellano. Las escasas veces en las que llovía, el agua tampoco alcanzaba el suelo de ese laberinto de pasajes estrechos y tapados que constituía el mapa de la ciudad.

Una ráfaga de aire un poco más fresco las rodeó.

—Ay, Veridiana, qué triste... —María se volvió hacia ella lanzándole una mirada que pasó de refilón sobre ella.

—¿Qué triste?... ¿Qué triste el qué?

—Pues que una mujer tan bella como tú se vea obligada a dormir sola —suspiró un poco teatralmente.

Veridiana no pudo menos que sonreír.

—Ya no soy joven, cuñada... Y no duermo sola, sino con Clarita.

—Ay, por favor, ¡ya me entiendes! Ya les gustaría a

otras mujeres más jóvenes que tú, tener la mitad de tu belleza. Tienes la piel y la dentadura de una niña. Ay, Veridiana, si te movieses en otros ambientes, si me dejases presentarte a…

—No, en serio —la interrumpió—. Ya te lo he dicho otras veces. No me interesan los hombres. Con Guy ya tuve suficiente… —su voz se perdió en un murmullo.

María suspiró de nuevo y se paró en medio de la calle.

—Guy, Guy… ¿Cuántos años tenía ese viejo marido tuyo, Veridiana? —frunció el ceño como si estuviese enfadada—. ¡Un marido! ¡Eso es lo que necesitas! Un hombre como tú. Aún joven, lleno de fuerzas. Ay, si me dejases…, ¡no te faltarían pretendientes! Si ya incluso ahora…

Veridiana tomó del brazo a su cuñada.

—No, María. Sencillamente: no.

La seriedad con la que lo dijo hizo callar a María.

—No puedo. No quiero… No quiero que mi nombre se sepa. Aún tengo miedo, cuñada.

María hizo un gesto de cansancio.

—Ay, hija, ¡pues entonces haber ingresado en un convento!

—No creas, que ya lo he pensado —se sinceró.

Su cuñada saltó en el sitio.

—Que lo decía en broma, Veridiana. ¡Una mujer como tú encerrada entre cuatro paredes! No, hija, no…

Veridiana no se atrevió a decirle que no sólo era el miedo. Tampoco le agradaban las amistades que frecuentaban su hermano y su cuñada. Juan se había manchado las manos comerciando. Trataban con comerciantes y trabajadores que usaban sus manos para ganarse el sustento. Sí, eran buenas gentes, como María Isabel, la vecina. Pero no eran como ella. Su familia, la familia que su hermano había mancillado, provenía de una rama de un antiguo linaje castellano que entroncaba incluso con la familia real. De aquello hacía ya generaciones, pero su padre nunca había dejado de recordárselo. Y esa sangre noble era la que había posibilitado su matrimonio con Guy, el barón. Una vieja deuda de guerra que su padre pagó con su hija más hermosa.

Con estos pensamientos en la cabeza, habían terminado llegando a casa.

Desde la calle se escuchaban los gritos de Clara y Rodrigo en el patio jugando a caballeros y princesas. A Veridiana no había un sonido que le hiciera más feliz que el de las voces de sus sobrinos resonando en el patio. Era el sonido de su hogar. El único lugar que había llegado a considerar como un auténtico hogar.

—Te faltan pretendientes. Eso es porque no hemos dado aún con la persona adecuada... —murmuró María a modo de conclusión.

Y lo dijo tan bajito que Veridiana no la oyó.

Moverse libremente por la ciudad pasaba por no alojarse con los capuchinos. Por eso Enrique prefirió buscar hospedaje como si se tratase de un viajero más, un estudioso que pasaría una larga temporada en Toledo. ¡Y qué mejor sitio para hacerlo que el mismo cobertizo que había ocupado el maestro Vicente!

—Todo está tal y cómo lo dejó el maestro —dijo la mujerona.

La sencilla estancia permanecía en penumbras. Sólo quedaba iluminada por la tímida luz que se filtraba a través de un ventanuco.

Enrique de Rascón y Cornejo supo que ella no mentía. Nadie se había llevado la leña que permanecía amontonada en una esquina. Y tampoco había desaparecido un balde de cerámica bastante grande.

—¿Era del maestro Vicente? —preguntó el joven señalando la jofaina con una sonrisa que contrastaba con la dureza de su mirada inquisidora.

La mujer asintió.

Abajo, en la calle, se oyó cacarear a unas gallinas. Enrique se asomó por el ventanuco y contempló la calleja que se perdía en la alcaná, el barrio de la judería menor que empezaba a sus pies.

—Está bien, me lo quedo.

La señora sonrió satisfecha.

—No se arrepentirá. Son dos semanas por adelantado y otra de fianza.

Enrique no tenía ganas de discutir y rebuscó la cantidad en su bolsa.

—Dicen… —susurró el joven mientras entregaba las monedas a la mujer— que el maestro desapareció de pronto. Pero si esto es todo lo que dejó —Enrique sonrió buscando la mirada cómplice de la casera— es que no desapareció, sino que simplemente se marchó…

La mujerona dejó escapar una risa franca.

—Sí. Eso dicen todos: que desapareció. ¡Tonterías! ¡¡No dicen más que tonterías!! Pero ya veo que usted —le señaló con su dedo regordete— no se deja engañar, como yo, por las habladurías. Nadie ha desaparecido. El maestro Vicente recogió sus cosas y se marchó. Se fue con su mujer y sus dos hijos…

Volvió a reírse.

—¡Cuentos de viejas! ¡Desapariciones! ¡Bobadas!…

Habladurías como ésas son las que han alejado a mis posibles clientes —dejó caer con un cierto desprecio—. Me alegro de encontrar por fin a uno que no se cree todo lo que le dicen, señor —subió el tono de voz—. Lo único que pasa es que a nadie avisó que se marchaba, que se fue de repente y nadie sabe adónde.

Enrique permaneció en silencio sin dejar de sonreír a la mujerona que acababa de ganarse.

—Mire usted, en confianza se lo digo, a mí ni me reclamó la fianza que me tenía pagada. ¡Ja! ¡Desapariciones! ¡Menuda estupidez! El maestro se fue por su propia voluntad. Con un poco de prisa, es cierto, pero ¡desaparecer! —la mujer escupió en el suelo, como si ello reforzase sus palabras.

—Y... ¿se llevó todo lo suyo? —insistió Enrique con una falsa timidez.

—Todo... Sus herramientas, las plantillas, los libracos de apuntes...

Enrique estaba satisfecho y su sonrisa no resultó fingida en esta ocasión.

—¿Cuánto tiempo se quedará? —la mujer volvió en su conversación a temas más mundanos.

Enrique se encogió de hombros.

—Espero que meses. Soy maestro de Gramática en los dominicos.

La mujerona le sonrió. Ese chico joven tan formal, que no le había discutido el precio, le pareció el perfecto inquilino para la habitación que alquilaba en el cobertizo que había pertenecido al maestro Vicente.

Era una tarde de primavera que ya anunciaba la llegada del verano. El calor se pegaba a la piel tan espeso como la pez. Los chiquillos jugaban en la explanada frente a la catedral. María, Isabel y Veridiana los contemplaban cobijadas bajo su sombra.

Una de las torres, inacabada, de piedra aún desnuda, sostenía un esqueleto de andamiajes. Sobre ellos basculaba una especie de grúa de madera junto a la que unos operarios discutían. Mientras, otro, sentado con los pies colgando sobre el vacío, los miraba sin hacer absolutamente nada.

—¡Qué calor! Si Leonor no viene pronto, me dará algo.

—Vendrá, Isabel. Es pronto aún... —le contestó María con voz cansada.

Veridiana permanecía en silencio. El calor le pesaba como una losa. Ni siquiera le apetecía hablar. El ambiente se le antojaba espeso y denso, tanto que de pronto sintió como si el aire le faltase.

—¿Estás bien, cuñada?

Ella inspiró profundamente.

—Estoy bien —su voz era débil—. Es este calor —mintió.

Veridiana se apoyó contra el muro. Toda la mañana se había sentido pletórica, tenía ganas de ver a Leonor e interrogarle por esa amiga suya y el niño desaparecido. Habían quedado con ella frente a la catedral y durante todo el camino había estado jugando con sus sobrinos y haciendo bromas con María e Isabel. Pero cuando llegó a la plazuela... Cuando llegó, empezó a sentirse extraña.

Por un lado sentía miedo. Un miedo muy parecido al del día en que se negó a cruzar el puente en Toulouse. Pero era algo más... soterrado. Más apagado. Era como una campana lejana, muy lejana, que sólo le dejase sentir su sorda reverberación.

Se llevó la mano a la frente y apartó de ella un sudor imaginario.

—Estás un poco pálida...

—No es nada. Es el calor —inspiró profundamente—. Ya estoy mejor, ya estoy mejor —repitió como si con ello fuese a convencerse a sí misma de la falsedad.

—Si quieres, volvemos a casa...

—No, en serio, estoy bien.

Se enderezó para fingir una fortaleza que estaba lejos de sentir.

Entre el grupo de niños que jugaban, el pequeño Rodrigo comenzó a llorar. La atención de su madre se desvió un momento hacia él.

Veridiana se separó del muro para mirar alrededor con descaro.

Tenía la impresión de que allí, cerca de ella, pasaba algo. Era incapaz de saber qué, pero era importante. Similar a lo del día que asesinaron a Hortensia, en el puente de Toulouse. Por eso observó detenidamente todo lo que la rodeaba.

Primero llamaron su atención los chiquillos que acababan de rodear a su sobrino que ahora lloraba desconsolado. Al parecer se había caído al suelo. Su cuñada, María, alarmada por los llantos, corrió hacia él. Isabel, la vecina, se dirigió también hacia el grupo de niños.

Veridiana guió su mirada hacia el cielo azul, limpio, sin una sola nube. Toledo a veces regalaba unos cielos tan azules y brillantes como uno de los trajes de seda que tuvo en Toulouse.

Su vista quedó luego atrapada por la torre y sus andamiajes. Después recorrió el edificio con la mirada hasta llegar a la puerta. Su respiración se aceleró de pronto. Allí se apiñaban algunos mendigos, los habituales aguadores y azacanes. Y después... un grupo de ancianas. Y algo más allá, un hombre cuyo rostro no podía distinguir porque le daba la espalda.

Su respiración se convirtió en un conjunto de pequeños jadeos. El aire era tan denso como la miel.

Aquel hombre era importante. Debía serlo. Significaba algo.

Su mirada quedó atrapada por él. Era un tipo alto. Llevaba una espada al cinto. Inesperadamente se volvió hacia ella. Como si la fuese a saludar. Era atractivo y mayor de lo que había imaginado por su figura.

Su rostro le resultó lejanamente familiar, pero era incapaz de ponerle un nombre o asociarlo a cualquier circunstancia.

Aunque el aire casi no le llegaba a los pulmones, no dejó de contemplarlo.

El hombre saludaba en su dirección, pero no a ella, sino a alguien que se acercaba por la calle que se abría paso junto a la pared sobre la que se apoyaba.

Una sonrisa iluminó la cara del desconocido.

—¡Víctor! —gritó el hombre.

—¡Bernardo! —la voz, oscura y profunda, surgió de alguien que pasó a su lado dejando tras él un halo lechoso.

Veridiana pudo sentir la corriente de aire que creó el hábito blanco que casi la había rozado. Y fue como si pudiese ver la estela de viento que quedó a su paso.

Unas motas de luz brillantes aparecieron y comenzaron a caer despacio, ante su vista, como unos luminosos copos de nieve inexistentes. Una especie de hipido se le quedó atascado en el estómago y la dejó sin aire. Pero ni parpadeó. No apartó la mirada de aquellos dos hombres que se saludaron con un abrazo. Al hacerlo, la capucha del que vestía el hábito blanco cayó hacia atrás.

Veridiana distinguió entre la nube de motas relucientes que invadía su visión, a un joven rubio, el más apuesto que había visto en su vida.

Estaba tan absorta en la contemplación de los dos hombres que ni tan siquiera se dio cuenta de que se desplomaba.

Ni tampoco que otro joven se precipitó hacia ella para sostenerla.

Porque Enrique de Rascón y Cornejo fue el único en la plaza que advirtió que una mujer, pálida como un espectro, se desmayaba y caía al suelo.

Cuando volvió en sí, se encontró en el patio de casa. La habían sentado sobre un escabel. Su cuñada María la contemplaba preocupada. Su vecina Isabel la abanicaba con las manos. Leonor permanecía un poco más allá, junto a su ama, conversando con un joven de cabello castaño y ceño fruncido.

—¡¿Estás bien?! ¡Vaya susto nos has dado! —exclamó su cuñada.

Al escucharla, Leonor, su ama y Enrique se acercaron hasta la enferma. Una cabecita también asomó entre sus faldas.

—¿Estás bien, tía? —la niña le dio la manita.

Veridiana respiró hondo y asintió. Se encontraba perfectamente. Nunca antes se había sentido mejor.

—Este señor te ha traído aúpa todo el rato —dijo Clarita señalando al chico de cabello castaño.

El joven se acercó un par de pasos y se inclinó en una sencilla reverencia.

—Enrique de Rascón y Cornejo, para servirla.

En ese simple gesto Veridiana advirtió que la educación de aquel hombre no era la que podría esperarse de alguien que vistiese unos ropajes tan bastos como los suyos.

Ella se incorporó despacio y se fijó en su serio semblante.

—Gracias... No sé qué me ha pasado —mintió—. Muchas gracias, Enrique de Rascón y Cornejo —pronunció el nombre despacio, y se irguió toda ella manteniendo su mirada en la del hombre joven que se mantenía frente a ella con la pose de un caballero.

—Me alegro de haberla ayudado...

Ella sabía que buscaba su nombre. Dudó un instante pero tuvo la sensación de que debía ofrecerle el auténtico.

—Veridiana. Veridiana de Sanabria —y al decirlo se sintió liberada, como si el peso que arrastrase desde hacía años se disolviera en un instante.

—A sus pies, Veridiana de Sanabria —paladeó cada sílaba despacio como lo había hecho ella, como si lo estuviese grabando a fuego en su memoria, y después comenzó a retirarse.

—Muchas gracias. Id con Dios, Enrique de Rascón y Cornejo —dijo María.

El joven se retiró unos pasos. Clarita lo acompañó hasta la puerta. Él murmuró algo a la niña y ella se rió.

Cuando la criada cerró la puerta, María se arrancó a explicar:

—Es maestro de Gramática en los dominicos.

—Ya —contestó distraída Veridiana.

—Es un joven atractivo y encantador... Rascón y Cornejo, hum... Su hermano el conde...

La atención de Veridiana volvió de pronto hacia su cuñada.

—¿Conde?

María asintió.

—Es de una familia de rancio abolengo aragonés. Su hermano es el conde. Él es sólo un maestro de Gramática...

—En los dominicos. Sí, ya lo habéis dicho.

Leonor se acercó a ella.

—Vaya susto que nos has dado. ¿Seguro que estás bien?

—Seguro...

Veridiana mintió. Todavía podía sentir dentro de sí esa vaga inquietud que la había asaltado en la plaza. Lo que sí que había desaparecido era el ahogo repentino que le causó la aparición del hombre rubio que vestía una especie de hábito blanco. Aquél al que habían llamado Víctor.

Eso se había evaporado como un sortilegio. Como si todo hubiese sido un sueño.

Tuvo que hacer un esfuerzo para concentrarse en las palabras que las otras mujeres intercambiaban alrededor.

—Veridiana quería preguntarte por tu amiga, la mujer del niño desaparecido...

—Ah, no. No es mi amiga —decía Leonor—. Era amiga de mi amiga Ana... —se interrumpió al darse cuenta de que, como acostumbraba, se estaba liando con sus prolijas explicaciones—. Bueno, esa mujer se llama Antonia, y es viuda. Su marido se llamaba Felipe... Pobre mujer. Viuda ya, y tan joven...

María hizo un gesto raro, como si reprochase a su amiga hablar así delante de alguien que arrastraba la misma condición de joven viuda como una pesada cadena pendiendo del cuello.

Pero Leonor no pareció darse cuenta de ello. Ella era una mujer que hablaba deprisa. Sin pararse a pensar en lo que decía. Tenía una voz aguda y un poco molesta. Y sin embargo la calidez de sus ojos oscuros y de su sonrisa le hacía ganarse la confianza de todos.

—Felipe la dejó sola y con nueve hijos. Bueno, ya sólo le quedan seis —Leonor se santiguó.

Ni Veridiana, ni Isabel, ni María abrieron la boca, pero sus pupilas se dilataron.

—Era el más pequeño... ¡Ah, no! ¡El siguiente!... ¿O no?, ¿ése se murió?... No, creo que era el siguiente.

—¿Quiénes se lo llevaron?

—¡¡Los judíos, claro!! ¿Quién si no? ¿Quién se lleva a los niños? ¡¡¡Los judíos!!! —Leonor se quedó mirando a las otras con la seguridad pintada en su cara—. ¡Los judíos que se beben su sangre!

Las tres mujeres intentaron averiguar más cosas, pero poco más pudieron sonsacar de Leonor sobre el asunto de los niños desaparecidos más allá de lo que ya les había contado.

La conversación derivó después hacia asuntos más domésticos para, cuando atardecía, acabar recabando en el joven Enrique que tanto Leonor como Isabel consideraban un héroe.

—Te trajo en sus brazos todo el camino.

—Es muy apuesto...

—Y muy fuerte...

—Ay, ya me gustaría a mí que alguien me hubiese cogido así en sus brazos.

—Pues yo no me enteré de nada —intentó zanjar el tema Veridiana—. Además resulta demasiado joven para mí, ¿no creéis? —sonrió.

—Vaya, ahora sí que tienes buena cara, cuñada. Pero ¡vaya susto que nos has dado!

—Sí, vaya susto.

—Ha sido este calor asfixiante —dijo Veridiana quitando importancia a todo—. Sólo necesito descansar un poco.

—Son cosas de mujeres —sentenció Leonor.

Nadie se lo discutió. Y Veridiana menos que nadie.

Aquella noche Veridiana tardó mucho en dormirse. Estaba agotada pero su mente se resistía a reposar. Intentaba no dar muchas vueltas en el jergón para no molestar a su sobrina, cuyos suaves ronquidos sentía a su lado, ni hacer ruidos que despertasen al pequeño Rodrigo, que ahora dormía junto a ellas en su cuna. Sus respiraciones la mecían y le ayudaban a alcanzar el sueño.

Le gustaba el sonido y el olor de los niños. No sabía explicarlo, pero cuando peinaba a Clarita, o cuando de noche el aire llegaba de una manera especial, era capaz de reconocer el olor de sus sobrinos. Le recordaba la dulzura de un bizcocho y la nata de la leche.

Veridiana estaba encantada de dormir con sus sobrinos, que paliaban su miedo a la oscuridad y a las sombras difusas que invadían las noches.

Pero en aquel momento no le preocupaban las sombras,

sino el sordo rumor que se había instalado en su alma y una única imagen que no podía quitarse de la cabeza: la de Víctor, el joven rubio vestido con aquellos hábitos blancos.

Apenas lo había entrevisto antes de perder la conciencia, pero su rostro perfecto, como el de una estatua pagana, se le había quedado grabado en la memoria. Era el rostro y los mismos cabellos claros y rizados que ella imaginaba en el arcángel san Miguel. El hombre más bello del mundo.

Nunca nadie antes la había afectado de aquella manera. Y precisamente se sentía culpable por encontrarse tan impresionada.

No podía dejar de preguntarse si eso, eso que había anidado junto a su corazón, en el pecho, era ese amor del que hablaban los cantares. Porque hasta esa tarde el amor siempre le había parecido un invento de trovadores. Y ahora sentía algo raro en su interior. Tan raro, que era incapaz de ponerle otro nombre excepto «amor».

Y se sentía una idiota por ello.

Ella era mayor; una mujer viuda y decente. No una jovencita soñadora. De hecho nunca había sido una jovencita soñadora. Había pasado directamente, casi sin darse cuenta, de la infancia a estar casada con Guy, el señor de Toulouse que le llevaba cuarenta años. Nunca había tenido oportunidades para soñar.

Por eso no entendía cómo la fugaz contemplación de un hombre, por muy apuesto que le hubiese parecido, la podía haber afectado de aquella manera.

«Sería el calor», se decía a sí misma. «Sería el calor», se mentía una y otra vez.

Y apenas se atrevía a formular el otro pensamiento que revoloteaba nebuloso alrededor. El que la avisaba de un peligro.

Porque esa sensación tan extraña que se le había quedado dentro como el rumor de un arroyuelo distante era tan parecida a lo que sintió cuando lo del río y lo de la sopa en Toulouse..., tan endiabladamente similar, que ni se atrevía a pensar en ello. Sencillamente, le resultaba imposible asociar cualquier tipo de amenaza a un hombre tan hermoso como el que había entrevisto aquella tarde en la catedral.

Donde se desvela el secreto de las misteriosas desapariciones

Alfonso Barroso, el dominico inquisidor, permanecía sentado frente a Enrique con sus manos ganchudas sobre la mesa. Al joven le parecían dos garras en reposo, como las de una mantis religiosa; unas manos que probablemente escondían más fuerza de la que cabría esperar en un hombre tan delgado.

—Maese Vicente se marchó con su familia. Nadie sabe adónde. Y antes de hacerlo recogieron todas sus pertenencias —Enrique levantó el índice para explicarlo—, lo que quiere decir que no fue una huida apresurada. Tuvieron tiempo de prepararlo todo...

El dominico asintió sonriendo. Y al hacerlo, un poco de caspa cayó sobre sus hombros.

—He hecho algunas averiguaciones y lo más sorprendente es que no he encontrado rastro de adónde ni cómo se fueron... —continuó Enrique—. Quiero decir que eran cuatro: el maestro Vicente, su esposa Juana y dos hijos adolescentes. Cuatro personas y muchos bultos. Pues bien, no he encontrado a nadie que les alquilase un carro, una carreta, caballos, mulos..., ¡nada! He preguntado en todos los lugares donde podrían haberse hecho con un transporte. ¡Y no he encontrado nada! —el joven buscó los ojos de su mentor—. En su cofradía callan y no sueltan prenda. Es como si hubiese llegado a un callejón sin salida. Como si la tierra se hubiese tragado a toda la familia.

—Bien, muy bien, hijo —Alfonso Barroso cabeceó y más escamas de caspa cayeron sobre su hábito blanco—. Estoy orgulloso de tu trabajo. ¿Estás seguro de que no poseía ningún carro propio?... ¿O quizás algún amigo le pudo haber prestado...?

—Ya lo he investigado —Enrique se atrevió a interrumpirle—. El maestro Vicente sólo se movía entre los suyos. Y estoy seguro de que los de la cofradía no me han mentido... Sin embargo... —hizo una pequeña pausa.

—¿Y sin embargo? —Alfonso Barroso le animó a continuar.

—Sin embargo..., me quedan algunos detalles por atar. Quiero hablar con los guardias de las puertas, los que vigilaban las puertas de la ciudad el día en que se marchó. Ya encontré a los del Cambrón, que no recuerdan a ninguna familia como la suya..., pero aún no he podido dar con todos. Estoy en ello.

—Bien, muy bien, hijo —repitió el dominico—. Sigue por ese camino. Los guardianes de las puertas...

Alfonso se inclinó sobre el joven.

—Habla también con todos en la cofradía, con los constructores, maestros, albañiles, alarifes... ¿Qué pudo impulsar a maese Vicente a marcharse?...

Enrique se revolvió en el asiento.

Eso ya lo estaba estudiando.

—He hablado con algunos —comenzó a explicar incómodo— y ninguno lo entiende. El maestro Vicente era un hombre amable y bien situado; por lo que parece, entusiasmado con el proyecto de la torre de la catedral. Nadie lo entiende... —machacó—. Por eso precisamente, porque nadie lo entiende, hablan de desaparición.

Enrique suspiró. Y el dominico supo leer en ese suspiro una duda agazapada.

—¿Y?...

—Pues... que éste no es el único caso. Hablando con unos y otros, he encontrado que al menos, en el último año, han desaparecido otros cuatro alarifes.

—Entonces, ¡no eran simples habladurías! —Alfonso Barroso se sorprendió.

Enrique de Rascón y Cornejo rebuscó los datos en su memoria.

—Son cuatro alarifes, de los mejores del gremio. Los cuatro eran solteros, entre diecisiete y veinticuatro años: Carlos de León, Beltrán de Toledo, Fernando Al-Bab-Usuf y Recaredo López.

—¿Mudéjares?

Enrique asintió.

—Alarifes mudéjares, los mejores del gremio.

—Los mejores... —dijo el dominico pensativo—. Los mejores alarifes del mundo son los árabes y los toledanos. Son los más finos canteros y han hecho de la albañilería un arte... Así que los mejores alarifes están desapareciendo, o se están marchando... ¿Adónde? ¿Dónde se están yendo los mejores constructores y alarifes?

La mirada de Alfonso Barroso se hizo afilada de pronto, pero Enrique no se amilanaba fácilmente y continuó desgranando su informe.

—Señor, también estoy siguiendo las pistas de los alarifes. Vivían todos ellos cerca de San Lucas. Más allá de la alcaná, de la judería menor. Y al menos ya sé que dos de ellos, al igual que el maestro Vicente, recogieron sus cosas y se fueron. No desaparecieron. Sencillamente se marcharon y nadie sabe adónde... Y me temo que con los otros dos pasará lo mismo: ¡que se fueron!

—No lo demos por supuesto. Asegúrate de que esos otros dos también se llevaron sus pertenencias, que no desaparecieron sin más.

—Por supuesto, señor. Hasta que no lo compruebe sólo es una... una sospecha.

Alfonso Barroso sonrió complacido y Enrique de Rascón y Cornejo se animó a continuar.

—Entre los mudéjares empiezan a decir que hay una maldición...

—Nosotros aclararemos esa maldición. Es tu misión averiguar qué está pasando...

Ahora fue Enrique el que sonrió.

—Espero que Dios me ilumine.

Los dos guardaron silencio unos instantes.

—¿No tienes nada más que decirme, hijo?

Enrique se enfrentó a los ojos inquisidores del dominico. ¿Le iba a contar lo de Veridiana?... No. Desde luego que no. Eso se lo guardaba para él.

No le diría que había conocido a una mujer que se había desmayado entre sus brazos. Una mujer hermosa, rubia y muy pálida, que no parecía pertenecer a este mundo. Que la había llevado en volandas hasta su casa. Y que nunca antes la belleza de una mujer se había incrustado de aquella manera en su alma.

No le contaría que intentaba no pensar en ella, pero que su imagen se colaba en cada uno de sus más íntimos pensamientos. No. Eso no podía contárselo al dominico.

—Nada más... Excepto..., excepto que continuaré investigando con ahínco. Al maestro Vicente y los cuatro alarifes desaparecidos.

Alfonso Barroso asintió con una sonrisa esculpida en el rostro, pero no por ello se esfumó su eterna arruga en el entrecejo.

—Yo sí tengo algo que comentarte, Enrique de Rascón y Cornejo.

Al joven le sorprendió que no le llamase «hijo», como acostumbraba, y se preparó para escuchar algo que revistiese una seriedad especial.

—Quiero..., quiero darte la enhorabuena. No sólo por tus investigaciones, cuyo celo me complace sobremanera, sino porque además me han hablado de ti los clérigos a los que instruyes. Y están contentos.

Enrique sonrió complacido, esperando que eso no significase recrearse en el pecado del orgullo.

—Me han dicho que enseñas de forma clara y concisa, pero sobre todo que acompañas tus enseñanzas con ejemplos fáciles de entender. Me dicen que no sólo han mejorado en la escritura y el canto, sino que lo mejor de todo es que... —la sonrisa de Alfonso Barroso se hizo más amplia, y la arruga de su entrecejo estuvo a punto de desaparecer— ¡están deseando asistir a tus clases y enseñanzas! Que lo pasan bien, hijo mío —volvió a sonreír—. Deleitar enseñando, Enrique, eso es lo mejor: deleitar enseñando.

Alfonso Barroso se atrevió a lanzar una suave carcajada.

—Ja, ja, ja... Si al final resultará que hemos encontrado un gran maestro de Gramática para nuestros clérigos.

—Siempre me ha gustado enseñar.

Alfonso cabeceó complacido.

—Estoy muy contento contigo, hijo mío. Y me complace que sepas que estoy a punto de enviar al obispo de Tarragona mis primeros informes sobre tus investigaciones... y sobre ti. Y mi impresión no puede ser mejor. En cuanto podamos aclarar algo más sobre el maestro Vicente, también hablaré con nuestra Excelencia Reverendísima el señor Jimeno de Luna, arzobispo de Toledo. Continúa así y llegarás lejos.

El joven sonrió ampliamente.

—Gracias, señor. Así lo haré.

Alfonso Barroso se levantó y dio por terminada la conversación.

Enrique se dirigió hacia la salida del convento. Se llevaba esa última impresión del dominico: estaba satisfecho y contento con su trabajo. Sus ojos le habían contemplado con ternura y le sonreía dulcemente, como podría haberlo hecho un padre amantísimo. Y sin embargo tenía la sensación de que algo escondía. Que por dentro Alfonso Barroso era frío como una serpiente, tal y como a veces dejaban traslucir sus ojos. Y que guardaba otros secretos bajo una falsa apariencia bondadosa.

Pero Enrique no tenía miedo a las serpientes. Él también sabía esconder sus secretos.

Veridiana, María e Isabel habían decidido acercarse hasta Santa Leocadia, en las afueras, donde les habían dicho que vivía ahora Antonia, la madre del niño desaparecido. Y no habían podido evitar que Leonor, chismosa como pocas, también las acompañase.

Juan, el hermano de Veridiana, se había enterado de que pensaban ir a la basílica de Santa Leocadia, y las mujeres se habían visto obligadas a encontrar una excusa que cubriese su curiosa expedición.

—¡¿Pero qué se os ha perdido extramuros!? —les había gritado Juan.

—Vamos a misa —María había mentido a su marido con una naturalidad que dejó pasmada a Veridiana—. Nos han dicho que las misas en Santa Leocadia poseen una belleza especial. Que el párroco está iluminado por la gracia de Dios...

—El padre Bartolomé se ofenderá cuando descubra que le traicionáis visitando otra parroquia.

—Después de todo, Dios está en todos sitios...

—Si es tan interesante, id con los niños. Les irá bien dar un paseo.

Ése fue el riesgo de inventar una excusa tan peregrina: tuvieron que cargar con Clarita y Rodrigo, y así, en vez de una investigación, aquello más bien se asemejaba a una romería.

Las cuatro mujeres y los dos chiquillos salieron por la puerta del Cambrón y bajaron por un camino polvoriento intentando que Clarita dejase de correr para evitar que su hermano la siguiese y terminase rompiéndose la crisma por aquellas cuestas.

La basílica de Santa Leocadia se encontraba más allá de la muralla que protegía la ciudad de Toledo, y a su alrededor se había desarrollado el arrabal, una barriada formada por cabañas, chabolas, algunas casuchas de adobe encalado y pequeñas huertas. Las construcciones se amontonaban unas sobre otras sin orden ni concierto, y las callejas que las atravesaban apenas merecían ese nombre. Aquella parte de la ciudad era un laberinto aún más intrincado que el de las propias calles de Toledo.

Aun así, no les fue difícil dar con una casa de adobe junto a la que crecía una higuera centenaria, que fue como les describieron el lugar en el que ahora vivía Antonia, la viuda, la madre del niño desaparecido.

Se plantaron las cuatro ante la puerta principal y se miraron dudosas. Como si no supieran muy bien qué hacer después de haber llegado hasta allá. Fue Leonor la que tomó la iniciativa y saludó desde la puerta a gritos.

—¡¡¿¿Antoniaaa??!!

Una chiquilla medio desnuda asomó entre la cortina que cubría el dintel de la puerta.

—Hola, pequeña, soy Leonor, la amiga de Ana. ¿Te acuerdas de Ana? ¿De la amiga de tu mamá?... ¿Está en casa Antonia?

Tantas preguntas parecieron desconcertar a la niña, que sin embargo no dudó en avisar.

—¡¡¡Madreee!!!

Antonia apareció con un crío pegado a sus faldas.

—¡Antonia! Soy Leonor, ¿te acuerdas de mí? Soy amiga de Ana...

Antonia contempló largamente a aquella mujer que ahora permanecía plantada ante ella y que provenía de un pasado que, sin serlo, se le antojaba curiosamente remoto.

—¿Leonor?... Sí, sí, Leonor, ahora te recuerdo. ¿Qué has venido a hacer aquí? —su voz era apenas un hilillo ronco y débil.

Veridiana se sintió enormemente culpable en ese momento. En efecto, ¿qué habían ido a hacer allá?... ¿A curiosear en la desgracia ajena? ¿En la de una viuda no tan afortunada como ella? ¿A profundizar en la herida de la pérdida de su marido y la desaparición de un hijo?...

Pero Leonor no se amilanó como ella. Sonrió abiertamente a la mujer y suspiró amargamente.

—Ay, Antonia. ¡Qué de desgracias, Dios mío! —y la abrazó llevada por un impulso que resultó ser más sincero de lo que le pareció a Veridiana en una primera impresión.

Leonor presentó a sus amigas y mintió con desparpajo.

—Hemos venido a Santa Leocadia, y me dijeron que ahora vivías aquí, así que he convencido a mis amigas para pasar a verte. ¡Tantas veces me he acordado de ti! Ana y yo nos preguntábamos a veces por tu suerte.

A Veridiana se le caía la cara de vergüenza. ¡Si tanto se había acordado de ella como decía, cómo es que hasta ahora no se había dignado en ir a visitarla! Las mentiras de Leonor le parecían burdas y crueles, y ella se sentía culpable y fuera de lugar.

Pero si Antonia pensó en algo de eso, no lo dejó traslucir. Sonrió amablemente a las mujeres y cuando vio que los dos niños que las acompañaban se acercaban hasta sus propios hijos para jugar con ellos junto a la higuera, sonrió incluso más abiertamente.

Leonor se extendió en una serie de tópicos. Isabel y María le siguieron el juego, y Veridiana se mantuvo en silencio. Sólo tenía ojos para aquella mujer que había parido nueve hijos, había perdido a su marido y para mayor desgracia, parecía que también había tenido que ver cómo le desaparecía más de un hijo.

Después de unos minutos, por fin Leonor consiguió llevar la conversación hacia el tema que les interesaba: su hijo.

—Ay, Antonia —suspiró de nuevo Leonor—, ¿y tu hijo el pequeño? El que desapareció... ¡Qué lástima, Dios mío, qué lástima!

Antonia se quedó mirándola como si no supiese de qué hablaba.

—¿Lástima?... Ah, no, Leonor, no. Nada de lástima. Lo de Matías ha sido un regalo de Dios.

Las cuatro mujeres intercambiaron una mirada de extrañeza, que terminó tiñéndose de conmiseración por lo que de pronto les pareció la locura de una dolida madre.

—¿Un regalo de Dios? —preguntó titubeante Leonor.

—Un regalo —contestó Antonia con la mirada perdida y soñadora.

—¿Un regalo de Dios que tu pequeño Matías desapareciese? —insistió Leonor.

—¿Desaparecer?... No, mujer, no. Que se lo llevaron...

—¿¡Los judíos!? ¡¡¡Se lo llevaron!!! —exclamó horrorizada Isabel.

Antonia fue la que puso entonces una mirada desconcertada.

—¿Judíos? No, hija, no. Cristianos. Caballeros cristianos.

El silencio que siguió y probablemente las expresiones estupefactas de las mujeres fueron lo que hizo que Antonia se arrancase a explicar:

—Mi pequeño Matías es el más espabilado de mis hijos. ¿No lo recuerdas, Leonor? Tú lo viste alguna vez...

Leonor aún tuvo ánimos para negar con un gesto.

—Felipe estaba tan orgulloso de él. Decía que llegaría lejos... ¡Ah! Seguro que ahora desde el Cielo lo está viendo... Nos ha sacado de pobres, después de la muerte de mi querido esposo. El pequeño Matías nos ha salvado a todos...

—¿Quién se lo ha llevado entonces? —se atrevió a preguntar Veridiana con un hililllo de voz.

—Los caballeros, los monjes de Santa Ceclina, claro —contestó con soltura Antonia—. Enseguida se dieron cuenta de la viva inteligencia de mi pequeñín y me propusieron un acuerdo. Ellos se llevaban al niño a su monasterio para formarlo como caballero, y a cambio... A cambio me dieron dinero. ¿Os lo podéis creer? —exclamó Antonia orgullosa hablando muy deprisa—. ¡¡¡Pero si hay gente que tiene que pagar por ingresar en algunas órdenes!!! ¡Y a mi pequeñín se lo llevaron! Porque es muy listo, me dijeron, porque prometía...

—¿Has... vendido a tu hijo? —osó preguntar Veridiana.

Le parecía increíble que una madre vendiese a un hijo suyo, por mucha necesidad que estuviese pasando... Se le removían las entrañas de tan sólo pensar en vender aquello que ella nunca había podido conocer, lo que ella había perdido y echaba de menos cada día.

—¿Vender? —la miró extrañada—. No, ¡no es un esclavo! Es un pupilo de Santa Ceclina. Lo convertirán en caballero. Estudiará, sabrá luchar, ¡se labrará un futuro! Y con el dinero que me dieron también ha labrado un futuro a sus hermanos...

Una amplia sonrisa iluminó la cara de Antonia.

Santa Ceclina. Era la segunda vez que Antonia mencionaba ese nombre. Los recuerdos más lejanos de Veridiana se removieron. Fue igual que cuando se pisa el cieno del fondo de un río. Como si el barro y las algas que permanecían tranquilos, agazapados en el fondo de sus recuerdos, de pronto echasen a flotar y ensuciasen un agua que hasta ese momento había parecido límpida. Le resultaba familiar aquello de Santa Ceclina, pero era incapaz de saber dónde lo había escuchado antes.

Entonces Antonia las invitó a entrar en su casa. Y cuando las cuatro mujeres llegaron al patio emparrado, se sorprendieron.

La pequeña fachada exterior no hacía pensar en lo que había dentro. En el patio se veía un pozo encalado. La sombra de una parra atenuaba el sol del casi verano. Alrededor del patio surgían otras dependencias. Todas ellas eran de adobe y muy sencillas, pero aquélla era una casa grande. Incluso en una esquina del patio había una pequeña huerta.

Pensaban que Antonia vivía en la pobreza, pero ahora se daban cuenta de que estaban totalmente equivocadas.

—Con el dinero de los de la Orden de Santa Ceclina compré esta casa. Dios respondió a todas mis plegarias... Pude dejar la chabola en la que malvivíamos desde que murió mi Felipe... ¡De un día para otro nuestra suerte cambió! Y desde entonces, cada día que pasa bendigo a los monjes de Santa Ceclina... A Bernardo y a Víctor, ¡benditos sean!...

El corazón de Veridiana dio un salto y el rumor que sentía como un arroyo dentro de sí, desde el día que se desmayó, se convirtió de pronto en una ola que la desbordó, aceleró su pulso e hizo que los colores subiesen a su rostro y la sofocasen por entero.

Era demasiada casualidad: Bernardo y Víctor. Como

los hombres que vio en la plaza. Y uno de ellos, el rubio, el que pasó junto a ella, el del rostro que no podía quitarse de la cabeza, vestía unos hábitos blancos.

—Los monjes de Santa Ceclina... ¿visten hábitos blancos? —susurró Veridiana con las mejillas encendidas.

Antonia asintió en silencio.

—Nunca los he oído nombrar —dijo Leonor.

—Que si la Orden de Belchite, la de Alcántara, que si los Caballeros de Calatrava, los de Santa María de España... Unas órdenes aparecen, otras desaparecen, unas se integran en otras. Son tiempos confusos... Recordad a los templarios, dicen que ahora se hacen llamar Caballeros de Cristo... —apostilló Isabel.

—La Orden de Santa Ceclina es rica y poderosa, tenedlo por seguro. No sólo está el dinero que me dieron por Matías. Beltrán de Toledo también salió bien surtido. Ay, ya lo creo. Emprendió el viaje al monasterio con mi Matías, con la bolsa llena de oro...

—¿Quién? ¿Beltrán?, ¿otro niño?

—No, hija, no: Beltrán de Toledo. Uno de los mejores alarifes de la ciudad. Trabajaba en la catedral. Necesitan constructores para su monasterio y pagan bien. ¡Vaya si pagan bien! Como que Beltrán lo dejó todo, prácticamente de un día para otro, para marcharse también con ellos...

Las mujeres asintieron intentando asimilar toda la información que les estaba proporcionando en un momento.

—En Toledo... —se atrevió a decir Veridiana aún sofocada—, en Toledo dicen que desapareció. Igual que creían que tu hijo había desaparecido.

—¡Ay, por Dios! Vaya sandez. Porque uno se vaya de un sitio de pronto, no quiere decir que haya desaparecido...

Yo ya había oído mencionar eso de mi niño, y ¡hasta de mí! Tan sólo porque dejamos la chabola un día y al siguiente no volvimos a ella. ¡Pues faltaría más! Pero la gente habla, uno le dice al otro, y el otro a otro, y al final lo que el primero ha contado no tiene nada que ver con lo que ha explicado el último... A la gente le gusta murmurar y no dice más que sandeces. Mi hijo está de pupilo con los caballeros de Santa Ceclina —concluyó Antonia orgullosa.

—Me alegro por el pequeño Matías, Antonia, me alegro de verdad —la mirada de Leonor era todo lo sincera que puede ser una mirada.

A la sombra de la parra, las mujeres continuaron charlando sobre sus hijos y las novedades que habían sucedido entre las antiguas amistades comunes. Y cuando el sol casi se había situado sobre la vertical del patio, Leonor se despidió de Antonia.

—Me alegro mucho de que te vaya bien —repitió—. Le comentaré a Ana que venga a verte.

Por su tono de voz, Veridiana comprendió que la alegría de Leonor era del todo sincera. Y en la despedida de Antonia adivinó que la vida que llevaba ahora estaba tan lejos de la que había vivido, que le daba absolutamente igual que ellas volviesen o no.

Cuando las cuatro mujeres y los niños subieron la cuesta empinada, de regreso a Toledo, Isabel se atrevió a decir:

—¡Qué apuro!

—¡No pasa nada, mujer! —le contestó María—. ¿No queríamos saber qué había sido del niño? ¡Pues ya lo sabemos! Es un pupilo en el monasterio de una orden...

—¡Quién lo diría! —exclamó Isabel—. Así que nada de judíos... Ni tan siquiera en el asunto del alarife Beltrán de Toledo.

—Estoy cansada, mamá —les interrumpió Clara—. Llévame aúpa, madre.

—¡Pero bueno! ¡Qué te has creído! ¡Pesas demasiado y ya eres mayorcita! —le reprendió María—. Anda, aguanta un poco, que ya llegamos.

Veridiana, que se mantenía en silencio, tomó de la mano a su sobrina.

—¿Me das la manita?

—¡Todavía es pequeñita! —aunque estaba cansada, Clara aún tenía ánimos para seguir el juego a su tía.

Isabel, Leonor y María no habían dejado de hablar durante todo el camino de regreso. Pero Veridiana no se sentía con ánimos para charlar.

Repasaba los nombres una y otra vez: «Santa Ceclina, Bernardo, Víctor»... ¿Dónde los había oído? ¿De qué le sonaban?

El pequeño Rodrigo también estaba cansado y, protestando, se colgó de la mano de su madre.

—Ay, hijos, qué pesaditos estáis. Que llegamos enseguida... Mirad, ya se ve la puerta.

—Yo no la veo.

—Ahí arriba —señaló—. ¿No la ves? No es un largo camino...

Un largo camino.

Veridiana lo supo de pronto. El cosquilleo que agitaba el agua de su memoria terminó por tomar forma en un recuerdo concreto.

Recordó un largo camino. Uno de los más largos que había realizado en su vida. Aquel que hizo desde León hasta Toulouse. Era el viaje que había emprendido casi como una reina, para casarse con el barón. Ella era apenas una niña.

Después de tantos años transcurridos, los detalles del viaje se confundían en su memoria, pero recordaba a Eladio, que presidió la caravana y que había sido como un amigo. Sin embargo, al llegar a Toulouse, la había abandonado para regresar a León.

Y también recordaba una noche que durmieron en una venta. Allí una mujer de cabellos blancos había sido amable con ella. La había escuchado como nadie se había atrevido en todo el camino. Y había un juglar que había cantado unas canciones muy dulces. Y al día siguiente se fueron. Se fueron y con ellos..., a ella le pareció ver un unicornio.

A veces lo recordaba como en sueño, sin estar segura de si había ocurrido o no.

Era un animal extraño, grande, imponente, muy elegante. No era blanco, como los unicornios que había visto adornando algunos tapices, sino marrón. Y tenía un solo cuerno en la frente, un cuerno retorcido pero hermoso.

A Veridiana le asaltó un escalofrío y el rumor sordo que la acompañaba volvió a desbordarse en una riada de emociones. Porque entonces recordó algunas conversaciones con Eladio durante aquel largo camino. Le explicó que aquéllos eran caballeros de Santa Ceclina. «Monjes hechiceros o brujos —recordó sus palabras—, que veneran libros impíos y herejes»...

—¡Veridiana!, tía. ¡No me haces caso! —el grito de Clara la sacó de sus ensoñaciones.

La llevaba de la mano y su carita expresaba una exagerada lástima.

—Que digo que si me llevas aúpa. Que estoy muy cansada.

—Perdona, Clarita, no te había oído.

—Enseguida llegamos —dijo con voz cansada su madre, que ya cargaba en brazos con el pequeño Rodrigo.

—¿Te he contado que una vez creí ver un unicornio?...

La cara de la niña se iluminó y se olvidó de pronto de que estaba cansada y que tenía hambre.

—Fue durante el largo viaje que hice para llegar a Francia...

Y durante un buen rato Clarita se sumergió en la historia que su tía Veridiana le contó y su agotamiento desapareció. Así, sin darse apenas cuenta, todos exhaustos, terminaron llegando a casa para almorzar y después echar una larga y reparadora siesta.

El asesino había llegado hacía pocos días a Toledo.

Había recorrido un largo periplo que había comenzado en Toulouse. Primero siguió la pista a una caravana que arribó a Zaragoza y que había acogido a una mujer embarazada y un anciano: Veridiana y Michael, el capellán. Pero había pasado mucho tiempo desde entonces y ninguno con los que se entrevistó recordaba qué había sido de ellos.

Por eso tuvo que viajar hasta León, la ciudad originaria de la mujer a la que debía matar, y allí acabó encontrando la tumba del capellán, pero ni rastro de la mujer. Todas sus indagaciones resultaron en vano.

Durante más de un año siguió una y otra pista, buscando a cada uno de los familiares con los que pensaba que podría haberse refugiado la antigua señora de Toulouse y el hijo o hija que habría tenido. Porque el vástago era el heredero legítimo de Guy, el barón, y podría reclamar sus derechos en cualquier momento. Y eso era algo que los que le enviaban no querían que ocurriese de ninguna manera y menos aún justo cuando intentaban legalizar los derechos de sus propios hijos.

Al asesino le había costado encontrar a Juan de Sanabria porque no se hacía llamar por ese nombre. El hermano pequeño de los Sanabria había renunciado a usar su apellido desde que se dedicó a comerciar con paños, y su familia se negaba a hablar de él porque, al dedicarse a esos negocios, había mancillado el noble nombre de su sangre.

Y cuando por fin lo encontró en Toledo, descubrió que vivía con su hermana, una mujer rubia, bella y pálida. Entonces supo que finalmente la había encontrado. A Veridiana: su presa.

La cantidad de dinero que le habían adelantado estaba a punto de acabarse, pero la parte que le habían prometido para cuando terminase su trabajo compensaría con creces el tiempo que había dedicado a la búsqueda.

Localizarlos había resultado complicado, pero lo demás sería fácil: sólo tenía que acabar con la mujer y su hijo o hija.

Don Bartolomé, el párroco de San Román, era un hombre sorprendentemente culto y comprensivo. Veridiana lo conocía bien porque se había convertido en su confesor desde hacía más de dos años. No era habitual encontrar a alguien que supiese leer en el alma de los demás, se preocupase sinceramente por sus parroquianos y desdeñase las riquezas materiales.

Don Bartolomé vestía una raída sotana de un color

indeterminado que bien podía haber sido negro o marrón, y caminaba inclinado hacia delante, como si el peso de la edad se le hubiese echado encima antes de tiempo.

Veridiana se había propuesto averiguar por su cuenta más de la Orden de Santa Ceclina, porque como le habían recordado muchas veces, era curiosa como un gato. Y porque, aunque no lo quisiera reconocer, sentía en su interior un hormigueo cuando pensaba en esos monjes guerreros. Sobre todo en ese tal Víctor. Era un hormigueo que no se le calmaba ni bordando, ni rezando, ni jugando con sus sobrinos.

Por ello no se le ocurrió a quién acudir mejor que a don Bartolomé.

Esperó, como había hecho otras muchas veces, a que terminase de escuchar a los demás parroquianos en confesión. Y entonces se acercó a él, y después de ponerse a buenas con Dios, le preguntó con la misma timidez que mostraba a veces para con los extraños, por la Orden de Santa Ceclina.

—¡¿Santa Ceclina?! —exclamó don Bartolomé—. Hacía mucho tiempo que no escuchaba ese nombre. ¿De dónde lo has sacado?

—Es simple curiosidad —mintió—. Estaban hablando de órdenes y nunca había oído... Como usted es una persona leída, se me ha ocurrido que quizás... —dejó las frases a medio terminar, como si no supiese cómo hacerlo, y levantó su falsa inocente mirada hacia el párroco.

—La Orden de Santa Ceclina ya no existe.

—¡¿Que no existe?! —exclamó intentando no levantar la voz en aquel lugar sagrado.

—Existió, sí. Pero la prohibió nuestro bienamado

Papa. Estoy seguro de ello. No creo que quede ni uno solo de aquellos monjes y caballeros guerreros... —Bartolomé hizo una pausa.

Veridiana permaneció en silencio. No se atrevió a decirle que, por lo que a ella le parecía, la Orden seguía existiendo. Y que incluso pensaba que debían de estar reconstruyendo su monasterio, ya que estaban contratando a albañiles y alarifes. Y que de hecho debían de estar bastante organizados como para reclutar pupilos.

—Es curioso que lo menciones, Veridiana. Hace apenas un mes me acordé de ellos. Fíjate que me pareció ver... Bueno, hace años, muchos años, venían por Toledo a encargar armas. Eran unas compras que representaban meses de trabajo para los talleres de mi primo. La Orden de Santa Ceclina era uno de sus mejores clientes... Y hace, hace cosa de un mes, me pareció ver a uno de ellos. Bernardo se llamaba, sí...

Bartolomé se perdió en un recuerdo concreto y Veridiana no quiso distraerlo. Aunque su corazón se aceleró, mantuvo la mirada baja, como si se tratase de un dato curioso que no la afectaba en absoluto.

—...Pero es del todo imposible. Ese Bernardo que yo conocí ya debería ser casi un anciano. Y el hombre que entreví era un hombre maduro...

Veridiana se aclaró la voz para atreverse a preguntar:

—¿Y dónde lo vio, padre?

—En la alcaná, sí. Salía de una casa cercana a la de Petahya. Bernardo, sí...

El padre Bartolomé volvió a quedar prendido de un recuerdo concreto y, como no salía de su silencio, Veridiana no tuvo más remedio que interrumpirle.

—¿Por qué prohibieron la Orden? —preguntó por fin en un susurro.

—Ay, no lo recuerdo bien... La causa concreta... Hum... ¿Quién sabe? Debió de ser herejía, como ocurrió con los templarios y los perfectos...

—¿Eran herejes entonces? —el corazón de Veridiana dio un vuelco, un atisbo de temor prendió en su pecho.

Don Bartolomé tardó en contestar y ese silencio a Veridiana se le antojó eterno.

—Lo único que es seguro es que habían acumulado más riquezas que ninguna otra Orden. Y que no tenían, como otros, el apoyo del rey de Aragón. Lo que mejor recuerdo es que no era necesario tener sangre noble para ingresar en sus filas y convertirse en un caballero, en un *freile milite*. Tan solo fe, valor y hambre de conocimientos... Porque los de Santa Ceclina eran amantes del saber. Y eso, eso precisamente fue lo que no agradaba a muchos. Porque no les importaba de dónde proviniese el saber —don Bartolomé suspiró—. Dicen que guardaban libros impíos, que hacían más tratos con moros y judíos de los que manda el buen orden. Pero no sólo eran peligrosos por eso, sino que además eran unos valientes guerreros, sin miedo a la muerte, bien entrenados en las artes de la guerra y la lucha... Un peligro para cualquier poder establecido, sí... Monjes guerreros, sí...

Veridiana pensó entonces en Matías, un niño humilde y despierto, que parecía encajar con el retrato de discípulo de Santa Ceclina que don Bartolomé le estaba dibujando. Y después, sin poder evitarlo, pensó en Víctor, el hombre que no se quitaba de la cabeza.

—¿Y?... —se armó de valor para preguntar en un murmullo—: ¿qué hábitos vestían?, ¿lo sabe usted, padre?

—Eran blancos, como los dominicos...

Veridiana intentó que a su rostro no asomase ninguna expresión. Pero estaba segura de que el color debió de teñir sus mejillas.

Ahora estaba convencida de que la Orden de Santa Ceclina seguía existiendo, que algunos de sus miembros estaban en Toledo y que buscaban albañiles y niños. Constructores y pupilos. Si ella tuviese que sacar una conclusión de todo ello, hubiese dicho que más bien parecía que la Orden estaba creciendo, y no que hubiese desaparecido.

—Veridiana, ¿qué? ¿Ha quedado saciada tu curiosidad? —indagó don Bartolomé con una sonrisa.

Ella asintió en silencio.

—Esa curiosidad tuya te acabará metiendo en líos.

—Las mujeres somos curiosas por naturaleza —apuntó con timidez.

—Por supuesto, por supuesto... La curiosidad está bien, pero hemos de encontrar el límite entre ser curioso y ser entrometido.

Ella sonrió y pintó su mirada azul de inocencia.

—Claro que sí, padre.

Cuando salió de San Román estaba decidida a encontrar a los monjes guerreros de Santa Ceclina.

—¡Pero bueno! ¡Déjalo ya! —su cuñada María apartó la labor sobre sus faldas y la reprendió señalándola con la aguja como si se tratara de una espada en miniatura—. Ya sabemos que el niño no ha desaparecido, ni el alarife tampoco. Se los han llevado los monjes guerreros esos de..., de...

—De Santa Ceclina —terminó la frase Isabel con un gesto de cansancio.

—Eso, de Santa Ceclina. Pues total, ¡mejor para ellos! Mira, no han sido los judíos como creíamos. ¡Déjalo ya!

Veridiana hacía un rato que no podía concentrarse en su labor. La rosa que estaba bordando permanecía inacabada en su bastidor.

—Sí, puede ser. Pero... ¿no os parece misterioso? El padre Bartolomé dice que esa Orden no existe, que hace años que el Papa la prohibió.

Las dos mujeres se encogieron de hombros a un mismo tiempo.

—¿Y...?

—¿No os parece extraño?

—Tanto me da, la verdad.

Veridiana disimuló una expresión de fastidio.

Isabel y María parecían haber perdido todo el interés una vez habían descubierto que los judíos no tenían nada que ver con las desapariciones.

—Isabel, ¿es que no te interesa saber el origen de esos gritos sospechosos que oyes por las noches? ¡De los descuartizamientos!... —Veridiana hizo una última intentona por azuzar el interés de las otras dos mujeres.

Isabel pareció reaccionar de pronto.

—¡No os lo había contado! —se puso en pie tan deprisa que casi dejó caer su labor—. ¡Ya lo he descubierto! Ya sé de dónde provienen esos sonidos.

Veridiana se levantó y dejó su bastidor sobre el escabel. María también se puso en pie sorprendida.

—Venid conmigo. Os lo enseñaré.

Isabel se dirigió hacia una de las esquinas del patio. Allí se amontonaba la leña. Y detrás había una pequeña puerta en la que nunca había reparado Veridiana. La dueña de la casa trasteó hasta conseguir levantar la pequeña cancela que mantenía la portezuela cerrada y la abrió.

Al hacerlo a Veridiana la golpeó una bofetada de olor a cieno y a humedad.

Una escalerilla se adentraba en la oscuridad.

—¡¡Carmeeen!! —gritó Isabel—. ¡Tráenos una lamparilla, por favor! ¿Queréis bajar? Es el almacén —explicó a sus amigas mientras comenzaba a descender—. Ya veréis.

Carmen, la sirvienta, llegó con un candil y consiguió encenderlo después de un par de intentos fallidos. Luego se lo pasó a Isabel.

Las tres mujeres se internaron en la oscuridad. La dependencia había sido horadada en el suelo de piedra caliza. Allí hacía un fresco que contribuía a conservar todos los alimentos. Una curiosa mezcla de olores mareó a Veridiana; aceite, manteca, vino, cerveza, productos de la matanza... Pero no sólo sentía los de la comida; había algo más que no era capaz de identificar.

Isabel se dirigió hacia el fondo, retiró un tablón y les mostró un agujero.

—Pon la mano, pon la mano aquí —le dijo a María.

Ella se acercó con precaución y acercó la mano hacia el agujero.

—¡Sale aire!

—¿A que sí?

Veridiana también sintió una corriente de aire. Y en ese preciso momento supo a qué olía la corriente que su amiga les mostraba.

—Huele a río... A agua estancada, a cieno, o algo así.

María olisqueó como un perrillo.

—Pues es verdad.

—¿A que sí? —repitió Isabel—. La otra noche volví a oír los gritos —les explicó mientras ponía el tablón en su sitio—. Y me dije «ea, ¡de hoy no pasa!». Me armé de valor y seguí los ruidos hasta el patio, y luego al almacén y... De pronto me di cuenta de que los gritos ¡no eran gritos!, sino el sonido que hacía el viento al filtrarse por este agujero.

Las mujeres salieron hasta el patio de nuevo.

—Ahora no suena, ya lo veis. Pero es cuando sopla el viento de una manera especial, desde el Sur. Entonces se filtra entre los recovecos de las cuevas, como un silbido, como gritos humanos...

—Todo el subsuelo de Toledo está horadado —intervino María—, es un laberinto de cuevas interconectadas. Desde tiempos inmemoriales la ciudad mantiene un entramado de túneles...

—Desde los tiempos de Hércules —la interrumpió Isabel con aire de entendida—. Se lo conté a mi marido y me dijo que algunas cuevas conducen hasta el río. Que cuando él era un niño ya estaba cegada la entrada de esta cueva, y que hay muchas más.

—¡Así que no son los judíos! —concluyó María.

Isabel negó con un gesto.

—Sólo es el aire.

Las dos parecían decepcionadas. Pero Veridiana no lo estaba. Para ella ya quedaba claro que los judíos no raptaban niños ni albañiles. Y sin embargo, una Orden de monjes que no debería existir ¡sí que se los llevaba!

Eso la intrigaba. Y su curiosidad se hinchaba azuzada por la visión de uno de aquellos monjes.

Isabel y María volvieron hacia sus asientos para continuar con sus labores, pero Veridiana continuó en pie.

—¿De veras no os interesa saber más de la Orden de Santa Ceclina?

—¡Qué pesadita estás, hija!

—Eso ni nos va ni nos viene.

—¿No os pica la curiosidad?

Las dos mujeres ya estaban abstraídas en sus labores y ni tan sólo se molestaron en levantar la vista.

—Pues yo quiero saber qué significa esa Orden...

María e Isabel suspiraron a un tiempo.

—Ya basta, Veridiana —le dijo su cuñada con voz cansada—. Sabemos demasiado. El niño está bien. No descuartizan a nadie... No te metas donde no te llaman. Si el Papa acabó con la Orden, por algo sería. No te entrometas...

Ella se sentó con la mirada baja. No les iba a contar que se moría por saber de Víctor. Eso no se atrevía a confesárselo a nadie, casi ni a ella misma.

Por eso tomó su bastidor y contempló la flor que estaba bordando sin verla. Veridiana estaba decidida a descubrir a los caballeros de esa Orden prohibida. Pero no dijo nada. Mantuvo los ojos en su labor y comenzó a dar puntadas de modo automático. María e Isabel empezaron a charlar sobre temas intrascendentes pero ella no se enteró de nada. Su mente estaba lejos de aquel patio; sólo pensaba en cómo llegar hasta el barrio de la alcaná y qué excusa buscaría para poder internarse sola en él.

Cuando días después descubrió a María amonestando a una de las sirvientas porque se le había olvidado pasar a recoger unas cucharas de hueso que habían encargado, se le ocurrió que aquélla podría ser su oportunidad, porque el artesano que las fabricaba no quedaba lejos de la alcaná.

—Déjala, María —le dijo en un tono falsamente conciliador—. Ya iré yo a por ellas.

—¡Tú! Ni hablar, Veridiana. Es cosa suya.

—No me importa, de verdad.

—¡Pero cómo vas a ir tú sola! ¡Por favor!

—No iré sola... Clarita vendrá conmigo —improvisó de pronto—. Mira lo pesada que ha estado toda la mañana. Hagamos una cosa: me la llevo y paso por la plaza a ver al mono —no dio tiempo a que su cuñada la interrumpiese—. ¿Qué te parece, sobrina? ¿Vamos a ver al mono? ¿Damos un paseo?

A veces, aunque no fuese día de mercado, unos titiriteros hacían bailar a un mono amaestrado en la plazuela del Pozo. A Clara le encantaba y, en cuanto escuchó lo del mono, ya no quiso hablar de otra cosa.

—¡Llévame a ver el mono! ¡Llévame a ver el mono, tía!

Veridiana asió a su sobrina de la mano y le preguntó:

—¿Me das la manita?

—¡¡Sí, sí!! ¡Todavía es pequeñita!

—¡Volveremos pronto! —gritó Veridiana a su cuñada.

No podía imaginarse hasta qué punto estaba equivocada.

El barrio de la alcaná no era otra cosa que una intrincada red de callejuelas que comenzaba cerca de la catedral. Veridiana conocía tan sólo las vías principales, las más comerciales. Nunca se había internado en el corazón de la judería menor.

En la plazuela del Pozo no encontraron ni rastro de los titiriteros y Clara refunfuñó y amenazó con no dar ni un solo paso más. Veridiana se armó de paciencia.

—¿Qué te parece si, después de recoger las cucharas, nos pasamos por el puesto de los confites de Tomás? —le dijo a Clara sin perder la sonrisa—. Te compraré un mazapán.

—¿Dos?

Veridiana estaba dispuesta a capitular con tal de contar con el buen humor de su sobrina para su pequeña aventura.

—Venga, que sean dos. Pero entonces te tienes que portar muy bien...

La niña asintió feliz y contenta.

Después de recoger las cucharas no tuvo más remedio que pasarse a por los mazapanes. Allí preguntó a Tomás por la casa de Petahya, y aunque estaba segura de que al confitero la cuestión le pareció un tanto extraña, no osó interrogarle sobre el porqué de su interés.

Cuando Veridiana se internó en los angostos pasajes de la alcaná y dejó atrás el bullicio comercial, pronto se encontró sola en unas callejuelas en las que los únicos sonidos que oía eran sus pasos y los que producía el masticar goloso de su sobrina.

Nunca había tenido dificultades para orientarse, pero enseguida se sintió perdida en un laberinto de callejas. Sin darse cuenta apretó más fuertemente la mano de Clarita.

—Tía, ¡que me haces daño!

—Ay, perdona, hija.

La gente que pululaba entre las calles principales había desaparecido por completo. Y la casa pintada de blanco y amarillo que le habían comentado que le serviría de orientación no aparecía por ningún sitio.

Dio unas cuantas vueltas en su busca y se dio cuenta de que estaba irremediablemente perdida.

Veridiana se encontraba en una calleja oscura y le pareció escuchar unos pasos tras ella.

Se dio la vuelta rápidamente. Pero no vio a nadie.

Pensó en preguntar a alguien por la casa de Petahya, pero aquello era la judería, y sus temores y prejuicios sobre los hebreos pesaron demasiado y no se atrevió a hacerlo.

Por primera vez en muchos años, se sintió extranjera en Toledo.

Suspiró fuertemente. Intentó calmar el rumor sordo que empezó a brotar dentro de ella y decidió desandar el camino hecho.

Veridiana era observadora y en la alcaná junto a cada puerta había unos curiosos agujeros en los que, según creía, los judíos guardaban pergaminos con textos de la *Biblia*. Ella no terminaba de comprender por qué lo hacían, pero durante el trayecto se había fijado en algunos de ellos que tenían decoraciones y filigranas muy curiosas y originales. Prestando atención a los que le habían parecido más llamativos, podría volver a la plazuela del Pozo. Después de todo, según pensaba, no debería estar muy lejos de la catedral.

—Tengo miedo, tía —le dijo Clara con la cara pringosa con los restos del mazapán y esa perspicacia que siempre demuestran los niños cuando intuyen que algo va mal.

—No pasa nada, Clarita, cielo —mintió Veridiana.

El rumor que anidaba dentro de ella acababa de desbordarse y tuvo la sensación de que el corazón se le saldría por la boca en cualquier momento.

Se dio cuenta de que algo iba mal en cuanto dobló la esquina para salir de la calleja.

Se topó con un hombre alto y fuerte. Vestía de una manera sutilmente diferente a la de los toledanos. Su camisa era más corta y ajustada al cuerpo. No era de color pardo sino de un bermejo chillón. Pensó que podría ser extranjero.

Cuando se enfrentó a sus ojos, supo que las intenciones de ese hombre eran tan retorcidas como las de una serpiente. Su mirada acerada, su sonrisa torcida, todo él emanaba crueldad. Y una sensación de peligro, la misma que sintió el día en el que asesinaron a Hortensia en Toulouse, se adueñó de sus entrañas.

Aquel hombre olía a muerte.

Veridiana gritó. Con todas sus fuerzas.

Clara se pegó como una lapa a las faldas de su tía y también chilló asustada.

El asesino sacó un puñal. Fue un movimiento tan rápido que Veridiana apenas vislumbró qué era aquello con que la amenazaban.

Un manotazo del hombre la empujó para separarla de la niña.

En un momento descubrió que el puñal no iba dirigido a ella, sino a Clara.

—¡¡Nooo!! —gritó Veridiana.

Y en ese mismo momento comprendió que aquel extranjero no era un rufián cualquiera. Que aquel hombre venía de lejos para matarlas. Que primero iba a clavar el puñal en la niña. Que la muerte a la que había esquivado por dos veces venía por fin a cobrarse una presa.

Veridiana intentó agarrar el brazo del hombre. Era duro como el metal.

Lo entendió en un instante. Cuando el puñal del asesino insistió en buscar el cuerpo de la niña y no el suyo: su sobrina tenía la misma edad que podría haber tenido su hijo o hija. La pequeña sería la heredera legítima. La primera de la que había que deshacerse. Ella en cambio sólo era una viuda.

—¡¡¡No es mi hija!!! —chilló con todas sus fuerzas—. ¡¡Es mi sobrina!!

El hombre no hizo ningún gesto que revelase que la había entendido. Fue como si no hubiese oído los gritos de la mujer.

Veridiana mantuvo su presa sobre el brazo del hombre con toda la energía de la que se vio capaz.

—*Celle n'est pas ma fille, c'est ma nièce!!!* —aulló.

El asesino parpadeó. Veridiana tuvo la impresión de que ahora sí que la había entendido. Pero el puñal continuó buscando una víctima donde arraigar.

Veridiana sintió que se le escapaban las fuerzas y que no podría frenar al hombre por más tiempo. No podía pensar. Sólo se le ocurrió morderlo. Y lo hizo a conciencia. No aflojó la mandíbula hasta que sintió la sangre tibia correr por su piel, y el hombre liberó su presa.

Veridiana gritó:

—¡¡Corre, Clara!! ¡¡¡Corre!!! ¡¡¡Vete a casa!!!

Su sobrina tenía los ojos encharcados por las lágrimas y el terror. Estaba hecha un ovillo sobre el suelo, paralizada de miedo.

Veridiana se esforzó por teñir su voz del mismo tono que empleaba cuando tenía que castigarla.

—¡A casa, Clara! ¡A casa! —le ordenó Veridiana—. ¡Corre a casa!

La niña posó su mirada sobre su tía, y el rostro de firme

determinación que encontró en ella la hizo reaccionar. Salió corriendo.

A Veridiana no le dio tiempo de ver cómo huía del callejón pero oyó sus pasitos alejarse rápidamente.

Entonces se enfrentó a la mirada del asesino que se había teñido de una nueva oscuridad y lanzó un grito de socorro desesperado.

—¡¡¡Auxiliooo!!! ¡A mí!

Donde se relatan los extraordinarios sucesos acaecidos en el callejón de la alcaná

Enrique se sentía extraño. Toda la mañana se había encontrado inquieto y le había resultado difícil concentrarse en las lecciones que impartía. Hasta que no llegó a su cobertizo no se dio cuenta de que su pulso se había acelerado. Le temblaban las manos y tenía la impresión de que, si se dejaba llevar, se desmayaría como una damisela. Tuvo que sentarse en un taburete para recuperarse.

Su mente lógica se impuso, y pensó si habría comido alguna cosa extraña que le hubiese podido sentar mal. Pero reparó en que más bien había sido al contrario; quizás estaba débil porque apenas había probado bocado. Así que sacó una hogaza de pan, cortó una amplia rebanada y empezó a comer despacio. Muy despacio. Intentando concentrarse tan sólo en el hecho de morder y masticar.

Y en eso estaba, cuando el grito le llegó desde la calle:

—¡¡¡Auxiliooo!!! ¡A mí!

El chillido subió hasta el cobertizo para incrustarse en la mente de Enrique como si le hubiesen golpeado con una maza. Se le cayó el pedazo de pan que estaba comiendo al suelo y se quedó un momento atontado y confuso.

—¡¡Socorrooo!! —escuchó de nuevo.

Se asomó al ventanuco para descubrir qué pasaba.

La calle sobre la que se levantaba su habitación dejaba ver la entrada a un estrecho callejón por el que apareció una niña pequeña que corrió para perderse entre las callejas de la alcaná.

Después volvió a escuchar un grito que esta vez fue capaz de identificar como el de una mujer.

Enrique de Rascón y Cornejo dudó un instante si debía bajar a la calle. Pero tardaría demasiado en hacerlo. Así que la curiosidad, aderezada con un punto de temor, lo mantuvieron pegado a la ventana con los dedos clavados en el marco del pequeño ventanuco.

Un nuevo alarido llenó de ecos las callejas.

Escuchó unos pasos bajo sus pies. Alguien acudía hacia el lugar. Sólo pudo distinguir dos sombras. Una clara, vestida con un hábito blanco. La otra, tan parda que se confundía con la arena de la calle. Y más que ver, sintió el centelleo de las armas que portaban. Intentó asomarse más, pero apenas podía sacar la cabeza a través de aquel espacio tan reducido.

Los dos hombres, fugaces como sombras, se internaron en el callejón. Hubo más gritos ahogados, golpes y jadeos.

Enrique permaneció pegado al marco del ventanuco. Sin darse cuenta aguantaba la respiración.

De la callejuela salió un hombre caminando de espaldas. Era alto y fuerte. Fornido como un toro. Parecía herido, avanzaba despacio, paso a paso, sin apartar la vista de algún punto frente a él. Portaba un puñal. Enrique hubiese apostado a que le temblaba el pulso. Su tabardo estaba empapado en sangre y un hilillo bermejo le salía de la nariz e inundaba su pechera.

Frente a él aparecieron las dos sombras que habían acudido a los gritos. Eran dos hombres también altos, pero no tan corpulentos como el que retrocedía. El que vestía hábitos blancos era muy rubio y más joven. Mantenía un puñal ante él. Lo sujetaba con la naturalidad de quien se ha criado toda la vida con un arma en la mano. El otro, el que vestía de tonos oscuros, era mayor. Ni siquiera había desenvainado su espada. Tan sólo mantenía sus manos extendidas ante sí, mostrando sus palmas desnudas al hombre herido.

De improviso, el que retrocedía amagó un movimiento de ataque. El que vestía de pardo y gris hizo un gesto, como si empujase el aire con sus manos, y el herido cayó al suelo igual que si lo hubiese barrido una fuerza invisible.

Enrique pensó que se había perdido algo. Quizás había parpadeado justamente en el instante en el que habían atacado. No había podido ver nada excepto ese movimiento suave con las manos.

El fornido que portaba el puñal se levantó con dificultades y lanzó un desesperado ataque hacia el hombre de oscuro. Éste repitió ese mismo gesto y el hombretón salió disparado hacia la pared.

Enrique, más que verlo, lo sintió como si hubiese estado allí mismo. El aire había tomado la fuerza de un vendaval y había elevado al hombre un par de metros, para después lanzarlo contra el muro. Ahora lo había visto con claridad. Y sin embargo le era del todo imposible comprender qué había pasado. Enrique de Rascón y Cornejo continuó contemplando la escena hipnotizado.

El hombre del puñal cayó hecho un pelele contra el suelo. Su espalda quedó doblada de una manera antinatural.

Los otros dos hombres cruzaron una mirada y se internaron en el callejón tan rápidos como un relámpago.

Enrique escuchó unos susurros y enseguida volvieron a aparecer cargando con una mujer. La transportaban torpemente. El de los hábitos blancos la cogía por los tobillos, el otro por debajo de los hombros. A la mujer se le había deshecho el moño, y una cascada de cabellos rubios se balanceaba y arrastraba por el suelo. La sangre goteaba desde su cabeza al suelo dejando unos charquillos densos y oscuros.

El corazón de Enrique se paró. Porque de pronto la reconoció.

Era la mujer de la plaza.

—¡Veridiana! —gritó sin pensar.

Los dos hombres que cargaban con la mujer alzaron la cabeza. Enrique cruzó un instante su mirada azul oscura con la del de los hábitos blancos. Y salió disparado hacia la puerta.

Bajó como un ciclón las escaleras, saltando los escalones de tres en tres. Atravesó el patio solitario, salió a la calle, recorrió a toda carrera los metros que le separaban del callejón que se divisaba desde su cobertizo y, cuando llegó allí..., ya no quedaba nadie más que el hombre del puñal roto como un muñeco.

Enrique miró hacia un lado y otro buscando a Veridiana y a la pareja que se la había llevado. Agudizó el oído para escuchar los pasos pesados de los hombres que debían arrastrar un bulto. Pero no percibió nada.

Buscó en el suelo los restos de sangre.

Había quedado un rastro que Enrique siguió a través de un par de callejas. Pero las gotas rojizas se fueron apagando para acabar por desaparecer.

Se encontró de pronto solo y en cuanto reflexionó sobre lo que acababa de presenciar sintió un sordo temor arraigar dentro de él. Porque había visto lo imposible; un acto de brujería, un milagro, un hombre que empujaba el aire con sus manos para atacar a otro.

El joven tragó saliva e intentó calmarse. Recordó los detalles de todo lo que había observado para no olvidarlos y comenzó a temblar.

Pero no hacía ni pizca de frío.

Alfonso Barroso lo recibió cuando la tarde comenzaba a caer y la luz de Toledo se teñía de naranjas y lilas. Enrique había reprimido las ganas de morderse las uñas mientras esperaba que el dominico le hiciese pasar al aposento desde donde organizaba su oficio.

—Algo grave ha ocurrido —le había lanzado a su mentor sin saludarle siquiera.

Acababan de encender un velón y un olor aceitoso cubría la estancia en la que aún entraba algo de luz natural.

—Siéntate, hijo —le había dicho Alfonso adivinando la inquietud que alteraba al joven que hasta ese momento había dado siempre muestras de ser extremadamente juicioso y calmado.

Enrique se acomodó sobre una sencilla banqueta y se lanzó a explicarle de forma apresurada todo lo que había visto desde el ventanuco de su habitación sin omitir ni un detalle.

Alfonso Barroso no le interrumpió. Dejó que el joven se explayara hasta que terminó la historia y sólo entonces, cuando le pareció un poco más tranquilo, le preguntó:

—¿Un hombre derrumbó a otro tan sólo alzando el aire ante él? —inquirió con una voz firme y acariciadora.

Enrique asintió.

—Más bien «empujó» el aire hacia él —y repitió el gesto que había visto hacer.

—¿Estáis seguro de lo que habéis visto? —era la primera vez que Barroso usaba ese tratamiento para con Enrique.

El joven suspiró.

—Lo estoy, señor.

Alfonso Barroso le clavó esa mirada suya que helaba el corazón.

—Enrique, vos que siempre habéis dado muestras de cordura, que habéis afirmado que apelaríais a la lógica para explicar cualquier hecho misterioso o extraño, ¿qué justificación podéis dar a lo que habéis visto?

El joven dejó reposar su mirada unos instantes sobre los diseños de hueso y marfil que adornaban la mesa que le separaba del inquisidor.

—No hay ninguna explicación lógica, señor —Enrique, lejos de amilanarse, enfrentó su mirada a la del dominico—. Es brujería.

Ahora que lo había soltado, se sintió más tranquilo. Había una única interpretación para los hechos de los que había sido testigo, y ahora que se había atrevido a expresarla en voz alta, se sintió liberado.

—Es, sencilla y llanamente, brujería.

Alfonso Barroso había refrenado un gesto ansioso, mas cuando el joven pronunció la palabra «brujería», se relajó un instante y se dejó caer sobre el asiento.

—Brujería, ¿eh? —dejó divagar su mirada por el rancio aposento—. *Defende nos in praelio contra nequitiam et insidias diaboli esto praesidium.* Esto es asunto para nuestra Inquisición, Enrique de Rascón y Cornejo...

Las campanas del convento comenzaron a sonar y Alfonso distrajo su atención unos instantes. Una bandada de vencejos pasó ante la ventana.

Cuando Barroso reanudó la conversación, abordó otras cuestiones.

—Envié tu informe al obispo de Tarragona, su Excelencia Reverendísima don Juan de Aragón. Los últimos datos que me comunicaste ya obran en su poder. Sabe que maese Vicente no desapareció, sino que marchó por su propia voluntad junto con su familia a algún lugar desconocido. Al igual que Carlos de León, Beltrán de Toledo, Fernando Al-Bab-Usuf y Recaredo López, los cuatro alarifes mudéjares —el inquisidor sonrió y su piel casi crujió al plegarse en un gesto amable—. Me permití incluir mis propias hipótesis. Quizás alguien los contrató para trabajar en otra obra. Alguna obra de importancia de la que sin embargo ni yo tengo conocimiento, ni el propio arzobispo de Toledo. A él también le he hecho llegar tu informe, hijo.

Al escuchar que Alfonso Barroso volvía a llamarlo «hijo», Enrique se relajó.

—Y a los dos, escúchame bien, a los dos dejé claro tu nombre, tu pericia y capacidad en las investigaciones.

—Gracias, señor.

Una emoción antigua como el mundo recorrió al

joven. El arzobispo de Toledo conocía su nombre. El más poderoso de Castilla, tanto o más que el rey, tenía en sus manos su informe.

Alfonso Barroso sonrió de nuevo, si bien la arruga de su frente continuó fruncida como siempre.

—Ambos saben ahora que no ha habido ninguna desaparición. Si bien la verdadera causa de la marcha sigue sin estar clara. Y también saben que, por lo que parece, los judíos no han tenido nada que ver con ello...

Enrique tragó saliva antes de atreverse a comentar:

—Señor, el único vínculo con los judíos es que... lo que vi sucedió en la judería menor, justo debajo del cobertizo en el que vivía el maestro Vicente.

—Ya —el dominico asintió.

En el silencio en el que los dos hombres se sumieron podría haberse oído el acelerado latir del corazón de Enrique.

—El hombre que viste, el de los hábitos blancos... —preguntó Alfonso Barroso de pronto— ¿podría tratarse de un dominico?

Enrique meditó su respuesta antes de contestar.

—No. Definitivamente no. Eran totalmente blancos —hizo una pequeña pausa—. De todas formas, él no... Fue el otro el que realizó el sortilegio. El de los hábitos portaba un puñal y no dio ninguna muestra de dominar lo sobrenatural.

—Ya —repitió Alonso Barroso—. ¿Y la mujer?

Enrique enfrentó sus ojos a los del dominico. Había tenido tiempo para meditarlo con calma. Lo que había visto le había impresionado demasiado como para guardar cualquier secreto. Además estaba sinceramente preocupado por Veridiana. Aquella mujer de belleza clásica y porte majestuoso que había sostenido entre sus brazos había perdido mucha sangre y estaba seguro de que había sido herida gravemente en la cabeza.

—Se llama Veridiana de Sanabria. Creo que es la hermana de un comerciante de paños —procuró que su voz sonase firme y tan natural como si expusiese ante el dominico cualquier otra información.

—¿Sanabria?... No me resulta familiar.

—Vive cerca de San Román.

Alfonso Barroso retiró la mirada hasta la ventana y la dejó reposar sobre un cielo azulado en el que empezaban a aparecer las primeras estrellas.

—Esto es un asunto para la Inquisición romana, hijo —se frotó las manos, y una de ellas quedó atrapada en la otra—. Pero me gustaría que tú demostrases —y recalcó ese «tú» con firmeza— la misma eficiencia que has demostrado con el asunto de maese Vicente. Quisiera que investigases qué pasó en el callejón, quién fue el que realizó aquel acto sobrenatural y qué hizo exactamente. Quiero saber qué ha sido de la mujer. Y... en esta ocasión no hace falta tanta discreción y prudencia; ahora trabajas para la Santa Inquisición —concluyó.

—Entiendo. Me entregaré por completo a la misión.

—Encuentra al brujo, al hombre de los hábitos blancos y a esa mujer. Y averiguaremos de qué sortilegios se sirvieron para matar a aquel hombre.

Enrique se sintió obligado a aclararle de nuevo:

—Lo mató el que no vestía hábitos... Ni la mujer ni el monje tuvieron nada que ver. Y, señor, si me permite observarlo, mi impresión es que la mujer se encontraba en apuros, y ellos acudieron en su auxilio.

—No nos importa si la ayudaron o no. Lo que hemos

de aclarar es el hecho de haber usado artes mágicas. El resto es secundario.

—Sí, señor —el joven asintió.

—Los caminos del Maligno son tan retorcidos como su iniquidad —añadió de pronto Alfonso Barroso—. Y recuerda, Enrique de Rascón y Cornejo, ahora trabajas para la Santa Inquisición.

—No lo olvidaré.

Que trata del restablecimiento de Veridiana en casa de los judíos Jacob y Esther, y de la búsqueda de Enrique de Rascón y Cornejo

Las palabras se filtraron hasta su conciencia como si se tratase de una serpiente sigilosa que se colara bajo la rendija de una puerta.

—¿Morirá? —chirrió una voz que ella sólo pudo entender de forma confusa.

—Es muy probable. Es una herida profunda. Ha estado inconsciente mucho tiempo... —los vagos sonidos adquirieron al fin un significado claro.

Veridiana supo que se referían a ella y quiso levantarse para explicarles que no pensaba morirse. Que estaban muy equivocados si creían que la muerte la había alcanzado esta vez... Pero no pudo moverse.

Intentó abrir los ojos. Pero todo estaba oscuro.

La asaltó un acceso de terror.

—Necesitaría aire libre y puro, espacios amplios...

Intentó calmarse y afinó sus sentidos. Olía a cerrado y a humedad en su reino de tinieblas. Sólo podía escuchar y absorber los aromas del lugar en el que se encontraba. Las voces pertenecían a dos hombres.

—No podemos permitírnoslo.

—Ya...

Los rumores se difuminaron y con ellos la conciencia de Veridiana.

Desde muy niña aprendió a bordar, coser y zurcir. Sus primas odiaban tener que sentarse durante horas para aprender a manejarse entre paños, telas, hilos, ruecas, lanas, sedas y estambres. Pero a ella le gustaba. Coser siempre la había calmado cuando se encontraba inquieta. Cuando estaba nerviosa, enfadada, o era incapaz de solucionar un problema, cosía y rezaba en busca del sosiego interior.

Ahora, en su reino de oscuridad, terminó por imaginarse un inmenso tapiz en el cual iba bordando con todo detalle las figuras que se le ocurrían: un unicornio blanco, banderas y blasones, caballos, caballeros, un monje de hábitos blancos que blandía una espada al que en un momento adornaba con puntadas que figuraban ser zafiros o rubíes..., damas con vestidos deslumbrantes de colores imposibles.

A veces sentía que le llegaban de la nada las hebras. Ella las agarraba al vuelo y según su color bordaba una u otra figura. Otras veces se le ocurría que eran más adecuadas para tejer que para bordar, e imaginaba que tejía una nueva trama que después incorporaba al tapiz. Éste se hizo cada vez más grande y Veridiana no se cansaba de añadir todo tipo de detalles. En ocasiones decidía que hacía falta un nuevo motivo en una zona que ya había dado por acabada, y entonces con su imaginación cortaba y cosía un nuevo tejido con un zurcido perfecto.

Zurcir y pensar en pequeñas y pulcras puntadas que unían diferentes piezas de tela le sosegaba de una manera muy especial.

En su mundo de oscuridad sin tiempo, bordaba y zurcía, y cuando el cansancio hacía mella en ella, dormía con un sueño pesado y extraño.

—Así está bien... Come... Así... —una voz femenina le estaba hablando como si se dirigiera a un bebé.

Le estaban dando de comer una especie de puré dulce. Los restos que se le escapaban por la comisura de los labios le hacían cosquillas en la piel.

Sonrió.

—¿Está mejor? —preguntó una voz masculina y grave.

Alguien debió de contestar algo que Veridiana no pudo entender.

Una mano se posó sobre su frente y sintió como si la calidez se extendiese por todo su cuerpo. Le invadió una profunda sensación de bienestar y se durmió de nuevo.

—Veridiana de Sanabria ha desaparecido. Nadie ha vuelto a verla. Ahora sí que hablamos de una desaparición en toda la regla...

Enrique de Rascón y Cornejo había acordado encontrarse con Alfonso Barroso en la plazuela del Pozo, no muy lejos del lugar donde había ocurrido todo. Los dos hombres paseaban por el barrio de la alcaná y Enrique le estaba poniendo al día de sus descubrimientos.

—El cuerpo que encontraron en el callejón resultó ser el de un extranjero que se alojaba en la Posada de la Fuente. Francés, por lo que parece.

El dominico caminaba con pasitos cortos y un poco echado hacia delante, como si luchase contra un viento invisible. A su lado Enrique intentaba frenar sus pasos dinámicos y vigorosos para seguir el ritmo de Barroso.

—La niña que vi salir del callejón se llama Clara. Es la sobrina de la mujer desaparecida. La encontraron llorando no muy lejos de allí. La condujeron hasta su casa y pudo explicar cómo un hombre quiso «matarlas y pegarlas», según ella.

—Conoces muchos detalles, hijo. Realmente te has informado bien.

—De primera mano, señor —Enrique suspiró y confesó al dominico—. Estuve en casa de los de Sanabria.

Lo que no le contó es que allí ya lo conocían y que, cuando se interesó por la suerte de la mujer, lo recibieron casi como a un viejo amigo de la familia. La vecina, María Isabel, le contó lo poco que sabían y él terminó prometiendo que haría todo lo posible por encontrar a Veridiana.

—Ella vivió en Francia muchos años. Es..., era... —Enrique no supo bien qué verbo utilizar— la viuda de un gran señor. O al menos eso me contaron... —continuó con un tono de voz frío, exponiendo los mismos hechos que hubiera desgranado en un informe—. Parece ser que huyó de allí porque temía por su vida. Su cuñada, María, que también ha oído que el muerto era francés, sospecha que ese individuo vino desde allá para matarla...

—¿Y tú qué crees?

El joven buscó los ojos del dominico.

—Creo que la familia tiene razón. Que ese hombre era un asesino que mataba por encargo de alguien. Y que aquellos hombres lo impidieron.

—El brujo y el monje.

Enrique asintió en silencio.

No contó al dominico que la familia no sabía por qué Veridiana se había internado en la alcaná. Se suponía que tan sólo tenía que recoger un encargo que ni tan siquiera quedaba cerca del lugar en el que la atacaron.

Por fin llegaron hasta el callejón donde todo había ocurrido.

—¿Éste es el sitio?... —Alfonso Barroso husmeó como un perrillo curioso.

—Los hombres llegaron de allá... —le mostró Enrique—. Y después, cuando los vi salir, el que hizo aquello con el aire estaba aquí —señaló—. Hizo así —el joven imitó el gesto— y el asesino voló hasta aquel muro.

Barroso contempló la increíble distancia que le señalaba el joven.

—¿Estás seguro de lo que viste, hijo?

—Lo estoy.

Aunque el paso de los días había descolorido los recuerdos y había difuminado algunos detalles, su memoria se aferraba tozuda a las imágenes que más le habían impresionado.

—El hombre salió disparado por los aires. Casi hasta esta altura —señaló de nuevo.

Enrique contempló el suelo pensando en el rastro que había dejado la sangre de Veridiana. Los nuevos desechos arrojados por los vecinos y los procedentes de los animales cubrían la arena y no quedaba ninguna pista de lo que allí había ocurrido.

—Barajo varias hipótesis —continuó el joven—: que los hombres pasasen por aquí por casualidad y acudiesen ante los gritos de ayuda, o que estuviesen en alguna de estas casas y saliesen en su auxilio.

—En ese segundo caso, es posible que sigan aquí...

—En efecto; puede que vivan o se alojen por aquí cerca, con los judíos. Es probable entonces que el brujo sea un judío... De lo que estoy seguro es de que no han abandonado la ciudad. Nadie los ha visto salir por ninguna de las puertas de la muralla. Volví a interrogar a los vigilantes —Enrique sonrió—. Todos ellos ya me conocen, y es seguro que nadie los vio salir.

El joven se volvió y señaló el cobertizo que cubría la calle.

—Aquí vivía el maestro Vicente; es el mismo lugar que alquilé. Desde aquel ventanuco lo observé todo. Si ellos viven cerca de aquí, yo sabré encontrarlos.

No le confesó al dominico que pensaba husmear cada rincón del barrio, escudriñar cada callejón, y espiar la vida cotidiana de aquella judería menor hasta dar con ellos porque su íntima esperanza era que Veridiana estuviese allí cerca; malherida, pero viva.

Toledo era una gran ciudad, mas con el tiempo las caras acababan por volverse familiares, y todos terminaban conociendo a sus vecinos.

Si ellos seguían en la alcaná, él los encontraría.

—Me llamo Esther.

Era una joven regordeta de rostro ovalado y expresión dulce, con ojos y cabello castaños.

Entonces Veridiana reconoció su voz y comprendió que era ella quien la había estado cuidando.

—¿Cómo os encontráis? —le preguntó.

No supo qué decir. Nunca se había sentido tan cansada. Ni tan siquiera cuando perdió a su bebé y con él tanta sangre que se hubieran podido llenar varios tazones.

—Creo que... —se sorprendió de su propia voz, que surgió tan ronca como la de un hombre— estoy mejor.

Esther sonrió.

De pronto recordó todo lo que había ocurrido en el callejón.

—¡¡Clara!! ¿Y la niña con la que estaba en...?

—Ella está a salvo. En casa —le explicó hablándole muy despacio—. Tranquila.

Veridiana suspiró más calmada. Su memoria repasó los últimos acontecimientos y se encontró con que algunos detalles los recordaba confusamente. La última imagen que tenía presente era la del asesino golpeándole en la cabeza.

Se llevó la mano al lugar donde sentía la herida y se sorprendió al encontrar unos cabellos tan cortos que le hicieron cosquillas en las yemas de los dedos. Una cicatriz le cruzaba desde la frente hasta la oreja. Cuando la rozó, el dolor se extendió como un pulpo de la cabeza hasta los hombros.

Unas silenciosas lágrimas se deslizaron por sus mejillas sin tan sólo darse cuenta.

—Tuvimos que cortaros el pelo —Esther se acercó a ella y le acarició la zona que le habían afeitado—. Volverá a crecer. Lo importante es que estéis bien.

La mujer sonrió y unos graciosos hoyuelos le nacieron en las mejillas.

Veridiana se incorporó y por un instante pensó que iba a perder el sentido.

Volvió a acariciarse la cabeza. Siempre había tenido el cabello largo. Le resultaba extraño encontrarse con esos pelillos tan cortos como los de algunos hombres y chiquillos.

Echó un vistazo alrededor, a la oscura habitación en la que sólo se encontraba el jergón sobre el que reposaba, un candelabro que permanecía sobre un baúl frente a ella y una jarra y una jofaina con agua en un rincón.

—¿Dónde estoy?

—En la casa de Jacob, mi padre. A salvo. Os recogimos cuando os dejaron malherida...

—Me habéis salvado la vida. Gracias, muchas gracias.

—No me deis las gracias, no las merezco.

La mujer se escurrió por la puerta y Veridiana escuchó unos susurros ahogados. Enseguida regresó y tras ella entró un hombre maduro, el mismo que había visto junto a Víctor aquel primer día en la plaza frente a la catedral. ¿Cómo lo habían llamado?... ¡Bernardo!

Él se acercó hasta ella y sin decir una sola palabra posó su mano sobre la cicatriz. Un calor agradable la invadió y Veridiana supo que era ésa la mano sanadora que recordaba de sus delirios.

—¿Sois barbero-cirujano? —le preguntó mientras se fijaba en un tosco medallón que colgaba de su cuello; parecía representar una especie de espiral.

—Más o menos —Bernardo sonrió y su boca se dobló en un gesto irónico. Presionó la herida—. ¿Duele?

—Sí —Veridiana cerró los ojos y no pudo ver cómo él también lo hacía.

De pronto su herida pareció arder; las llamas se extendieron por su cerebro y cuando pensaba que no podría soportar el dolor, se convirtieron en unas cosquillas serpenteantes que la refrescaron y la hicieron sentir llena de energía.

Abrió los ojos sorprendida para encontrarse con que alguien más había entrado en la habitación. Víctor permanecía en el dintel de la puerta junto a Esther. Vestía los mismos hábitos blancos que le había visto el día de lo sucedido junto a la catedral. Los hábitos de Santa Ceclina. Veridiana sintió cómo le ardían de pronto las mejillas.

Ella intentó ocultar su turbación sin darse cuenta del gesto de entendimiento que surcó el rostro de Bernardo cuando retiró la mano de su frente. Dejó pasar unos instantes antes de volver a posar su mano sobre la herida. Cuando lo hizo, regresó a ella esa clara sensación de bienestar. ¡Aquel hombre la estaba curando simplemente tocándola!

—¿Cómo...? ¿Cómo lo habéis hecho? —empezó a preguntarle Veridiana.

—Shhh... Descansad, falta os hace —Bernardo se volvió e hizo un gesto casi imperceptible a Víctor.

Éste desapareció entre las sombras.

—¿Qué me habéis hecho? —ella no se rindió y clavó su mirada en la de Bernardo—. He sentido... Aquí dentro... En la cabeza...

—Shhh.

Víctor apareció de nuevo en la habitación. Portaba una jaula de madera que pasó a Bernardo. Él la plantó frente a Veridiana.

Ella se quedó mirando el gusano que había dentro. Nunca había visto nada semejante. Tenía unos pelos casi tan largos como un dedo, muy finos, rosados y amarillos, y se agitaban lentamente siguiendo los sinuosos movimientos del animal. Veridiana se encogió de hombros, sin saber qué esperaban de ella.

—¿Qué veis?

Ella no entendía nada. ¿Qué se supone que debería ver?

—Un gusano de colores...

Bernardo se carcajeó.

—¡Te lo dije! —se volvió hacia Víctor y le devolvió la jaula—. ¡Te lo dije! —volvió a poner su atención en la atónita Veridiana, que por un momento pensó que el hombre que había salvado su vida se había vuelto loco—. ¿Cómo os llamáis?

—Veridiana, Veridiana de Sanabria. ¿Y vos? ¿A quién tengo que agradecer seguir con vida?

—Mi nombre es Bernardo, pero si queréis agradecer a alguien la vida, hacedlo a vos misma. Decidme, ¿qué recordáis del ataque, Veridiana?

Ella captó la ansiosa expectación de los presentes, pero no entendió las verdaderas razones a las que se debía.

—Un hombre nos siguió... Era un asesino —empezó a respirar ruidosamente según rememoraba los detalles, y la misma sensación de temor que sintió entonces la invadió de nuevo—. Me atacó... ¡No! ¡Atacó primero a Clarita! Pero pude detenerlo y la niña huyó... —Veridiana hilaba frase tras frase aceleradamente—. Entonces vino a por mí. Me golpeó en la cabeza y luego llegasteis y me salvasteis... Gracias a Dios de los cielos.

Bernardo la contempló con el mismo gesto irónico que antes había observado.

—Nosotros no os salvamos, Veridiana.

Era la segunda vez que lo mencionaba y esta vez no lo dejó escapar.

—Me salvasteis vos, Bernardo, y él..., Víctor —dirigió su mirada hacia el monje que se mantenía apartado junto a la puerta—. Atacasteis al asesino.

A Bernardo no se le pasó que nadie los había presentado, y sin embargo ella conocía el nombre de su amigo.

—Cuando llegamos al callejón, el hombre ya estaba herido —le explicó despacio para que lo comprendiese.

—Cuando os encontramos, el asesino sangraba por la nariz. Estaba malherido... —fue la primera vez que Veridiana escuchó la voz de Víctor y le pareció más profunda que la de Bernardo.

—Yo... Yo... No le hice nada. Me defendí como pude... —Veridiana intentó hacer memoria—. Recuerdo que, sí, le mordí en el brazo —ese recuerdo permanecía claro—. Quizás le golpeé... —dijo aunque estaba segura de no haberlo hecho—. Estoy confusa.

—Es lógico. Dejadla descansar —intervino Esther.

Bernardo no dejaba de sonreír.

—Descansad, Veridiana. Falta os hace. Os espera un largo viaje.

Ella no supo a qué se refería, pero estaba tan cansada que tampoco le importó.

Enrique de Rascón y Cornejo conocía ya la judería menor como la palma de su mano. Había caminado por cada callejón y pasadizo tantas veces que estaba seguro de que podría recorrerla con los ojos vendados. Cuando no paseaba por la alcaná, investigaba todos los cabos sueltos que rodeaban al asesino y a Veridiana. Y cuando llegaba la noche espiaba desde el ventanuco de su cobertizo el callejón. No deseaba que se le escapase cualquiera de los dos hombres que se habían llevado a la mujer malherida.

También había tomado por costumbre pasarse por la casa de los Sanabria. Solía llevar algún presente para los niños: mazapanes, frutas confitadas o almendras garrapiñadas. Su visita era bienvenida por María, la cuñada de Veridiana, y por Isabel, la vecina, que casi siempre se encontraba con ella. Ambas lo tomaban por un pretendiente de Veridiana preocupado por su suerte. Y él se sentía cómodo en ese papel.

Tenía a las dos mujeres al tanto de sus descubrimientos, como cuando averiguó que el asesino había estado en León antes de llegar a Toledo, y que desde allí había seguido la pista de Veridiana.

Y así, poco a poco, se fue ganando la confianza de la familia Sanabria, hasta que llegó un día en el que lo recibían como si se tratase de un pariente más. Los niños se sentían felices con él porque jugaba con ellos a todo aquello que su madre no les permitía y les llevaba dulces; y las mujeres disfrutaban de la compañía de un joven amable que las animaba con su entretenida conversación y les transmitía la esperanza que tanto necesitaban.

—Rezo cada día por ella. Dios quiera que esté viva —le decía María a menudo.

Y Enrique de Rascón y Cornejo siempre contestaba lo mismo:

—Estoy seguro de que lo está —y era cierto que tenía la convicción de que así era. En su interior sabía que aquella mujer estaba viva, probablemente herida, escondida en alguna casa de la alcaná—. Tengo la sensación de que está viva...

Clara se acercó esa tarde a su madre y a Enrique, y entendió aquello de lo que estaban hablando.

—¿Tienes una sensación?, ¿de que la tía está bien?

Enrique sonrió a la pequeña y asintió.

—¿Es un pálpito? —continuó la niña.

A Enrique le hizo gracia esa palabra en boca de Clara y se rió.

—Sí, siento un pálpito.

—La tía Veridiana también tenía pálpitos... Supo que la querían envenenar cuando lo de la sopa...

—¡Por Dios, Clarita! ¡No cuentes esas cosas a este señor!

—...Y ella no se comió la sopa... —la niña continuó relatando la historia, confusamente, a su manera, mientras su madre se sonrojaba.

Pero Enrique ya no escuchaba a Clarita, ni las excusas de María, porque de pronto entendió por qué esa mujer, Veridiana, se le había clavado en el corazón desde la primera vez que la vio en la plaza frente a la catedral, cuando se desmayó en sus brazos.

Porque de pronto estuvo seguro de que Veridiana era como él.

Su corazón latió desbocado con la seguridad de haber encontrado por fin a una mujer que sentía como él, los mismos «pálpitos» e intuiciones. ¡Por eso Veridiana se había clavado en sus pensamientos como un cuchillo! Después de tanto tiempo el destino le había descubierto a alguien como él. Y ahora que la había encontrado, ¡había desaparecido!

Veridiana fue recuperando sus fuerzas día a día y conociendo mejor a Esther, su cuidadora, que se mostraba cariñosa con ella y era pura bondad. La antigua impresión que tenía de los judíos cambió por completo en aquellos días. Aquella casa no era la de unos usureros —ésa era la imagen que ella atribuía a todos los hebreos—, sino un hogar humilde repleto de libros y de gentes con ansias de saber.

Desde la habitación en la que se encontraba escuchaba las visitas que llegaban a la casa de Jacob y muchas de sus conversaciones sobre ciencias que ella no comprendía.

Casi todas las mañanas acudía Bernardo a visitarla y siempre que ponía la mano sobre su frente, sentía su fuerza reparadora sanándola por dentro.

No era tan frecuente que Víctor, o Jacob, el padre de Esther, se pasasen para vigilar la evolución de la enferma. Cuando lo hacían era acompañando a Bernardo.

Veridiana se fue acostumbrando a Víctor, y su presencia ya no la alteraba tanto como aquellas perturbadoras primeras veces. Se habituó a su voz profunda, a su rostro perfecto de san Miguel y a su discreción. Porque él siempre se situaba en un segundo plano y permanecía tras Bernardo o Esther, dejándoles a ellos todo el protagonismo de las conversaciones.

Precisamente fue una tarde en la que Esther y Víctor se encontraban con ella en la estancia cuando se atrevió a preguntarles por aquello que la inquietaba.

—Es un brujo, ¿verdad? —les dijo con un respetuoso temor.

—¿Quién? —interrogó Esther.

—Bernardo, claro...

Víctor intercambió una mirada con Esther que a Veridiana no le pasó desapercibida.

—¿Por qué lo creéis? —intervino Víctor.

—Siento cómo me cura por dentro... —Veridiana se

llevó la mano a la cabeza intentando recordar lo que percibía cuando la tocaba.

—No es un brujo —afirmó Víctor.

—Pero...

—Puede curar, pero no es un brujo. No hay nada maligno en él —intervino Esther—. Es un sabio.

—Está tocado por la gracia de Dios.

Veridiana no se atrevió a contradecirlos ni a profundizar en el tema. Pero todo le resultaba de lo más extraño.

Víctor hizo un gesto a Esther para que se retirase de la habitación y ella, obediente, lo hizo.

Era la primera vez que Veridiana se encontraba a solas con el monje.

—Él está tocado por la gracia de Dios... —repitió—, pero vos también lo estáis.

—No comprendo...

—¿Recordáis el gusano de la jaula?

Ella asintió.

—Cuando yo miro esa jaula, la veo vacía.

Veridiana pensó que se trataba de una especie de broma.

—Yo no veo ninguna criatura allí dentro —continuó explicando Víctor—. Sólo los elegidos de Dios pueden verla. Y yo no he sido tocado por su gracia.

Ella no entendía nada.

—Algunas personas pueden ver más allá de... este mundo —prosiguió exponiendo con su voz profunda—. Son capaces de ver criaturas que proceden de otro mundo...

—¡¡Otro mundo!! ¿Qué decís? —Veridiana se exaltó.

Hasta ese momento se había sentido protegida por personas bondadosas y cabales. Ahora empezó a dudarlo.

—Ese gusano procede de otro mundo. Solamente

Bernardo puede verlo... Al igual que vos —Víctor dejó su mirada fija en la de Veridiana y ella sintió que se ahogaba—. Ni Esther, ni Jacob, ni yo mismo somos capaces de verlo.

El joven hizo una pausa para dejar que la alcanzase el peso de sus palabras.

—¿Y acaso vos sois una bruja?

—¡¡Por supuesto que no!! —Veridiana se escandalizó ante tamaña suerte de despropósitos.

Víctor se agachó para sentarse en el extremo del jergón. Nunca antes había dado tales muestras de familiaridad para con ella.

—Pues si a mí, hace años, me hubieseis dicho que en esa jaula vacía había un gusano, probablemente habría pensado que erais una hechicera o una loca. Porque, os lo aseguro, yo no veo nada en ella —recalcó ese «nada» con intención.

Veridiana sólo pudo encontrar sinceridad en la mirada transparente de Víctor.

—No puedo creer nada de lo que decís.

—No pretendo convenceros de ello, Veridiana —le dijo con dulzura—. Ya lo haréis vos misma. De la misma forma que comprenderéis que Bernardo os ha salvado la vida con sus poderes, y sobre todo... —hizo una pausa— que vos hicisteis algo a aquel asesino para defenderos —levantó una mano para silenciar la réplica que Veridiana estuvo a punto de hacer—. Sí, estoy convencido de que probablemente no sabéis cómo lo hicisteis, pero cuando os visteis en peligro de muerte, fuisteis capaz de defenderos y casi lo matasteis.

—¡Le mordí! —aseveró ella.

—Por supuesto... Pero eso no fue suficiente para que se reventase por dentro, Veridiana. Y os aseguro que estaba reventado... sin ningún golpe externo aparente. Pero no por ello pienso que seáis una bruja.

Veridiana se quedó sin palabras.

—He visto cosas increíbles que desafían la razón, y vos, Veridiana, no sólo las veréis, sino que las crearéis.

La llenó una sorda inquietud.

—No os preocupéis ahora —dijo él adivinando su turbación—. Ya lo viviréis. Y eso es tan cierto como que algunas orugas terminan convirtiéndose en mariposas. Vos viviréis lo increíble. Sois una elegida de Dios. Los demás... nos conformamos con servirle con humildad. Somos orugas que nunca mutaremos en mariposas...

Se incorporó para marcharse pero Veridiana se lo impidió.

—¡¡Esperad!! Víctor... —acababa de decidirse a aprovechar aquel momento de franqueza, y se armó de valor para preguntar—: ¿Sois vos un caballero de Santa Ceclina?

El joven sonrió.

—No exactamente. No soy un caballero, sino un humilde monje. Un monje guerrero... Pero ya nadie recuerda el nombre de nuestra Orden. ¿Cómo es que lo conocéis?

Ella decidió decir la verdad, si bien calló lo que ahora comprendía: que el Papa había estado en lo cierto al considerarlos brujos y herejes y anatematizar la Orden.

—Antonia... —empezó a explicar dubitativa—, la madre de un niño que decían que había desaparecido, fue quien nos habló de Santa Ceclina. Vos os lo llevasteis, ¿verdad?

—Vino con nosotros, sí.

—¿Y... los otros? Los alarifes y el maestro Vicente, ¿también se marcharon con vosotros?

Víctor se echó a reír.

—Sabéis mucho, Veridiana. Sois una mujer peculiar... Demasiado curiosa.

Veridiana miró al suelo avergonzada.

—Mi párroco, don Bartolomé, más bien dice que soy entrometida... Pero, explicadme, ¿todos ellos se fueron con vosotros?

Víctor se carcajeó. Unas simpáticas arruguillas rodearon sus ojos azules.

—No os rendís, ¿verdad?... Ja, ja... Sí, todos ellos están con nosotros. Ellos y muchos más...

—¿Muchos?

—Necesitamos mucha gente. Tenemos todo un mundo por poblar.

Veridiana de nuevo no supo qué decir. Se había quedado sin palabras.

En ese momento entró Bernardo en el cuarto.

—¿Cómo se encuentra hoy nuestra enferma?

—Perfectamente —Víctor respondió por ella—. Preguntando por Santa Ceclina, los alarifes desaparecidos, por maese Vicente e incluso por algún niño —le dijo a Bernardo riendo aún.

—¡¡No puedo creerlo!!

—Es curiosa como un gato.

—Perfecta para el Mundo.

—¿Qué mundo?

Víctor y Bernardo sonrieron.

Después de aquella conversación, la paz que la había acompañado durante esos días se esfumó para dejar paso a un profundo desasosiego.

Veridiana recuperó la salud poco a poco. El primer día que pudo levantarse, Esther aprovechó para cambiar el heno del jergón y mientras tanto ella pudo deambular por la casa de Jacob con libertad.

Era un humilde hogar de tres plantas. No contaba con patio alguno y la fachada a la calle era muy estrecha. A diferencia de la luminosa casa de su hermano, ésta era oscura y apenas existían cuartos a los que llegase luz natural. En la sala más grande de la casa encontró a Bernardo, Jacob y Víctor. En diversos anaqueles se repartían libros y pergaminos. Sobre una larga mesa, además de tablillas enceradas y punzones con los que escribir en ellas, reposaba un grueso volumen que los tres contemplaban con atención.

Jacob señalaba unas líneas.

—La «inversión» es posible, definitivamente.

—¿Pero qué consecuencias puede tener? —preguntó Bernardo.

—Por lo pronto, la muerte del viajero...

Al descubrir a Veridiana en el umbral, el judío calló.

Ella buscó la sonrisa de Víctor y cuando la encontró se sintió un poco más tranquila.

—¡Por fin levantada! Demos gracias a Dios porque hayáis recobrado la salud tan pronto —Bernardo se incorporó para ofrecerle su brazo—. ¿Cómo os encontráis?

—Mejor... Gracias. Ahora que ya me encuentro bien, quisiera avisar a mi familia. ¿Les mandaréis un mensaje?

Veridiana había comenzado a inquietarse. Nadie le había hablado de su familia. Debían de estar preocupados, y ella..., ella comenzaba a sentirse como una prisionera.

Bernardo continuó a su lado y la guió hasta la cocina, que permanecía en la penumbra. Sobre el hogar una gran cazuela humeaba y desprendía un penetrante olor a verduras cocidas. El fuego otorgaba a la estancia una luz variable y, cuando la hizo sentar a su lado, extrañas sombras bailaron sobre el semblante de Bernardo.

—¿Por qué os querían matar, Veridiana? —le preguntó de pronto—. El tipo del callejón no era un rufián cualquiera.

—Es una larga historia.

En ese momento asomó Víctor por la puerta. A un gesto de Bernardo se sentó frente a ellos, en una banqueta.

—Tenemos tiempo de sobra…

Veridiana contempló las llamas danzantes que acariciaban el caldero. Suspiró y empezó a narrar su historia. Pasó de puntillas sobre los otros intentos de asesinato y sobre todo por su complicada y triste huida desde Francia a León, y después a Toledo. Terminó con la conclusión a la que creía haber llegado.

—Creo que pensaron que mi sobrina era… mi hija… Sin descendientes vivos y conmigo muerta, los hermanos de mi marido lo heredarán todo legítimamente —concluyó después de un rato.

Bernardo y Víctor habían guardado silencio durante todo el relato.

—Habéis puesto en peligro a vuestra familia —fue lo primero que dijo Bernardo.

Ella se sobresaltó.

—La debieron de confundir con una posible hija mía. Tiene la edad adecuada. Ellos tenían razones para pensar que tuve un heredero… Pero no es así.

No quiso dar más explicaciones.

—Mientras permanezcáis con vuestra familia, ellos estarán en peligro. Ahora habéis podido eliminar al asesino, pero ¿quién os dice que lo conseguiréis la próxima vez? —Bernardo dejó que su mirada la convenciese—. Si amáis a vuestra familia debéis alejaros de ella y... desaparecer.

Veridiana saltó en el sitio.

—¡Desaparecer! ¿Qué queréis decir? —la ira de la antigua señora de Toulouse asomó de pronto.

—Quiero decir —continuó Bernardo con una voz suave y calmada que no se dejó influir por la furia de ella— que nosotros podemos proporcionaros un refugio perfecto, en el que además seréis completamente feliz.

—Un mundo nuevo donde nadie os encontrará —intervino Víctor.

Veridiana los miró a los dos como si estuvieran locos y no se atrevió a pronunciar ni una sola palabra más.

—Esperad... —Bernardo alzó su mano y la posó sobre su frente.

Pero ella no sintió el calor acostumbrado. Sino una sensación distinta que sólo pudo asociar al sonido de un tejido rasgándose.

—Mirad.

El hombre señaló a sus pies.

Veridiana gritó.

Había unas sombras extrañas arrastrándose por el suelo. Se asemejaban a las que creía ver en la oscuridad algunas noches. Pero ahora parecían más definidas; eran pequeñas, redondeadas y contaban con largos pelos rígidos, o quizás espinas. A Veridiana le dio la sensación de que emitían unos ruidillos parecidos a los de los grillos.

Saltó sobre el banco y se recogió las faldas con una rapidez que los sorprendió.

—¡¿Qué es esto?! ¿De dónde han salido?

—Ya estaban aquí —contestó Bernardo imperturbable—. Simplemente ahora podéis verlos.

Desesperada dirigió su mirada hacia Víctor y entonces se dio cuenta de que él observaba el suelo, pero no el lugar exacto en el que se encontraban las extrañas criaturas.

—Él no los ve —aseveró Bernardo.

Ella estuvo segura de que no mentía.

—Estos *rizos* beben de vuestras dudas, Veridiana. Pero no deberíais dudar de mí. Lo que digo es cierto: hay otro mundo; allí estaréis a salvo y encontraréis a otros como vos, los que pueden ver a las criaturas que proceden de ese otro mundo...

—¡¡Basta!! —ordenó ella.

Bernardo se levantó impasible.

—Es cuestión de tiempo, Veridiana —le dijo sin perder la calma antes de abandonar la cocina.

Ella quedó en pie sobre el banco y comenzó a sollozar. Lo que al principio fue un suave gimoteo terminó convirtiéndose en una riada de lágrimas.

Víctor se acercó.

—No pasa nada —le dijo como si se dirigiese a una niña—, no pasa nada.

Veridiana se derrumbó en sus brazos y él no pudo hacer otra cosa más que acogerla entre ellos. Y allí cobijada, dejó que todas las emociones que había estado conteniendo se desbordaran. Hasta que no le quedó más llanto y levantó su mirada enrojecida hacia la de Víctor.

—Lo siento —susurró ella avergonzada por haber demostrado de aquella manera su debilidad.

Desde pequeña le habían inculcado la idea de que las

damas no demuestran sus sentimientos, ni mucho menos lloran ante unos casi desconocidos.

—No pasa nada —repitió él.

Veridiana se separó apenas un paso del hombre y al descubrir la confianza que le abrían sus ojos claros, no tuvo reparo en confesarle:

—Hacía muchos años que no lloraba así.

—Es comprensible, Veridiana. Tranquila... No podemos huir de nuestro destino y, quizás, Nuestro Señor os haya otorgado una accidentada senda para alcanzarlo. Pero no dudéis de sus designios. Los caminos que Dios nos ha destinado y las dificultades que los jalonan no hacen más que fortalecer nuestro espíritu y nuestra fe. Sea cual fuere el destino que os tiene reservado, recorred esos caminos sin temor porque Su Gracia está con vos.

—Yo..., yo no soy fuerte, y tengo miedo... —murmuró limpiándose las lágrimas con las largas mangas de su vestido.

Víctor sonrió.

—Vos sois mucho más fuerte de lo que os pensáis, Veridiana —y antes de que ella pudiese objetarle continuó—. ¡Vos acabasteis con el asesino!

—Yo..., yo... —balbuceó—, ¿lo hice yo?

—Tenedlo por seguro. Nosotros sólo lo rematamos, como quien dice —rió como si se tratase de una broma.

Veridiana contempló a Víctor risueño y sin saber por qué se sintió mejor.

Un sirviente le dejó paso y Enrique entró en el patio de los Sanabria. Allí se encontró con Clarita y su hermano Rodrigo, que jugaban ajenos a la tristeza que impregnaba el ánimo de sus padres.

—Enseguida aviso a la señora…

En cuanto lo vio, la niña se lanzó hacia el visitante.

—¿Qué me has traído, Enrique?

Él no dijo nada y sonriendo le entregó una pequeña cesta.

María descorrió el lienzo que hacía las veces de puerta, anduvo hasta el joven, y cuando vio a su hija con el cestillo no pudo evitar una sonrisa.

—La mimáis demasiado, Enrique —le reprendió con un falso gesto de reproche.

—Se lo merece. Dulces para la niña más dulce…

El joven la saludó con una discreta reverencia. Y se congratuló de haber conseguido que a la mujer le brillasen los ojos de alegría por un momento. La niña empezó a devorar un mazapán. Su hermano reclamó una parte.

—¿Alguna noticia?

—Ninguna —le contestó María abatida.

Enrique bajó la mirada.

—No hemos de perder la esperanza…

—Ha desaparecido. Es como si la tierra se la hubiese tragado.

—No existen las desapariciones. Sólo hay que encontrar una respuesta a lo que ignoramos…

—Sí, ella pensaba algo parecido.

El joven se volvió sorprendido hacia María.

—¿A qué os referís? ¿Acaso había hablado vuestra cuñada de desapariciones? —preguntó con cautela.

María aguardó unos instantes antes de contestar. Su mente acababa de recoger algunos cabos que permanecían sueltos y que se unieron en una idea que, de pronto, le parecía coherente y llena de sentido.

—Veridiana es demasiado curiosa y ciertamente testaruda —comenzó a explicar—. ¡Tan testaruda como mi marido! —suspiró—. Ella estaba intrigada por todas aquellas desapariciones misteriosas y las historias de los judíos. Vos sabréis a lo que me refiero, niños, alarifes..., ¡incluso maese Vicente desapareció!

Enrique disimuló como pudo su inquietud. Aquella mujer le estaba hablando con la mayor naturalidad de los mismos asuntos que formaban parte de sus investigaciones.

—Estuvimos las cuatro, quiero decir con Isabel y su amiga Leonor, en casa de Antonia...

El joven debió de poner cara de poco entendimiento porque María se vio obligada a explicar:

—Antonia, la madre del niño que decían que había desaparecido... Pues nos contó que se lo habían llevado los caballeros de Santa Ceclina como pupilo. ¡Pero no sólo a él, sino también a maese Vicente! Y a los albañiles...

El corazón de Enrique se desbocó.

Intentó no demostrar ninguna emoción. Pero sintió como si toda la sangre se le fuera a los pies. María acababa de aclararle lo que él llevaba semanas intentando averiguar.

Asintió instando a continuar a la mujer.

—La verdad es que Veridiana se obsesionó con los caballeros de Santa Ceclina. Quería saber quiénes eran, dónde estaban... Se me acaba de ocurrir ¡¡¡que tramaba algo!!! Y que... Puede ser, sí... Puede que ese día en que se empeñó en ir a hacer el recado, puede que... fuese a otro sitio. Porque ¿qué estaba haciendo ella en la alcaná? Insistió mucho hasta que consiguió que fuésemos a visitar a Antonia...

Enrique dejó explicarse a María y ella le habló de cuando habían marchado extramuros, a Santa Leocadia, a entrevistarse con la madre del niño. Y únicamente entonces, cuando todo el desarrollo de los acontecimientos estuvo claro para él, se permitió decir:

—Puede que tengáis razón, María. Es posible que buscase algo... o a alguien. Quizás a esos monjes de Santa Ceclina —hizo una pausa pensativo—. Nunca he oído hablar de ellos, pero averiguaré todo lo que pueda, os lo aseguro. Y si ella los encontró, yo también daré con ellos.

—Os doy las gracias, Enrique. Vuestra fe nos ayuda a no perder la esperanza.

—Encontraremos a Veridiana —aseveró.

—Con vuestro empeño y la ayuda de Dios, estoy segura de ello.

Aquella tarde, cuando el sol comenzó a caer y Toledo se teñía de sombras violetas y rosadas, Enrique regresó a su cobertizo con alas en los pies. Contaba con una nueva pista. La Orden de Santa Ceclina. Una Orden de la que no había oído hablar.

Su mente volvía una y otra vez al monje de hábitos blancos que había visto en el callejón. Recordaba su rostro, la intensa mirada que habían cruzado durante un instante. ¿Podría pertenecer él a aquella Orden misteriosa?

Tendría que comentárselo a Alfonso Barroso enseguida. Si alguien sabía quiénes podrían ser aquellos caballeros de Santa Ceclina, sería él.

—¡¡Víctor!! —bramó Bernardo.

Su cabeza rubia apareció por el hueco de las escaleras.

—Te necesito un momento. Por favor, acompáñame a ver a Veridiana.

Bernardo había observado que últimamente su amigo evitaba visitar a la mujer. Y eso era algo que no convenía a sus propósitos. Ese día, menos que nunca.

Se dirigieron escaleras arriba hacia la buhardilla.

Esther y Veridiana habían comenzado a coser juntas y pasaban las tardes en esa estancia impregnada del olor a manzanas y a las hierbas aromáticas que se secaban colgando de las oscuras vigas del techo. El calor se acumulaba en la parte más alta de la casa pero a ellas no parecía importarles.

Bernardo adivinaba una intensa sensación de paz en el espíritu de la mujer mientras tejía. Era parecido a lo que él sentía cuando rezaba. Cuando Veridiana permaneció convaleciente, a veces también se la había encontrado mirando hacia la nada, como si contemplase el aire con inusitada concentración. Le daba la impresión de que oraba. Y se sorprendía de la sencilla serenidad que había encontrado en la mente de Veridiana en esos momentos en los que cosía o rezaba.

Cuando llegaron a la buhardilla las dos mujeres estaban tejiendo juntas cerca de la ventana. Era uno de los pocos lugares de la casa donde había luz suficiente para ello.

—Esther, ¿nos puedes dejar solos un momento, por favor?

La chica mantuvo la mirada baja, dejó sus labores sobre la banqueta y desapareció en completo silencio.

Veridiana se quedó mirando a Bernardo impaciente.

Él se sentó en el lugar que había dejado libre Esther e hizo un gesto a Víctor para que se acomodase a su lado, exactamente frente a ella.

—Nos vamos en cuatro días —comenzó a explicar Bernardo—. Será un viaje largo y no exento de peligros. ¿Deseáis venir con nosotros, Veridiana?

Ella contempló sorprendida a los dos hombres.

En los últimos tiempos se había sentido cautiva. Sus carceleros eran amables y educados, pero carceleros a fin de cuentas. Les había repetido hasta la saciedad, de mil maneras diferentes, que quería avisar a su familia de que estaba bien, y después, que quería regresar a casa de su hermano. La respuesta de ellos siempre había sido la misma: afables sonrisas y ni una sola palabra. Ni tan siquiera se habían molestado en ocultar que no pensaban informar a sus familiares de nada.

Bernardo dejó pasar unos momentos antes de continuar.

—Sois libre para elegir vuestro destino, Veridiana... Si venís con nosotros, no seguiréis poniendo en peligro a vuestra familia. En cambio, si permanecéis junto a ellos, ya lo sabéis, nunca estará segura. Pueden enviar más asesinos. Nunca tendréis la certeza de estar a salvo, ni vos, ni los vuestros —reiteró—. Sin embargo, allí donde vamos nadie podrá alcanzaros.

Hizo una pausa esperando que entendiese las consecuencias de su explicación.

—Además, en el mundo al que nos dirigimos serás feliz. Encontrarás a otros como tú y comprenderás que no eres única...

Veridiana se removió incómoda en el asiento.

Desde el día en que Bernardo había rasgado algo dentro de ella, aquel día en el que se derrumbó hecha un mar de lágrimas en la cocina, se había ido habituando a ver aquellas sombras, esos bichejos extraños pululando por la casa. Eran completamente inofensivos pero a ella le perturbaban sus siluetas resbaladizas y sobre todo comprobar que sólo ella y Bernardo podían percibirlas. Todos los demás eran ciegos a su presencia.

—Víctor te acompañará... —le sonrió Bernardo—. Él será tu guía en el Mundo.

Ella se volvió hacia Víctor. Bernardo aprovechó ese justo instante para preguntarle de nuevo:

—¿Quieres venir con nosotros, Veridiana?

Ella sólo atendía a la mirada clara del monje guerrero.

Su memoria volvió al momento en que, en el callejón, el asesino se enfrentó con su sobrina y rememoró el completo terror de la niña. Después recordó a Hortensia, la mujer a la que habían asesinado en Toulouse por haber sido confundida con ella. Y la culpabilidad la cubrió con una densidad pegajosa.

—Iré con vosotros —afirmó con voz trémula después de unos momentos.

—Nunca os arrepentiréis de vuestra decisión, os doy mi palabra, Veridiana —le dijo Bernardo—. Es lo mejor para vos... y para los vuestros.

Bernardo se levantó y los dejó solos. Se sentía satisfecho. Ni siquiera le había hecho falta confundir su mente para forzarla a tomar una decisión. Había elegido libremente y eso le hacía feliz. Estaba convencido de que ella era perfecta para el Mundo.

Pasaron dos días hasta que Veridiana encontró el momento más propicio para abordar a Víctor. Sucedió en la cocina. Sabía que estaban solos porque Bernardo había salido con Esther y su padre.

Durante aquellas dos largas noches lo había planeado y decidido. Sabía que la ayudaría. No podía fallarla.

—¡Víctor! —susurró.

Él se volvió sorprendido.

—He de pediros un favor... No sabía cómo... No sé bien cómo... Pero...

Él se encontró con los ojos claros de Veridiana, tan parecidos a los suyos propios, y desvió la mirada.

Desde que ella se encontraba mejor, cubría de nuevo sus cabellos con una cofia, y eso hacía su rostro tan puro y hermoso como el de las imágenes de la Virgen de las pinturas, lo que le perturbaba sobremanera.

—Me gustaría despedirme de ellos. Quiero decir..., verlos por última vez. A mis sobrinos.

Víctor negó con un gesto.

—Eso es imposible.

—Por favor, por favor, Víctor. Os prometo que no hablaré con ellos. Tan sólo quiero verlos. Son como mis propios hijos. ¿No negaríais a una madre que viese a sus hijos, aunque sea de lejos, por última vez?

Él negó con la cabeza.

—Por favor, Víctor, nadie tiene por qué enterarse —insistió Veridiana—. Por favor. De lejos...

Ella buscó la mirada que la rehuía.

—Por favor...

—Lo pensaré...

Enrique de Rascón y Cornejo había abandonado el convento de los dominicos más tarde de lo habitual. La noche estaba cercana y era hora de recogerse.

Alfonso Barroso le había hablado de la Orden de

Santa Ceclina. Monjes guerreros que habían desaparecido hacía años después de que el Santo Padre los acusase de herejes y acabase con todos ellos tan metódicamente como se exterminan los gorgojos de las legumbres antes de echarlas a cocer.

Mientras avanzaba por las callejas de la ciudad, Enrique iba pensando en dónde se ocultarían esos últimos miembros de una Orden que ya no debería existir. Si, quizás, como había ocurrido con algunos templarios, se habrían integrado en otras órdenes, como aquélla de Montesa que había surgido recientemente.

Cuando quiso darse cuenta se percató de que sus pasos le habían guiado hacia la casa de la familia de Veridiana. Pensó en dar la vuelta, pero no le importó tardar un poco más. Hacía una tarde agradable y el aire fresco que acompañaba a las primeras sombras del atardecer parecía querer empujarle hacia el hogar de la mujer desaparecida.

Según iba subiendo las cuestas, se le aceleró el pulso. Y no se debía al esfuerzo físico. Era algo más. Un cosquilleo se extendió por su nuca, e intuitivamente se unió a las sombras oscuras que se pegaban a las paredes e intentó fundirse con ellas.

Frente a él, a lo lejos, distinguió una figura que le resultó familiar. Era una mujer envuelta en un amplio manto. La divisó apenas un instante y tuvo la certeza de que era ella: Veridiana.

Se fijó luego en la silueta que la acompañaba. Pertenecía a un hombre vestido con hábitos blancos. Supo que era el monje de ojos claros, el de Santa Ceclina que había visto en el callejón.

Enrique se pegó aún más a la oscuridad de la pared y los contempló desde la distancia como si se tratase de una sombra más. «¿Qué hacen juntos?». Le dio la impresión de que, al igual que él, ellos también querían ocultarse. Veridiana se cubría con el manto, y el monje llevaba la capucha echada sobre el rostro. Parecía que se dirigían a casa de la familia. Pero ¿por qué esconderse?

Los siguió con cautela y enseguida comprobó que no se equivocaba en sus razonamientos. La pareja se plantó ante el portón de la casa de Juan de Sanabria. Y por lo que veía, atisbaban por el resquicio que dejaba la hendidura de la puerta. Estuvieron un buen rato de aquella manera hasta que el monje le hizo gestos a Veridiana para apartarse.

Enrique se encogió más en la negrura del zaguán.

Veridiana parecía resistirse, pero al final dejaron la entrada de la casa y se alejaron caminando. Enrique los siguió.

Al pasar junto al portón de la casa no pudo evitar echar un vistazo a lo que se suponía que ellos habían estado mirando. En el patio jugaban Clara y Rodrigo.

Enrique no comprendió nada, pero prosiguió su persecución amparado entre las sombras del crepúsculo.

En donde se relata cómo Veridiana, acompañada de Víctor y Bernardo, se dirige hacia el otro mundo

—Nos sigue un jinete —murmuró Víctor a Bernardo después de cerciorarse de que Veridiana no lo oía.

—Lo sé. Pisa nuestros talones desde que abandonamos Toledo.

Víctor se sorprendió sólo lo justo ante la respuesta de su amigo. Estaba acostumbrado a que percibiese cosas que él no podía sentir.

—¿Y bien?... ¿Podría alcanzarlo y...? —continuó Víctor.

—No —le interrumpió Bernardo—, déjalo. Es... alguien interesante.

—¿Cómo puedes saberlo?

Bernardo frenó su cabalgadura, un impresionante alazán de crines y patas negras.

—Escucha...

Su amigo afinó el oído.

—...¿No escuchas los cascos de nuestros caballos al cabalgar? ¿Los oyes?

—Claro que los oigo.

—Pues de igual manera siento al que nos persigue.

Víctor se encogió de hombros y procuró no pensar más en ello. Aquello, como otras muchas cosas, escapaba a su comprensión, y ya se había habituado a ignorar lo que era incapaz de entender. La experiencia le había demostrado que si Bernardo no compartía con él sus explicaciones o planes, era porque tenía sus propias razones.

Frenó luego el paso de su caballo y se puso a la altura de Veridiana.

—¿Cómo va todo? —le preguntó.

Ella no contestó.

A Víctor le dolía su mirada triste. Durante los últimos días se había mostrado más silenciosa de lo habitual. Con cada paso que daban alejándose de Toledo y de su familia, crecía su pesadumbre.

Además Veridiana no era mujer que gustase de montar a caballo y no estaba habituada a las molestias de un viaje. Se la veía incómoda montando a mujeriega y Víctor estaba seguro de que tendría todos los músculos del cuerpo doloridos aunque no dijese nada.

—Llegaremos pronto —intentó animarla—. Bernardo asegura que llegaremos a la Puerta en apenas dos días.

Ella lo miró cansada.

—Me alegro —contestó con una voz débil.

—Los viajes —se atrevió a explicarle él— son ciertamente incómodos, pero, como en la vida, hemos de intentar sustraer de ellos algo provechoso.

Veridiana guardó silencio y Víctor continuó.

—El llegar al destino no es lo importante, sino disfrutar del camino.

—Es difícil disfrutar —dijo ella con retintín— cuando te desuellas la piel.

Veridiana tiró de las riendas con fuerza y enseñó su mano desnuda a Víctor. El roce de las tiras de cuero le había lastimado hasta hacer aparecer la carne viva. Víctor la contempló con lástima.

—Deberíamos haber conseguido unos guantes... Cuánto lo siento. Bernardo os hará una cura enseguida.

La posada en la que hicieron noche era una casona fría que olía a manteca y grasa resecas. A Veridiana le habían dejado un cuarto para ella sola. Era una deferencia reservada para personas de categoría, pero ella hubiese preferido compartirlo. Se sentía abandonada e indefensa, sin una sirvienta que la ayudase a desvestirse en unos momentos en los que el cansancio la había llevado al borde del desfallecimiento, alguien que le calentase el jergón, y sobre todo sin compañía para cuando llegase la noche y las sombras se hiciesen con aquel cuartucho desconocido.

Empezó a desatarse el sobrevestido. Le resultaba complicado hacerlo porque los cordones que lo cerraban quedaban a su espalda y aún le dolían las manos.

Bernardo le había limpiado las heridas con agua, y le había aplicado un emplaste de bellotas que ayudaría a que cicatrizasen y no se infectasen. Después se las había vendado con un paño muy fino.

Eso le había hecho replantearse su opinión sobre él. A Veridiana siempre le había parecido un hombre de mirada afilada y espíritu un tanto retorcido, pero en el momento en que curó sus heridas la había tratado con una dulzura sorprendente.

Cuando se quedó casi desnuda, sólo cubierta con su fina camisa de lino, la recorrió un escalofrío. Acercó la bujía hacia el jergón, se envolvió en su capa y, cuando se acostó, le inundó el olor a heno fresco. Eso la satisfizo. En aquella posada infecta al menos habían cambiado el relleno de su colchón.

Las tinieblas se hicieron enseguida dueñas del cuarto. La llama de la vela hizo temblar las sombras que se escurrían por las paredes.

Veridiana cerró los ojos y se hizo un ovillo. ¡Cuánto le había aterrorizado desde pequeña estar sola en la oscuridad! «Los monstruos no existen», le habían dicho su ama y su madre mil veces. «Sólo están en tu imaginación.»

Pero ahora sabía que no era cierto. Que cuando reinaban las sombras eran las criaturas del Mundo las que se deslizaban por los suelos con un siseo aterrador. Cuanto más miedo sentía, más claro le parecía escuchar cómo reptaban. Sólo cuando conseguía dormirse y le abandonaba la conciencia, dejaba de oírlas. Y esa noche, aunque estaba agotada, el sueño se le resistía. Cualquier roce le recordaba los músculos maltrechos y sus manos heridas. Y las sombras eran más reales que nunca desde que Bernardo le había hecho «aquello» en la cocina, como si hubiese rasgado su mente y hubiera abierto una rendija a un mundo que la aterraba.

Se envolvió en la capa, cerró aún más los ojos, e intentó relajarse, pero una conversación procedente de la habitación contigua atrajo su atención.

Eran las voces profundas de Bernardo y Víctor.

Podía imaginárselos en ese mismo momento tal y como los había conocido en los dos días que había durado su viaje, compartiendo una sincera camaradería que ella envidiaba desde su soledad. El tono era serio y en su conversación una palabra se repetía constantemente: «inversión».

No era la primera vez que les oía hablar de ello. Lo había escuchado en casa de Jacob y Esther, y durante el viaje. Y ahora, las palabras se colaban en su conciencia como un sigiloso ladrón en casa ajena.

—Intentar la inversión es una locura.

—Estoy completamente de acuerdo, Víctor. Con los conocimientos que contamos ahora sería un suicidio para el viajero. ¡Y no hay forma de comprenderlo todo por entero! Rodolfo de Cremona tampoco está seguro de la traducción. Jacob pretende que se trata de un dialecto procedente de alguna rama que se ha mezclado con lenguas del Norte... Pero, de cualquier forma, la única manera de avanzar es la experimentación, amigo mío.

A Veridiana le pareció demasiado larga la pausa que siguió.

—Sí, el método claro, preciso y ordenado en la experimentación es el futuro de la ciencia. Siempre hemos estado de acuerdo en ese punto. Pero nunca, nunca, poniendo en peligro la vida de un ser humano.

—La comprensión del mundo exige sacrificios, Víctor. Imagina las posibilidades que abriría la inversión. ¿Qué vale una terrenal vida humana, si con ella se pudieran salvar otras muchas en el futuro?... Y no sólo es la vida, ¡el alma, Víctor! ¡el alma!

Veridiana se removió en el jergón. El sueño la estaba alcanzando por fin y le costaba trabajo atender a las palabras que empezaban a perder su sentido. Imágenes absurdas comenzaron a poblar su juicio.

—No, Bernardo. Nunca. Dios no puede respaldar algo así... Es... Es contra natura. Es... demoníaco.

—Creo que te equivocas, es una oportunidad única. La inversión es una oportunidad para remediar los grandes errores cometidos por los seres humanos...

Eso es lo último que Veridiana comprendió antes de sumirse en un sueño pesado y tan oscuro como una cripta.

Por la mañana almorzaron migas de pan empapadas en vino, y panceta. Pero Veridiana apenas probó bocado.

Víctor estaba dando buena cuenta de los últimos restos del desayuno, cuando Bernardo se dirigió a ella con la misma mirada afable que le había descubierto al vendar sus heridas.

—Hay algo sobre lo que deseo advertiros, Veridiana. El paso al otro mundo no es fácil. Traspasar la Puerta puede ser doloroso si uno se enfrenta a ella. Quiero decir que no hay que luchar contra las fuerzas que encontraréis.

—De hecho hemos descubierto que para los viajeros primerizos el mejor modo de traspasarla es hacerlo cuando están inconscientes —intervino Víctor.

—Borrachos hasta la inconsciencia, drogados o desvanecidos por un golpe en un lugar concreto —aclaró Bernardo señalando la parte posterior del cráneo.

Veridiana se envaró.

—¡Pretendéis golpearme!

—Precisamente por eso os hago esta advertencia, porque no podemos arriesgarnos a ello con vos. La herida que os hicieron en la cabeza es demasiado reciente...

Un miedo soterrado y amargo empezó a hervir en el interior de Veridiana. Aquellos hombres estaban hablando con demasiada familiaridad de barbaridades tremendas.

—De modo que tendréis que atravesarla consciente —continuó Bernardo—. Y el peligro reside en enfrentaros contra las fuerzas que encontraréis.

—Hay que dejarse llevar como una hoja por el viento —le explicó Víctor.

—No hay que abandonarse al temor... —Bernardo clavó una mirada afectuosa en ella—. Pero veo que os estáis asustando...

—¡Claro que me estoy asustando!

—No dejéis que el miedo os domine.

—¡Cómo no me va a dominar el miedo! ¡Si no sé adónde voy y decís que esa Puerta puede matarme! Loado sea el Creador, no sé qué estoy haciendo aquí...

Veridiana no se percató de las sombras agrisadas que se deslizaban por debajo de la mesa hacia sus pies en aquel mismo momento.

Bernardo dulcificó su tono de voz.

—Tranquila, Veridiana, confiad en mí.

La acarició con su mirada. Y ella, sin saber por qué, se sintió de pronto relajada y tranquila. Una paz cálida envolvió su alma.

—No tengáis miedo —repitió.

En aquel momento hubiese seguido a Bernardo adonde él le pidiese, porque tuvo la impresión de que sólo con él estaría segura.

Víctor se levantó como una exhalación.

Veridiana hubiera jurado que estaba enojado. Pero no pudo comprender por qué.

Cuando dejaron la posada el sol brillaba y teñía de dorados los campos y los bosques. El aire olía a limpio y desprendía una sensación de energía contenida.

—Lloverá —afirmó Bernardo.

Tanto Víctor como Veridiana miraron extrañados alrededor. El cielo era de un azul puro e intenso. El sol les hacía cosquillas en la piel.

—No estamos lejos —continuó Bernardo—. Antes del mediodía alcanzaremos la Puerta. Recordad, no luchéis contra ella. Dejaos llevar.

Abandonó el camino, y se internó por una vereda del bosque. Víctor lo siguió.

A Veridiana no le agradaba dejar el sendero principal. Echó una mirada atrás. Se sentía extrañamente inquieta.

Víctor también miró atrás. Pero él lo hizo por razones muy diferentes. Hacía un rato le había parecido vislumbrar al jinete que los perseguía. Bernardo no se veía preocupado. Y si Bernardo no lo estaba, él tampoco tendría por qué sentirse intranquilo. Sin embargo no podía dejar de sentir un áspero desasosiego.

Apenas habían cabalgado unas leguas, cuando un viento frío empezó a soplar desde el Norte. Unas nubes blancas que volaban a una velocidad asombrosa ocuparon el cielo. Y después, el horizonte quedó oscurecido por unos nubarrones que amenazaban tormenta. Los caballos se mostraban tan inquietos como sus jinetes. A Veridiana le costaba controlar su montura con las manos heridas e intentaba tranquilizar al animal susurrándole amables palabras.

—Este aire no presagia nada bueno —dijo Víctor.

—Lo único que presagia es un buen aguacero —le replicó Bernardo sin mirarlo siquiera e internándose cada vez más en la espesura del bosque.

Dejaron atrás la senda que habían seguido. Y llegó un momento en el que las encinas y los matojos constituyeron una maraña tan espesa que se hizo imposible atravesarla a caballo.

—Tenemos que abandonar a los animales —dijo Bernardo imperturbable.

Bajó del palafrén que montaba, se echó encima las alforjas y dio unas amigables palmadas en la grupa al caballo para animarlo a marcharse.

Veridiana se quedó de piedra. Era una montura valiosa. De calidad. Y ese hombre se estaba desprendiendo de ella sin miramiento alguno.

Víctor imitó a su amigo y empezó a cargar con sus pertenencias. Guardó con cuidado especial lo que parecía ser un libro y algunos legajos que envolvió con delicadeza en un bolsón de piel muy fina.

—¿Dejaremos aquí a los animales? —preguntó Veridiana dudando aún si debía descabalgar.

Bernardo se acercó hacia ella asintiendo.

—Pero...

—No os preocupéis por ellos.

—No, no es eso... Abandonarlos así... Son demasiado valiosos...

—No os preocupéis —repitió Bernardo mientras le alargaba la mano para ayudarla a bajar de su silla de amazona.

Cuando pisó el suelo, Bernardo hizo que su yegua se alejara.

Los caballos desaparecieron. Ya no había marcha atrás.

—Yo abriré paso.

Y como si fuese un mastín que olfatease su presa, Bernardo se dirigió entre el boscaje hacia algún lugar que sólo él sabía dónde se encontraba. Veridiana y Víctor lo siguieron.

En el horizonte, el cielo estaba tan oscuro que más que gris parecía casi negro. Un aire gélido agitaba las hojas de los árboles y en la lejanía resonó un trueno. No caía ni una gota pero olía a tormenta y la naturaleza parecía a punto de estallar.

Víctor cerraba la marcha. Bernardo tenía que frenar su paso para adecuarlo al lento avance de Veridiana. Ella se enganchaba constantemente con las zarzas y a veces le costaba desprenderse de las ramas que se obstinaban en aferrarse a su ropa. Su vestido era demasiado largo, las mangas muy anchas; algo totalmente inadecuado como para andar entre la espesura. Ella no era mujer acostumbrada a los bosques. Su calzado era demasiado fino y las piedras y las irregularidades del terreno se le clavaban en las plantas de los pies.

Cuando el viento rugió con más fuerza, ella tuvo la sensación de que le arañaba los ojos y se paró. Sus ropajes se engancharon de nuevo con las zarzas y tuvo que dedicarse a retirar las espinosas ramas. Le escocían los roces que algunas plantas le habían hecho en las muñecas.

Los dos hombres demostraron una enorme paciencia.

—Ya queda menos. Llegaremos enseguida.

—¡Ánimo, Veridiana!

Pero ella tenía la sensación de que nunca alcanzarían su destino.

Cuando se desprendió por centésima vez de las ramas que insistían en frenar su marcha, se sintió tan desesperada que le dieron ganas de llorar.

Bernardo la miró y pareció adivinar su desánimo. Después de echar una inquieta mirada atrás, se puso a la altura de la mujer.

—Estamos muy cerca, Veridiana. No desesperéis. Pegaos a mí. Yo abriré camino. ¡Víctor! —llamó.

Bernardo susurró a su amigo algo que ella no puedo entender, y después retrocedió y se alejó del grupo.

El sol ya había desaparecido por completo oculto por unas nubes negras de tormenta.

Veridiana olió a tierra mojada antes de que apareciesen las primeras gotas de agua. Fueron unos goterones que cayeron con tanta fuerza que levantaron la tierra allá donde fueron a parar. Ella se cubrió con la caperuza de su capa, pero Bernardo ni se molestó en taparse.

Les sorprendió un trueno y la tierra pareció temblar.

De pronto, las gotas de agua se convirtieron en una densa lluvia, y en unos instantes quedaron empapados.

Bernardo la tomó de la mano y casi la arrastró hacia un pequeño claro entre los árboles.

—Hemos llegado. Recordad, no luchéis contra su fuerza. ¡No luchéis!

El corazón de Veridiana se desbocó.

Echó un vistazo alrededor pero no había puerta alguna. Tan sólo estaba el aire de la tormenta que se arremolinaba alrededor y levantaba sus ropas en todas direcciones.

Las gotas de agua caían con tanta fuerza que le hacían daño en la cara.

Se sucedieron varios truenos. Los rayos rasgaron el cielo negro.

Veridiana se encogió sobre sí misma. Bernardo la tomó del brazo con fuerza y la guió hacia una piedra que se elevaba en medio del claro. Era de gran tamaño y tenía una forma artificial.

—Esperadme aquí, y ¡no luchéis!

Bernardo prácticamente la empujó hacia el menhir. Y volvió sobre sus pasos.

Otro rayo rompió el cielo.

El infierno parecía haberse desencadenado en aquel rincón del bosque. El cabello de Veridiana se empeñaba en pegarse a su cara y la cortina de lluvia apenas le permitía distinguir la figura de Bernardo.

No estaba solo en el claro. La silueta de Víctor se puso a su lado. Los dos hombres se quedaron quietos bajo el agua. Como si esperasen algo... o a alguien.

Otra sombra irrumpió en el lugar.

A duras penas ella distinguió un hombre alto cubierto por una capa de colores terrosos.

Un rayo iluminó la escena. El que los había seguido desenfundó una espada. Bernardo levantó sus manos y una ráfaga de viento casi derribó al hombre. Víctor aprovechó ese instante para echarse sobre él.

Veridiana se retiró los cabellos de la cara para poder ver con mayor claridad. El corazón parecía querer salirse de su pecho.

Víctor había desenvainado su espada y dio el primer mandoble. El otro se defendió. Bernardo se acercó hacia los otros dos y levantó de nuevo sus manos.

Un vendaval empujó al hombre que luchó inútilmente contra un tifón de agua y viento. Cuando cayó de rodillas en tierra, Bernardo se acercó hacia él y lo golpeó en la cabeza. Exactamente en el mismo lugar que le habían mostrado cuando le explicaron que era mejor atravesar la puerta inconsciente.

El hombre se derrumbó como un pelele sobre el barro.

Un trueno hizo temblar la tierra.

Mil remolinos comenzaron a bufar alrededor de Veridiana. Parecían querer empujarla contra el cielo. Ella se pegó al menhir buscando su protección. La asaltó un frío glacial que quedó aferrado a sus entrañas.

Bernardo y Víctor tomaron al hombre en volandas y se acercaron hacia ella.

—¡No luchéis, Veridiana! —insistió Bernardo mientras se colocaba a su lado.

Veridiana observó entonces al hombre desvanecido. La capucha había caído y con sorpresa reparó en que lo conocía. Era Enrique de Rascón y Cornejo.

Los remolinos se habían convertido en vendavales y de pronto sintió como si su fuerza la levantase por los aires.

Veridiana gritó.

Le dio la impresión de que ese cielo oscuro de tormenta se la tragaba, y al hacerlo su alma quedaba atrapada entre las fuerzas del temporal.

Volvió a gritar.

El ruido de la lluvia y la tormenta quedó atrás y un extraño silbido destrozó sus oídos. El frío glacial que la había invadido se extendió por todo su cuerpo y, según lo hacía, el dolor la penetró por entero. Nunca nada le había dolido de aquella manera.

Gritó aún más fuerte y sintió que se moría.

«No luchéis», le llegó un susurro desde algún sitio.

Entonces recordó a Bernardo y entre el dolor fue capaz de hilar un pensamiento coherente: era imposible no luchar contra aquello.

Pero su mente se perdió de pronto en el recuerdo del día en que perdió a su bebé y cómo un dolor agudo como el filo de una espada le había rasgado las entrañas. Y recordó después el golpe que le dio el asesino que intentó matarla en Toledo, y cómo ese dolor la había traspasado igual que un rayo. Y por fin recordó su noche de bodas con Guy, y cómo le fue imposible luchar contra un cuerpo que casi la asfixiaba con su peso hasta que no tuvo más remedio que rendirse y dejarse hacer...

Y aquello fue lo que le salvó la vida, porque Veridiana se dejó llevar, y de pronto el dolor desapareció y fue reemplazado por el miedo y la curiosidad hacia aquel umbral que se la estaba tragando en su negrura.

II

Donde Enrique descubre que su misión originaria ha concluido

Aquel aire le colmaba y le repelía a un mismo tiempo. Al recobrar la consciencia, con el primer aliento, le habían llegado mil olores, mil sensaciones condensadas en una sola inspiración. Y esa impresión le había mareado de tal manera que su cuerpo sólo supo reaccionar con vértigos y náuseas.

Y sin embargo, Enrique de Rascón y Cornejo quiso seguir respirando aquel aire en el que de pronto era capaz de distinguir el aroma del polen de cien flores diferentes, y el perfume de árboles y frutos que siempre había pensado que no olían a nada. Aspiró algo que le recordaba al áspero alcornoque, agrio como las lágrimas. Había sal en el aire y en la tierra el dulzor del barro y la rugosidad del cuero. Los olores eran densos y ácidos, oscuros y suaves... Llegaban a él, de forma natural y con una fuerza infinita, como nunca antes había logrado percibir nada.

Enrique no pudo hacer más que seguir respirando e intentar acostumbrarse a esa marea de sensaciones confusas que le llegaba con cada inspiración.

El monje rubio se encontraba a su lado y cuando observó que volvía en sí le ofreció su mano para ayudarlo a incorporarse.

—¿Os encontráis bien?

La mano de Enrique se dirigió sin que él lo planease hacia el costado, en busca de su espada. El fraile se dio cuenta y negó con la cabeza sin dejar de ofrecerle su mano.

—Nada de armas... Están a buen recaudo. ¡Venga, arriba!

Enrique no tuvo más remedio que aceptar su gesto. Víctor lo levantó sin dificultad alguna.

—¿Y Veridiana?

—¿Es ella quien os interesa? ¿Es a ella a quien perseguíais?

Enrique mantuvo un obstinado silencio.

—Veridiana está bien. Con las mujeres. No os preocupéis por ella. Preocupaos por vos. ¿Os encontráis bien? —repitió.

Enrique recordó entonces el golpe que le habían propinado y fue consciente de un difuso malestar alojado a la altura de su nuca.

—¿Dónde estoy?

—Os seré sincero: en otro mundo... —Víctor le sonrió—. Pero antes de que comencéis a dudar de mi cordura, observad estos árboles... —se agachó para recoger una hoja—. Miradla, ¿acaso se parece a alguna otra hoja que antes hayáis observado? No, ¿verdad?... Habéis atravesado una Puerta a otro mundo, señor...

Víctor buscaba su nombre, pero Enrique insistió en su tozudo silencio.

Contempló ese lugar extraño. No comprendía nada. Se encontraba bajo una techumbre de paja y palos. Los campos de labranza se extendían ante ellos por un verde valle. Un pueblo que parecía próspero se levantaba a sus espaldas. Podía sentir el olor de la humanidad procedente de él. ¿En qué endiablado mundo se encontraba?

—Soy Víctor, fraire de Santa Ceclina, un sencillo servidor y soldado de Dios —se presentó el otro—, y he tenido el placer de combatir con un buen guerrero... ¿Con...?

Enrique midió al que había sido su oponente. Era un hombre alto, mucho más fuerte que él. El mismo que había visto luchar en el callejón. Ahora conocía en primera persona su agilidad y sus reflejos, los había podido comprobar en el bosque, cuando encontró a Veridiana en la tormenta. Pero él no era el brujo. El brujo era el otro. Éste no era más que un magnífico guerrero que le sonreía mostrando una mirada de azul transparente. Parecía afable y sincero.

—Soy Enrique de Rascón y Cornejo —se presentó aún distante—, maestro de Gramática en los dominicos de Toledo...

—Para ser un maestro de Gramática, sabéis manejar la espada como todo un caballero, Enrique de Rascón y Cornejo.

Al joven le agradó el halago y por ello no le molestó explicarle:

—Mi hermano es el conde de Rascón y Cornejo. Yo he aprendido de don Fernando de Vilamur, a quien he servido en Aragón.

—Casi un caballero, vaya, y maestro... Esto agradará a Dimas.

Un animal parecido a un pájaro se acercó a olisquear a Enrique. Su plumaje cambiaba de color. Pasó en un instante de un oscuro granate a un tono blanco refulgente como el cristal.

—¡¿Qué demonios es esto?!

Se alejó de la criatura, pero el animal se empeñó en acercársele y comenzó a revolotear alrededor.

—¡¡¿Qué es esto?!! —repitió.

Víctor rió.

—¡¡Podéis ver a las criaturas!! Ja, ja... ¡Vaya hallazgo para el Mundo! Guerrero, maestro y ¡¡podéis verlos!!

Enrique dudó si no estaría en presencia de un loco con aspecto de amable fraile.

—Ja, ja... Realmente los caminos de Dios son insondables para nosotros, pobres mortales. Enrique de Rascón y Cornejo, creedme si os digo que no tengo la menor idea de qué es ese animal que contempláis. Y no lo sé porque sencillamente yo no puedo verlo. No, ¡no me miréis así! Lo creáis o no, yo no lo puedo ver. No estoy loco. Ja, ja, ja... Acompañadme, Enrique, que os presentaré a alguien que estará encantado de conoceros.

Cuando se encontró con Dimas, al que le presentaron como maestre y prior de la Orden de Santa Ceclina, le sorprendió que aquel frágil anciano conservase una voz firme y una mirada tan penetrante.

Besó la mano del prior sin confiar aún por entero en aquellos monjes que enseguida le propusieron quedarse durante una temporada en aquel mundo.

—Quien permanece aquí lo hace por su propia voluntad —le explicó Dimas—. Somos un mundo joven que se desarrolla deprisa, y necesitamos hombres como vos, que formen a las nuevas generaciones que lo están poblando.

El prior contempló la reacción del joven ante sus palabras.

—Sois maestro de Gramática, decís. Pues bien, nosotros tenemos decenas de niños por formar. ¿Os agradaría enseñar a jóvenes pupilos? Son los hijos de los orfebres, tejedores, cordeleros, alarifes... que han ido arribando al Mundo.

Al oír nombrar a los alarifes, el corazón de Enrique se aceleró y se preguntó si los demás no podrían percibirlo tal y cómo él lo escuchaba, desbocado y retumbando en sus oídos. Pero cuando los nervios se adueñaron de él, los únicos que parecieron advertirlo fueron unos extraños gusanos peludos que se le acercaron.

En ese instante Enrique comprendió que acababa de cumplir con su misión original. Había descubierto dónde habían ido a parar los albañiles desaparecidos.

—¿Se encuentra con vosotros el maestro Vicente? —se atrevió a preguntar.

—Él y toda su familia. ¿Acaso lo conocéis?

Enrique negó con un gesto.

—No, pero he oído hablar de él... Lo daban por desaparecido en Toledo —confesó con sinceridad.

—En Toledo se encuentran, o quizás debería decir, se encontraban, porque nos los hemos traído, los mejores alarifes del mundo. Los mudéjares, formados por los árabes, saben obtener el mejor partido de materiales tan sencillos como ladrillos y mamposterías. Sus filigranas cantan la gloria de Dios en cada una de sus obras, las más hermosas de toda la cristiandad. Y —el anciano dejó escapar una risilla— nosotros necesitamos a los mejores. Estamos construyendo la más bella iglesia para albergar las reliquias de Santa Ceclina, nuestra patrona y protectora... —el prior se persignó—. Pero no es sólo eso, también estamos construyendo todo un nuevo mundo.

Dimas hizo una pausa y con un gesto incluyó en ese «todo» aquella estancia y el entorno que lo rodeaba.

—Víctor —continuó dirigiendo su mirada hacia el monje rubio— y Bernardo son algunos de mis más queridos pupilos. Además de nuestros mejores buscadores. Son ellos los que han encontrado a todos los profesionales que necesitábamos en Toledo...

Enrique comprendió en ese momento que Bernardo era el nombre del brujo que buscaba. Aquél a quien había visto usar su magia en el callejón por primera vez y a quien se había enfrentado en el bosque.

—Mirad, Enrique, intentaré explicároslo de un modo sencillo. Hum... La Puerta por la que entrasteis en este mundo se mueve como una ráfaga de viento. La próxima Puerta tardará en aparecer. Eso quiere decir que, mal que os pese, de momento no hay forma alguna de regresar a vuestro mundo.

Dimas hizo una pausa y esperó a descubrir en la expresión del joven alguna pista que le indicase con qué tipo de persona se encontraba.

—Parecéis valiente. ¿Acaso no os inquieta lo extraño de este mundo? Ja, ja... Pues ya os inquietará, Enrique, os lo aseguro. Pero escuchad, ya que no tenéis más remedio que permanecer con nosotros, os propongo que disfrutéis de nuestra humilde hospitalidad. Consideraos nuestro invitado. Víctor os buscará un lugar donde alojaros y os proporcionaremos todo lo que necesitéis, pero... ¿Qué os parecería continuar con vuestra labor de maestro?... En esta ocasión, en vez de formar a clérigos duros de mollera como hacíais en Toledo, vuestros alumnos serán tiernos infantes. En el monasterio nos ocupamos de nuestros pupilos y discípulos, pero necesitamos a alguien que se ocupe de los hijos de los legos. Éstos son los que quedarían a vuestro cargo. ¿Qué os parece? —repitió.

Enrique consideró sus posibilidades.

—¿Acaso tengo otra elección?

—Ja, ja... Por supuesto que sí, Enrique de Rascón y Cornejo. Podéis disfrutar de nuestra hospitalidad sin más obligaciones que la de sobrevivir hasta que llegue la próxima Puerta.

Dimas clavó sus pupilas en las de Enrique para encontrarse con una mirada cambiante y extraña. Con aquella luz era azulada y oscura, tan oscura como el cielo cuando las primeras estrellas comienzan a aparecer.

—Pero me temo que el ocio es padre del pecado, y vuestro espíritu no es un espíritu ocioso, sino más bien inquieto. ¿Me equivoco, Enrique?

Antes de que pudiese contestar, Dimas continuó:

—Creo que os agrada enseñar. Que vuestra mente es tan afilada como vuestra mirada y que disfrutaréis formando a las nuevas generaciones que poblarán este mundo. Y —añadió— no sólo creo que disfrutáis enseñando, sino que además sois observador y curioso, y que vuestra alma se complacerá aprendiendo también de este mundo y de nuestros maestros en artes que ahora no podéis ni tan siquiera imaginar. Quedaos con nosotros, formad a los más jóvenes, y nosotros os formaremos a vos.

Dimas hizo una pausa estudiada y contempló la reacción de su interlocutor.

—Víctor me ha explicado que sois un buen luchador. ¿Sabéis que contamos con algunos de los mejores expertos en combate del mundo conocido?... El hermano José no sólo sabe manejar la espada y el sable, sino que os puede enseñar los secretos de la lucha cuerpo a cuerpo. Secretos, Enrique, que sólo unos pocos escogidos por Dios han tenido la oportunidad de conocer. Vos podéis ser uno de ellos... Enseñad a los niños y podréis aprender a combatir con técnicas que ni siquiera en vuestros sueños más atrevidos habríais podido imaginar.

Enrique de Rascón y Cornejo permaneció en silencio. Pero Dimas supo ver la decisión que el joven acababa de tomar; por eso sonrió.

—Y, después de un tiempo, quizás decidáis quedaros con nosotros, ¿quién sabe? Quizás acabéis convirtiéndoos en un hermano de Santa Ceclina... Porque sólo Dios sabe qué destino os tiene reservado para vos, que llegasteis al Mundo sin pretenderlo, casi por casualidad.

—No fue ninguna casualidad. Nos perseguía, padre —intervino Víctor—. Perseguía a Veridiana de Sanabria desde Toledo.

—¿A Veridiana?... ¿Qué es lo que os une a ella? —preguntó suspicaz.

Enrique meditó su respuesta.

No podía exclamar que era el amor, la obsesión y un sentimiento que nunca había experimentado por ninguna mujer con aquella intensidad. De modo que sostuvo la mirada del prior para contestarle:

—Me une una promesa a su familia. Soy un hombre de palabra y les prometí encontrarla.

—En ese caso, ya lo habéis hecho, Enrique de Rascón y Cornejo. Ya lo habéis hecho.

—¿De modo que vos dirigíais la gestión de un castillo? —le preguntó el anciano con extrema amabilidad.

Veridiana asintió y se quedó contemplando con curiosidad a aquel anciano que parecía gobernar ese nuevo mundo. Los ojillos azules de Dimas destilaban inteligencia y simpatía. Sus largos y finos cabellos blancos flotaban alrededor de su cráneo como una aureola. Veridiana estuvo segura de que a ese anciano no le resultaría difícil ganarse la confianza y el respeto de todos. Tenía un algo especial que hacía que uno se sintiese cómodo en su presencia. Sonreía tanto con los ojos como con los labios. Y su tono de voz era firme y profundo.

—Explicadme en detalle vuestros quehaceres en el castillo, Veridiana.

Y ella comenzó a contarle cómo en Toulouse se había ocupado de organizar la vida cotidiana de la fortaleza, de que no faltaran provisiones ni siquiera durante el duro invierno y de dar órdenes a la servidumbre para que ni una sola de las tareas se realizase de manera inapropiada. Le habló del huerto y del vergel que crecían en la albacara, de sus plantas medicinales y árboles frutales, e incluso de las flores que crecían en el jardín del interior del castillo. Le explicó cómo organizaban los corrales para el ganado, y con cuántos corderos y cabras contaban para obtener la leche, la lana, el cuero..., de la carne y la grasa suficientes para alimentarse y fabricar objetos de primera necesidad. Le habló de las gallinas y del problema que tuvieron cuando creyeron que el agua del pozo en el patio de armas se había envenenado. Le contó del alfarero, de la fragua del herrador, de las cuadras... Le explicó que, cuando su marido se ausentaba, ella se encargaba de mandar a los soldados que permanecían en el castillo.

Y según desgranaba sus recuerdos, aquel pasado que creía tener olvidado fue resurgiendo como si estuviese removiendo un cieno que hubiera permanecido oculto en el fondo de un lago y de pronto volviese a la superficie para configurar unas imágenes tan vívidas y tan cercanas como si hubieran acaecido tan solo un par de días atrás.

Mientras recordaba todo aquello, una parte de su mente no podía dejar de pensar en la inmensa suerte que había tenido de poder conocer a la máxima autoridad de este nuevo mundo. Porque cuando llegó al ala de las mujeres, una joven novicia vestida con unos hábitos blancos parecidos a los de Víctor le había preguntado qué sabía hacer. Y ella había empezado a contestar que las labores propias de su sexo: tejer, bordar, coser, cocinar... Los ojillos de la hermana que la había interrogado se habían dirigido hacia sus manos, y algo debió de ver en ellas cuando le preguntó:

—¿Sabéis leer?

—Por supuesto —había contestado Veridiana con altivez.

—¿Y escribir?

Ella asintió en silencio.

—¿Y contar?

—Lo básico para poder llevar las cuentas de un hogar.

La religiosa dirigió de nuevo su mirada inteligente hacia sus manos cuidadas de señora.

—Un hogar... ¿de cuántas personas?

Y ella estuvo a punto de contestar, cuando de pronto reparó en el porqué de aquel interrogatorio. Lo supo con la misma seguridad con la que percibía todos esos nuevos olores que se le clavaron en la mente en cuanto llegó a ese extraño lugar. ¡Aquella mujer quería saber cómo podría ella resultar útil a aquel mundo!

En el camino que había recorrido hasta alcanzar el monasterio, había reparado en una fragua que trabajaba a marchas forzadas, en los hombres que araban las tierras, en las lavanderas de la ribera del río... Ella no quería terminar como ellos. ¡No podía! Ella era una persona de calidad, descendiente de cristianos antiguos, de los más nobles y antiguos linajes castellanos y leoneses. Trabajar con las manos era cosa de plebeyos, siervos y campesinos. A ella no la podrían destinar a ese tipo de labores.

—Soy Veridiana de Sanabria, de los Sanabria de León —contestó obviando su pregunta y levantando la barbilla con gesto desafiante—. Soy la señora de Toulouse, la baronesa de Fleurilles —y al decir aquel nombre que llevaba años sin pronunciar se le llenó la boca de todo el orgullo que creía haber olvidado—. Yo era la señora del castillo de Fleurilles. Me ocupaba de la organización del castillo. Yo era la señora del castillo de Fleurilles —repitió.

Después de aquella respuesta, la mujer no le hizo ninguna más, pero le rogó que la acompañase hasta una sala en la que la hicieron esperar durante bastante tiempo.

Desde allí se divisaban las obras de la iglesia que estaban construyendo. Veridiana estaba acostumbrada al perfil de la catedral de Toledo que también se encontraba inconclusa, pero aquello no tenía nada que ver con cualquier obra que hubiese conocido antes.

Cientos de obreros se afanaban en la construcción. Organizados por grupos, cada uno de ellos se dedicaba a una labor concreta. El tejado no estaba cubierto aún por completo y parte de su armazón de madera permanecía a la vista como unas costillas esperando a ser recubiertas por hojas de plomo.

Unos obreros trepaban por los andamios que forraban los muros. En uno de ellos una rueda de madera giraba y un sistema de poleas izaba grandes bloques de piedra hasta la parte más alta. Otros trabajadores subían por las escaleras cubos de arena, agua y cal, y unos pocos recubrían las paredes con fina arenisca.

A Veridiana todos ellos le parecían diligentes hormigas con un solo objetivo: levantar lo antes posible una obra monumental que parecía trazada por el más loco de los maestros.

Porque todo lo que en el diseño de Toledo eran rectas, aquí se habían convertido en curvas. Los inmensos sillares de la catedral castellana parecían haber sido reemplazados por finas y altas columnas. La obra hacía gala de un delicado y sutil equilibrio, conseguido con una curiosa amalgama de estilos que sólo Dios sabía por medio de qué misteriosas ciencias podría sostenerse.

Veridiana contemplaba admirada aquella obra que dominaría ese mundo.

Alrededor se extendía un pueblo similar a cualquier otro, si no fuese por los pequeños detalles que iba descubriendo. Los tejados ondulados de aquella manera tan curiosa, la increíble uniformidad de las casas, la abundancia de formas curvas, la organizada estructura de sus calles cuadriculadas... Incluso sus gentes parecían diferentes con aquellas ropas de colores tan inusuales; esos tonos tan pálidos y lisos, aquel verde brillante, los naranjas luminosos... Todos parecían prósperos comerciantes. No pudo ver ni un pobre ni un mendigo. Tampoco distinguió ningún enfermo. Se estaba preguntando dónde los esconderían cuando regresó la novicia.

Iba acompañada de un anciano que se presentó como Dimas, el maestre y prior de Santa Ceclina. A ella le sorprendió la sencillez de su vestimenta. En nada se diferenciaba de los demás que había visto y sin embargo aquel hombre era el superior.

Según le iba desgranando sus responsabilidades en el castillo, él asentía con una sonrisa amable. Se hallaba muy a gusto en su presencia. En las pocas ocasiones en las que él la interrumpió, lo hizo para preguntarle por detalles concretos de intendencia.

Sólo cuando Veridiana no supo qué más explicarle, Dimas tomó las riendas de la conversación.

—Muy interesante, sí, muy interesante, Veridiana de Sanabria. Me ha gustado la forma en la que habéis explicado vuestras responsabilidades. Habéis demostrado un orden lógico en vuestra forma de pensar. Una mente organizada... Ello me complace sobremanera.

Veridiana bajó la mirada con modestia.

—Me han contado que vinisteis con Bernardo y el hermano Víctor —continuó como si cambiase de tema—. Son dos de las personas en las que más confío. En ellos delego asuntos de gran importancia. Mi querido Bernardo ha tenido que regresar de inmediato a Toledo. Tenemos un problema..., hum... —pareció dudar para encontrar la palabra adecuada—, de traducción, que no terminamos de aclarar... El tiempo pasa demasiado rápido allí fuera —dio la impresión de que se daba cuenta de que se estaba yendo por las ramas y continuó—: Víctor es mi mano derecha, mi lugarteniente, pero también está trabajando en esa trascripción y ahora no puede ocuparse de todas las tareas que le corresponden. Nuestro mundo se desarrolla muy deprisa y, miradme, Veridiana, los años me pesan cada día más. En fin... —Dimas clavó su mirada en los ojos claros de Veridiana—, os preguntaréis por qué os cuento todo esto. Pues bien, hija mía, necesito a alguien que sustituya a Víctor en sus labores de intendencia. Alguien que tenga experiencia en la administración de un amplio grupo de personas.

Veridiana se mordió los labios para no gritarle que ella se sentía capacitada para ocuparse de ello.

—Vos sois una mujer pero eso lejos de molestarme, me congratula. Sé por experiencia que la inteligencia de una mujer es de carácter práctico y eso es precisamente de lo que estamos necesitados.

Dimas le sonrió.

—Os propongo algo y veremos qué os parece. Acompañadme por unos días en mis tareas diarias. Venid conmigo, escuchad, aprended, dadme vuestras opiniones, dejadme conoceros, conocedme y conoced el Mundo. Y si sois juiciosa, como me ha parecido entender por vuestras palabras, podréis ocuparos de gran parte de los detalles de la intendencia. ¿Qué me decís?

Veridiana se atrevió a devolverle la mirada, y cuando se contempló en los ojos del anciano supo que podía confiar en él. Y de pronto, de alguna manera extraña le llegó la convicción de que ése era un momento clave de su vida. Como si todo lo que le hubiera pasado antes no fuese más que un juego, un entrenamiento, un sueño que le hubiese preparado para llegar a ese preciso instante en el que se vio reflejada en los ojos de Dimas.

Supo que lo mejor y más interesante que nunca jamás hubiese vivido estaba a punto de llegar, y que su lugar en el mundo le estaba esperando ahí, al otro lado de la mirada de Dimas. Así que intentó frenar todas las emociones que se concentraron en un solo momento en sus entrañas y disimular la exaltación que la asaltaba, para susurrar con pudor:

—Me pliego con humildad a vuestro parecer. Es un honor que penséis en mí para auxiliaros en tan grande responsabilidad.

—Demostradme vuestra valía, Veridiana. Probadme que no me he equivocado al juzgaros y, sirviendo a este Mundo, serviréis a Dios.

—Así lo haré, os lo aseguro —musitó besándole la mano.

Enrique se fue acostumbrando a aquel extraño mundo y sobre todo a las insólitas criaturas que sólo él y algunas otras personas podían ver.

Los hermanos de Santa Ceclina decían que los que las percibían eran los elegidos de Dios. Pero él no se sentía especial por ello. Al contrario, cada vez que se topaba con uno de aquellos animales, le asaltaba una sensación de sorpresa y temor a un mismo tiempo.

Si era afortunado y en esos momentos se encontraba con alguien que, como él, lo podía ver, indagaba por su naturaleza. Le explicaban entonces su nombre y por qué se sentían atraídos.

Porque aquellos seres se alimentaban y se sentían atraídos por los sentimientos de los humanos.

Observó con pavor cómo el miedo y el temor atraían a los *ostes,* unas babosas que como los caracoles dejaban un rastro mucoso tras ellos, pero que en cambio podían desplazarse a una velocidad vertiginosa. Esas bestias repugnantes eran las más abundantes, o según creía a veces, las que más se acercaban a él, porque sus sentimientos más comunes eran aquéllos: miedo, extrañeza, excitación...

Le producía escalofríos pensar que aquellos monstruos pringosos estaban alimentándose de sus más profundos temores. Y cuando contemplaba los restos pegajosos que dejaban tras de sí, pensaba que eran residuos destilados de puro terror.

Eran más hermosos los *diélagos* que revoloteaban a menudo alrededor de Víctor. Ésos cambiaban de color tan rápidamente que a veces le costaba reconocerlos. Las *brumas* púrpuras surgían cuando le invadía la tristeza. Y las *odas,* una especie de insectos cuyas alas refulgían, volaban alrededor de los niños y los jóvenes atraídos por su energía descontrolada.

Día a día, Enrique se fue haciendo a la presencia de las criaturas, y también se acostumbró a aquellos olores que al principio llegaron a marearlo. Aprendió a distinguir de dónde provenía cada uno; de los árboles tan semejantes a los alcornoques, de unas flores amarillas estrelladas, o de los jugosos frutos rojos que trepaban por los troncos. Durante sus caminatas consiguió reconocer el olor del agua cuando provenía de las montañas, cuando llegaba hasta el valle revestida con el perfume de las rocas y de las plantas y los animales que había encontrado en su recorrido.

Y aunque a su razón le costase reconocerlo, terminó aceptando que se encontraba en otro mundo. Que de alguna manera le habían llevado a un mundo diferente que le colmaba de nuevas sensaciones y le rodeaba de una energía vital desatada que no sabía bien cómo interpretar, pero que le hacía sentir ligero, con más fuerzas, como si fuese capaz de conseguir cualquier cosa que se propusiese.

Por último, terminó aceptando que era un prisionero de aquel mundo y que no podría abandonarlo por el momento.

Todos le habían explicado que los dos mundos se comunicaban a través de una especie de puertas que se movían. Y una de ellas acababa de desaparecer. La siguiente tardaría un tiempo en arribar a Santa Ceclina, y sólo entonces decidiría si quedarse allí o regresar a Toledo.

De modo que Enrique se dejó arrastrar por sus rutinas y por la oración, en la que encontraba consuelo cuando su espíritu se cubría de nostalgia y dudas, y las *brumas* púrpuras lo rodeaban empapándose de su pesadumbre.

Su vida diaria arrancaba en una especie de casa de huéspedes. Lo habían alojado en el lugar que albergaba a los visitantes que se encontraban de paso en aquel mundo. Y él era el único, por el momento.

La posada la regentaba un matrimonio mayor que no tenía hijos. Los dos eran silenciosos y a veces desaparecían durante largas horas, sin que Enrique tuviera la menor idea de adónde habían ido a parar.

Todas las mañanas asistía a misa en la pequeña iglesia del monasterio. Siempre con la esperanza de encontrar a Veridiana. Sabía que ella se alojaba con las monjas en el ala de las mujeres que se encontraba al otro lado del pueblo.

En el templo sentía su tenue presencia. Sabía que debía de estar en la planta de arriba, detrás de la celosía, junto a las demás mujeres. Pero nunca la alcanzó a ver. A veces pensaba en si ella podría percibir su presencia tal y como él sentía la suya, o si ella lo buscaría alguna vez entre la marea de cabezas. En otras ocasiones daba por seguro que Veridiana no abrigaría ningún sentimiento especial hacia él y que sus tribulaciones eran ridículas, propias de un enamorado ofuscado.

Cada día, después del oficio, marchaba hasta lo que llamaban la «escuela». Era una pobre construcción bajo cuya techumbre se encontraban unos troncos sobre los que, a modo de bancos, se sentaban los niños cada día. Los más pequeños no tendrían ni cuatro años; los mayores eran ya capaces de ganarse el sustento.

Le proporcionaron tablillas recubiertas de cera para que todos pudiesen escribir. Y él comenzó enseñándoles las letras. Cuando se daba cuenta de que se cansaban de ellas, les formaba en canto.

Dimas lo había calado. A Enrique le gustaba instruir y educar a los pequeños. A menudo, el tiempo se le pasaba volando y la hora de comer se avecinaba sin que se diese cuenta de ello.

Sus tardes no tenían nada que ver con las plácidas mañanas. Enrique marchaba al monasterio y se unía a otros hermanos que se ejercitaban en unas técnicas que según le dijeron provenían del lejano Oriente.

Nunca había visto a nadie luchar como lo hacían los monjes guerreros de Santa Ceclina. Y el alma belicosa de Enrique disfrutaba experimentando con aquellos movimientos que hacían tan diferente la manera de enfrentarse a un adversario.

Su maestro, José, era un fraile que parecía esculpido en madera. Delgado y moreno, cuando se arremangaba la sotana, mostraba unos músculos de acero. Enrique era incapaz de determinar su edad; podría tener tanto treinta como cincuenta años.

Enrique descubrió que aquellos combates lo ayudaban

a domar la energía liviana que lo sofocaba. Su cuerpo y su espíritu cargados de fuerzas encontraban el equilibrio y la paz en esos ejercicios que agotaban y moldeaban sus músculos.

—Veamos, Enrique —le retaba José—, demostradme que vuestro brazo sirve para algo más que sostener un punzón para escribir y una tableta de cera.

Y le esperaba quieto, sin quitarle la vista de encima, como un halcón contemplando a su posible presa. Entonces Enrique embestía, y José utilizaba la misma fuerza de su acometida para derribarlo.

—La única forma de vencer es no atacar, Enrique. Pero, puestos a atacar..., ¡intentad al menos derribarme! —se burlaba jocoso.

Enrique lo probaba una y otra vez sin conseguirlo.

Sólo cuando dedicó gran parte de su tiempo a observar cómo luchaban los demás hermanos, y repitió mil veces aquellos movimientos, comenzó a dominar algunos de ellos.

—Muy bien, Enrique. Vais mejorando como el vino en su cuba. Luego veremos si resultáis ser un ácido vinagre o un caldo plagado de sutilezas... Cuando nos venzáis, entonces os guiaré en otras técnicas de combate que ahora no podéis ni tan sólo imaginar —le desafió José.

—Sé que formáis a un grupo al atardecer —confesó Enrique un día entre jadeos, agotado por el esfuerzo—. Me gustaría formar parte de él.

—A ese grupo no puede pertenecer cualquiera, Enrique. Bien es cierto que estáis tocado por la gracia de Dios, y por ello podríais desarrollar poderes que ahora ni tan sólo imagináis. Pero para llegar allí, antes tendréis que derrotarme.

José exhibió una abierta sonrisa que a Enrique de Rascón y Cornejo se le antojó un tanto demoníaca. Sí que podía imaginar esos poderes. ¿Acaso no había visto cómo los había usado Bernardo en el callejón?

—No decís nada, Enrique —lo miró directamente a los ojos—. ¿Acaso tenéis miedo?

—Por supuesto que no —contestó con orgullo.

Un *reito* salió de una esquina para disfrutar de ese sentimiento.

José fingió una carcajada.

—Pues entonces es que no estáis preparado. Cuando tengáis miedo... Entonces, amigo mío, lo estaréis.

Enrique se estremeció. ¿Deseaba acaso convertirse en alguien con unos poderes como los de Bernardo? Contempló a José. Parecía afable y cercano. ¿Acaso él también podía hacer aquellas cosas? ¿Ese hombre moreno, rápido y ágil como un demonio poseía poderes extraordinarios? De hecho, ¿podría llegar él mismo a realizar aquellos sortilegios que había presenciado en Toledo?

Enrique apretó los puños hasta hacerse daño. Porque tuvo la seguridad de que con la fuerza que llenaba su alma y sus entrañas desde que había llegado a aquel mundo, podría conseguir todo aquello que se propusiera.

¿Miedo? No, no era miedo lo que sentía. Más bien impaciencia. Impaciencia por saber qué podría hacer, y sobre todo cómo hacerlo. Estaba impaciente por derrotar a José para descubrirlo.

Su obsesión por Veridiana se mantenía sutilmente soterrada bajo el conjunto de rutinas que ocupaban su tiempo y su espíritu. Pero una mañana, de regreso al pueblo, sin verla siquiera, supo que se encontraba muy cerca. Fue como si hubiese podido olerla a distancia.

Siguió su rastro hambriento como un mastín, hasta que la encontró frente a las obras de la iglesia junto a Dimas y Víctor.

Los *suvios,* aquellos gusanos peludos, empezaron a acercársele delatando su emoción. Sabía que Víctor no podía verlos, pero no tenía ni idea de si Dimas era capaz de hacerlo y por tanto de leer en ellos su excitación.

Enrique se acercó a ella impaciente, con un temor reverencial que se sentía incapaz de disimular. Antes de que pudiese saludarlos, Dimas se volvió como si hubiese adivinado su presencia.

—Buenas tardes, Enrique de Rascón y Cornejo.

Veridiana se giró al oír el nombre.

Él la encontró cambiada. No le pareció la misma frágil mujer que se había derrumbado en sus brazos frente a la catedral de Toledo. Sin saber bien por qué le pareció más enérgica y segura de sí misma. Quizás fue por la postura de sus hombros, o los ojos que descubrió al enfrentar su mirada que brillaban de una manera que lo conmovió hasta las entrañas.

Se inclinó ante ella con el mismo respeto que le había demostrado aquel día en que la recogió entre sus brazos.

—Veridiana... Me llena de satisfacción encontraros sana y salva. Vuestra familia estaba preocupada por vos y por vuestra desaparición.

Al oír hablar de las personas que amaba y que había dejado atrás no pudo evitar lanzarle la pregunta:

—¿Cómo están todos?

—Cuando los despedí disfrutaban de buena salud. Vos erais la única sombra en su felicidad.

Víctor y Dimas asistían al diálogo en silencio.

—¿Por qué no volvisteis con vuestra familia?... —se volvió hacia Víctor dudando si expresar en voz alta las sospechas que lo habían reconcomido y había guardado para sí—. ¿Quizás no os lo permitieron después de que os atacasen en aquel callejón?...

Veridiana sonrió.

—Oh, ni mucho menos. Víctor y Bernardo cuidaron de mí hasta que me recuperé —a ella le parecía que hubiesen pasado siglos desde que ocurrió aquello—. Estuve bastante mal, por lo que creo.

—Dios quiso que salieseis con bien de aquellas complicaciones —señaló Víctor con prudencia.

—Gracias a Dios y a los cuidados de Bernardo —intervino ella.

Al oír mencionar al brujo Enrique se paralizó. La simple posibilidad de que él le hubiera puesto las manos encima o que hubiese probado en ella sus artes mágicas hizo que se le congelase el semblante. Por un momento los ojos azules de Veridiana se cubrieron de nieblas. Y Enrique estuvo casi seguro de que unas difusas *brumas* púrpuras comenzaban a arremolinarse alrededor.

—¿Cómo están mis sobrinos, Enrique? ¿Cuándo los visteis por última vez?... —preguntó ansiosa.

—Crecen sanos y hermosos, Veridiana. He tenido ocasión de conocerlos mejor después de vuestra desaparición. Quiero decir... Os extrañan... —concluyó.

Ella bajó la mirada.

—Yo también los echo de menos. Aunque venir aquí fuese libre elección mía, ¡los echo tanto de menos! Pero no podía continuar en Toledo, era un peligro para mi familia...

—A veces hay que hacer sacrificios. La elección de un camino supone el abandono de otros —intervino Dimas.

—Sólo pedimos a Dios discernimiento para saber elegir el camino correcto —continuó Víctor.

Veridiana tomó aire para decir:

—Aunque los echo de menos, estoy segura de haber elegido bien —confesó—, no me arrepiento de haber venido. Aquí está todo lo que quiero.

Su mirada se posó un instante en Víctor. Y Enrique creyó sentir en un fugaz instante el corazón acelerado de Veridiana.

Se fijó entonces en los ojos de la mujer, tan transparentes como los del fraile, y al observar el brillo que refulgió en ese momento, tuvo la convicción de que con «todo lo que quiero» ella se refería sólo y exclusivamente a Víctor. Unos insectos con alas de luz revolotearon alrededor de ella.

Enrique intentó mantener su expresión impasible.

—¿Cuándo los visteis por última vez? —repitió Veridiana.

Él intentó recuperar la compostura y continuar la conversación como si no hubiera observado nada inhabitual. Se preguntó si alguien más podría ver el *grejo* que comenzó a volar alrededor y delataba los celos que le atenazaban.

Cuando fue a contestar a Veridiana, se dio cuenta de que esa última vez por la que ella le preguntaba fue el día en que la había descubierto espiando a sus sobrinos desde la calle junto a Víctor. Y comprendió entonces que aquélla había sido su despedida y que ese adiós aún escocía en su corazón.

—Fue por San Marcos —mintió—. Vuestros sobrinos están perfectamente.

—Todos dejamos algo atrás —intervino Dimas al observar la mirada húmeda de Veridiana—. Nosotros, los que elegimos el camino de Dios, lo sabemos bien. Quizás, para vos, sea más difícil. Pero os aseguro que haremos lo posible para que sintáis este lugar como vuestro verdadero hogar.

Dimas miraba a Veridiana, pero se volvió de pronto hacia Enrique.

—Un hogar para todos, Enrique. Porque espero que vos también encontréis vuestro lugar en el Mundo.

—Gracias, padre. Todos han sido extremadamente amables —Enrique se sintió incapaz de soportar por más tiempo la mirada de Veridiana sin demostrar ninguna expresión—. Siempre a vuestros pies, mi señora.

—Id con Dios.

Se despidió con una ligera reverencia, y les dio la espalda.

Mientras se alejaba pudo escuchar cómo retomaban una conversación que le sorprendió que versase sobre cantidades ingentes de arena, agua y cal.

Cuando llegó a las clases de José, todavía le hervía la sangre.

—¡Vuestro espíritu está más belicoso que de costumbre! —le dijo el maestro en cuanto iniciaron los combates.

Enrique le lanzó una patada que José esquivó a duras penas.

—¡Uf! Habéis estado cerca, pero aún no me habéis tocado.

José le mostró su habitual sonrisa irónica.

Estaba plantado frente a Enrique, con las mangas

arremangadas, enseñando los brazos musculosos tallados en madera oscura. Su hábito blanco era igual que el de Víctor. Aquella sonrisa que nunca lo había molestado hoy lo irritaba sobremanera.

Enrique sintió que podría con cualquiera que vistiera unos hábitos como aquéllos e inició una presa para atrapar a José. Su maestro lo agarró por el brazo frenándolo. Enrique sintió como si con aquel movimiento el aire que lo rodeaba se hubiese hecho más denso y pesado. Fue como si casi pudiera masticarlo.

José lo tenía atrapado, pero sentía el mínimo espacio que lo separaba de él colmado de ese aire sólido. De modo que lo usó como palanca para arrastrar hacia delante a José.

Para su propia sorpresa el maestro salió despedido con mucha más fuerza de lo que había imaginado y acabó estrellándose unos metros delante de él. La maniobra también pilló de improviso al fraire, que no tuvo tiempo ni de gritar al verse lanzado por los aires.

Enrique sólo pudo salir corriendo para ayudarlo a incorporarse.

—¡Lo siento, lo siento! No sé cómo...

José se había golpeado la barbilla y la sangre formó rápidamente una estrella espesa y bermeja.

—Enrique —farfulló mientras el otro le ayudaba a levantarse—, ¡por fin lo habéis conseguido! Me habéis vencido.

—No quería... No pensaba...

José mantuvo la herida presionada con el tejido de su manga.

—No es nada. No es nada. Son los riesgos de este oficio mío... No es nada que no se pueda arreglar. ¿De dónde habéis sacado esta fuerza, Enrique?

El maestro observó los ojos brillantes del joven y los oscuros gusanos aplastados que se habían mantenido junto a él toda la tarde.

—¿De dónde habéis sacado esa rabia, Enrique? —rectificó.

—Lo siento —repitió—. No tengo derecho a pagar con vos mi despecho.

—Desde luego que no, ja, ja... Pero ¡mirad lo que habéis conseguido, Enrique! Vuestra fuerza estaba oculta en la cólera. Escuchadme, escuchadme ahora —José parecía eufórico después de haber sido herido—: respira hondo, respira y absorbe esa rabia que dices haber sentido. Llénate de su fuerza y siéntela. ¡Respira hondo!

Enrique supo que José le estaba hablando de esa cualidad del aire que le había parecido sentir. Respiró a fondo, intentando recordar la densidad que había percibido. Y de pronto le sacudió un estremecimiento cuando le pareció que inspiraba algo sólido y pastoso como el barro. Esa viscosidad se le estaba metiendo por todo el cuerpo. ¡Le estaba ahogando!

José le aferró del brazo.

—¡No os asustéis! No tosáis. Respirad de vuestra fuerza, Enrique. Es vuestra propia esencia la que respiráis.

El terror que invadió al joven tomó la misma forma física de aquello pesado y oscuro que aspiraba. Boqueó como un pez, pensando que se asfixiaba.

—Sentid el poder y guardadlo dentro de vos. Tranquilizaos. Despacio, así... ¿Veis? No pasa nada...

Enrique se tranquilizó un poco. Sentía el brazo de José aferrándolo y su firmeza le insufló confianza.

—Ahora que habéis descubierto de dónde proviene vuestra fuerza, el adiestramiento ha finalizado. Ahora es cuando comenzaréis a luchar de verdad, hermano mío. Si queréis, claro está. ¿Deseáis saber qué hay dentro de vos, Enrique?

Todos sus miembros habían sido invadidos por aquella corriente espesa, y Enrique notó que todo su cuerpo vibraba y ardía deseando usar esas fuerzas que estaba aspirando.

—Lo deseo... Ya lo creo que lo deseo —murmuró.

—Entonces, acompañadme. Una nueva etapa de formación comienza ahora para vos.

Que trata del natural orden de las cosas y las nuevas compañeras de Veridiana

—¿Queréis decir que no hay nadie más que vos, padre?

—¿Acaso ello os perturba?

Veridiana dudó antes de responder. De pronto sus más profundas convicciones se tambaleaban.

—¿Pero no es verdad que conviene a los hombres estar sumisos a los reyes?

Dimas asintió pero no rompió el silencio. Esperó unos instantes a que Veridiana continuase con sus razonamientos. No obstante, ella permaneció callada.

—Decidme, Veridiana, hija mía, ¿no es verdad que los reyes han de someterse igualmente a las leyes de Dios?

—Por supuesto... Pero el orden de las cosas es el de Dios por encima de todo y todos, y bajo Él se encuentran los reyes, y después la nobleza y los demás mortales...

—Escuchadme bien, hija mía. Tenéis razón. Ése es el orden de las cosas y siempre ha sido así... Y de hecho, ay, de hecho, si hace unos años yo hubiese hablado con vos de estos mismos temas, es muy posible que mi opinión fuese otra. Pero ahora... Veréis, los primeros pobladores de este mundo fuimos los monjes de la Orden de Santa Ceclina y las hermanas de Las Inviernas, y sencillamente organizamos el Mundo del mismo modo en que estaban organizados nuestros monasterios.

Dimas se sentó sobre una roca del camino. Parecía más cansado que de costumbre.

—El abad y maestre de la Orden resulta ser la máxima autoridad. Dios me otorgó esa responsabilidad y nunca pensé hasta qué punto llevaría sobre mis hombros el peso de las vidas de otros hombres, de mis propios hermanos...

—¿Y después? ¿Qué ocurrió cuando llegaron los demás pobladores?

—Se rigen primero por las leyes de Dios, segundo por las de la Orden, y estamos trabajando en un fuero muy semejante al de algunas ciudades. Después lo aprobará el Concejo. El Concejo está formado por los miembros de mayor jerarquía de la Orden y representantes del pueblo. Os presentaré a todos. Pero ¿qué mayor privilegio puede ser que el de nuestra propia libertad?... En fin, Veridiana, decidme, ¿por qué os preocupan estos aspectos, digamos, políticos? La mente femenina no suele ocuparse de estos temas.

Veridiana bajó su mirada tan discreta como siempre.

—Esta mañana he meditado estas cuestiones. Se me ha ocurrido de repente: «¿Y el rey?, ¿quién es el rey de este mundo?»

—Ay, Veridiana. Durante un tiempo mi espíritu dudó, lo confieso, sobre si deberíamos informar a nuestros reyes y a Su Santidad, de nuestro descubrimiento —Dimas suspiró, como si le costase hablar de esos temas—. Pero, ¿sabéis?, reyes y papas no son más que hombres, tan hombres como yo, un humilde abad que llegó a maestre de una Orden sin desearlo... Y los hombres, Veridiana, somos imperfectos. Hechos a imagen y semejanza de Dios y de su infinita perfección, pero nosotros somos imperfectos. Y como tales, nos ciega la soberbia, la ambición, el odio, la envidia... Nuestra naturaleza humana lleva consigo, en su propia esencia, todos estos defectos y pecados, y sin embargo, ésa es nuestra mayor grandeza, os lo aseguro, porque somos conscientes de ellos y podemos combatirlos.

Dimas acarició la rugosa superficie de la roca, como si se tratase de su propia alma imperfecta.

—Conocer nuestros defectos es el primer e indispensable paso para superarlos. Y los frailes y caballeros de Santa Ceclina trabajamos humildemente, cada día, con nuestras oraciones y nuestros actos para acercarnos un poco más a Dios Nuestro Señor y a su perfección; para superar nuestros defectos y vencer las tentaciones que el Maligno pone ante nosotros.

Los ojillos azules de Dimas buscaron la comprensión de Veridiana.

—La Orden de Santa Ceclina busca la verdad y, desgraciadamente, por ella tuvimos que enfrentarnos a señores, a reyes, e incluso al Santo Padre. Todos ellos, seres humanos tentados por la ambición y la codicia. Nos vimos forzados a huir de ellos y de su poder, ¡Dios me perdone por ello! Y que también me perdone por pensar que hasta que no haya un dirigente que lo merezca, estamos mejor aislados, en nuestra pequeña comunidad regida por las sencillas normas de unos hombres de Dios...

Dimas dio unas palmadas sobre la roca.

—Sentaos a mi lado... —ella le obedeció—. ¿Y vos, Veridiana? Ha llegado a mis oídos que hace días que no os confesáis, ¿qué pecado os acosa?

Ella contempló el prado que los rodeaba y las hierbas que se cimbreaban empujadas por la brisa. No se atrevió a enfrentar su mirada a la del prior.

Durante todos los días que habían permanecido juntos ella había aprendido a confiar en él. En verdad admiraba su humanidad y su sincera preocupación por todos. A veces tenía la sensación de que podía leer en las almas igual que en un libro abierto.

—Soy la más imperfecta de todos... Yo... Yo...

Se mordió los labios. Era incapaz de confesarle que desde que había llegado al Mundo se sentía repleta de fuerzas, que a veces tenía la sensación de que estallaría en mil pedazos como una jarra de cerámica cuando se estrella contra el suelo. Que, además, el sentimiento amoroso que le provocaba la cercana presencia de Víctor, junto a esa energía, estaba evolucionando a lo que interpretaba como una especie de pasión lujuriosa que le hacía sentir que en cualquier momento se rompería por dentro.

Intentaba disimularlo pero Dimas era un anciano sabio que conocía bien el espíritu humano.

Veridiana suspiró.

—Es..., es la soberbia —mintió esperando que la creyese—. Desde que llegué a este mundo... Vos lo sabéis bien, mi sangre es noble y mi familia no tiene mancha de sangre mora o judía. Fui, ¡soy!, la señora de Fleurilles, y me siento por encima de todos los demás, los plebeyos y legos. Cada día más...

—Sois orgullosa y ambiciosa.

Ella asintió sin atreverse aún a mirarlo.

—Además, os fijasteis en mí para ayudaros y eso me hace sentir tan bien... Es soberbia, padre.

—¿Recordáis a san Francisco? Él era hijo de una rica y buena familia, y renunció a todo ello para convertirse en el más humilde de los hombres y servir a Dios.

—¡Él es un santo! Yo no soy más que una débil mujer.

—Sois una mujer de pensamiento rápido. Dios os ha otorgado una inteligencia que hemos de usar en su provecho y en provecho de todos. Os propongo una cosa...

Sólo entonces ella levantó su mirada tímidamente.

—Cuando esos sentimientos de..., ¿soberbia, decís?, os invadan, rezad y cosed. Unas manos femeninas desocupadas son fuente de pecado. Estoy seguro de que os agradan las labores propias de vuestro sexo.

—Es cierto.

—Sé dónde se reúnen las mejores tejedoras. Son mujeres humildes, Veridiana, y qué mejor que su compañía para aprender humildad y para ocupar esas manos vuestras. La costura perfecciona la personalidad de una mujer. Coseréis con ellas.

Veridiana se acordó de Isabel y María, de las tranquilas tardes bordando en el fresco patio toledano. Y de pronto le asaltó el recuerdo del olor de la leña, del perfume de la casa de su vecina. Y fue como si por un momento casi pudiese oír los gritos de sus sobrinos jugando en una esquina. La sensación fue tan vívida e intensa que al abrir los ojos tuvo la sensación de que los encontraría junto a ella. Una lágrima se deslizó por su mejilla.

—Gracias, padre. Os lo agradezco de todo corazón.

Su sencilla celda se abría al Mundo por un ventanuco estrecho que tan sólo dejaba entrar una rendija de luz por las mañanas.

Desde que Veridiana llegó y se vio sacudida por esa miríada de nuevas percepciones, sintió más que nunca la necesidad de jugar con las motas de polvo. Era una necesidad física, algo imprescindible como respirar o comer. Si no lo hacía, la sensación de que explotaría de un momento a otro en mil pedazos, la oprimía como si fuese un odre lleno a rebosar.

Toda su vida había mantenido el secreto de manejar tenues corrientes de luz plagadas de motas de polvo. Los movimientos siempre habían sido lentos, tan perezosos como la pesadez de una siesta en una tarde de pleno verano. Pero desde que llegó al Mundo las motas de polvo volaban a una velocidad que apenas podía controlar. Los remolinos que creaba se movían como serpientes aceleradas. Lo que antes era un juego se había convertido en un estallido prácticamente imposible de dominar.

Con las motas de polvo le ocurría igual que lo que le pasaba a ella misma. Todo se había desbocado.

La intensidad con la que sentía cada color, cada aroma, cada emoción, se multiplicaba por mil. Controlarse era cada vez más difícil. Rezar le ayudaba a conseguirlo, así como respirar profunda y lentamente, y sobre todo le aliviaba coser.

Cuando comenzó a tejer con aquellas mujeres cayó en la cuenta de que su espíritu inquieto se calmaba. Las manos seguían los movimientos precisos, aprendidos, realizados millones de veces, y eso, sin saber por qué, la protegía contra la fuerza desatada que parecía haberse instalado dentro de ella.

Anhelaba que llegasen las tardes para dedicarse a sus labores. Dimas le había advertido que eran mujeres humildes. La primera vez que las vio, a Veridiana le sorprendió que vistiesen, como todos en aquel mundo, como ricas esposas de comerciantes. Pero ellas eran muy diferentes a su vecina Isabel.

Aquél era un grupo heterogéneo, donde estaba desde la esposa del maestro Vicente, Juana, que sólo por serlo se sentía superior y dirigía las conversaciones, hasta la mujer de un maestro carpintero, la de un cordelero, e incluso tres pobres y sencillas campesinas que hablaban de una forma que al principio Veridiana apenas podía entender.

Veridiana se sentía demasiado diferente de ellas. Juana parecía algo cultivada, pero las demás... Las demás eran de una clase muy distinta. Eran groseras y rústicas, tenían un acento extraño y daba la impresión de que no terminaban de pronunciar las sílabas. Ignoraban los tratamientos de respeto y sus gestos y maneras eran ordinarios y bastos.

Veridiana sabía que Dimas le había encomendado limar su orgullo con su trato. Por eso intentaba formar parte del grupo. Pero sus palabras y su educación destacaban tanto como una perla entre sencillos guijarros de arena.

Como ella disfrutaba cosiendo, se concentraba en sus labores y asistía silenciosa a las conversaciones de aquellas mujeres que parecían conocerse tan bien.

Hablaban con desparpajo y naturalidad de asuntos familiares y mundanos que a ella le parecían o bien inapropiados para poner en común o tremendamente aburridos.

El primer día la asaltaron a preguntas sin ningún tipo de vergüenza. Ella se presentó como Veridiana de Toledo.

Y enseguida le preguntaron por su marido.

—Soy viuda —contestó bajando la mirada hasta el suelo.

—¡Qué desgracia!

—Yo no veo que sea una desgracia, ¡según el marido que haya perdido! ¿Es acaso una desgracia para ti, Veridiana de Toledo?

No sólo la tuteaban, sino que además le estaban haciendo preguntas que ella nunca se hubiese atrevido a cuestionar a nadie, ¡por mucha confianza que tuviese!

Veridiana tuvo que reflexionar antes de atreverse a contestar vacilante.

—Perdí a mi marido... Su posición... Yo era señora de... —antes de comenzar a explicar una historia complicada, prefirió resumir lo esencial—. ¡Es lo mismo! Al morir él, perdí mi posición.

—¿Pero le amabas? —le preguntaron con descaro.

—No, claro que no —la respuesta fue rápida, mucho más de lo que hubiese deseado.

—Entonces no es ninguna pérdida —la campesina continuó—. Alguien os acogió seguramente, ¿una tía o tío?, ¿un hermana?, ¿un hermano?

—Un hermano...

—¿Y a vuestros hijos?

—No tengo hijos...

Las mujeres callaron ante aquella revelación.

—Dios no quiso que tuviésemos hijos —añadió Veridiana llenando ese vacío que se le hacía tan incómodo—. Pero tengo sobrinos. Dos. En Toledo. ¡Y los echo tanto de menos! —les confesó.

Sin pretenderlo los ojos se le humedecieron.

—Es muy triste dejar a la familia y renunciar a ellos.

Yo también echo de menos a mis hermanos, a mis sobrinos... A toda mi familia. Me acuerdo de ellos cada día. Cada día... —le dijo Juana, la mujer del maestro Vicente, tomándola de la mano, en un gesto de comprensión y cercanía que dejó asombrada a Veridiana.

—Háblanos de ellos —apuntó la mujer del carpintero—. ¿Cómo son?, ¿cuántos años tienen?

Veridiana les habló de Clara y Rodrigo, y como le ocurría últimamente, al hacerlo le pareció que estaban muy cerca de ella. Casi como si fuesen a aparecer detrás de cualquier árbol jugando a caballeros y princesas. Y cuando terminó de contarles algunas de las anécdotas más graciosas protagonizadas por los niños que tanto quería, creyó que iba a ponerse a llorar delante de esas desconocidas y se calló de pronto.

Una de las campesinas, la que era delgada como un palo de escoba, se dio cuenta de su azoramiento y acercó su labor hacia la mujer del maestro Vicente.

—Mirad. Casi no se nota el nudo —cambió de tema con toda la intención—. Aquí, donde empecé con el otro tipo de hebra. ¿A que ha quedado bien?

—Es una chapuza fabulosa —sentenció Juana risueña.

La campesina le sacó la lengua como hubiese podido hacerlo una cría, y Veridiana comprendió que era una especie de broma entre ellas. La labradora continuó tejiendo con una especie de telar muy pequeño que ella sostenía con habilidad entre las piernas.

—¿Y cómo va lo tuyo? —preguntó Juana a la campesina más joven, una chiquilla que apenas debía de tener quince años que poseía una preciosa cabellera negra como el azabache.

—Lo mío ni viene, ni va.

—Es que Carmen tiene un amor secreto —apuntó una.

—¡Cállate la boca!

—Bebe los vientos por un albañil. Un joven soltero que…

—No es mal parecido —señaló Juana.

—¡Que no es mal parecido! —interrumpió la chiquilla morena—. ¡Es hermoso como un sol!

Veridiana dejó de coser impresionada por la manera en que aquellas mujeres hablaban de los hombres.

—No está mal…

—No está mal, no está mal —se mofó la joven—. Ya te gustaría a ti un marido la mitad de guapo que mi Gabriel.

—Tu Gabriel… Agárralo bien fuerte, chiquilla, antes de poder decir que es tuyo.

—Ya te ayudaremos nosotras a que se fije en ti.

Así Veridiana comenzó a pasar las tardes acompañada de unas mujeres por las que sentía una mezcla de simpatía y rechazo a un mismo tiempo. Por un lado le gustaba sentarse entre ellas y escucharlas, pero a la vez su rígida educación le recordaba que había cosas de las que no se debía hablar. Y ellas hablaban. ¡Vaya que si hablaban! De hecho no paraban de hablar.

Veridiana escuchaba atenta pero participaba poco en las conversaciones; lo que enseguida le granjeó fama de tímida y de discreta señoritinga.

Ellas no podían saber lo mucho que disfrutaba al recuperar la rutina de la costura y sobre todo lo que la ayudaba a relajarse y tranquilizarse.

Una tarde, mientras Veridiana regresaba a la celda después de la costura, sintió una curiosa sensación, era una especie de cosquilleo en las entrañas que sin saber bien por qué sólo se le ocurrió asociar con Víctor.

Se paró en medio del sendero y trató de localizarlo. No lo veía por ninguna parte. Tan sólo distinguió a un grupo de monjes, en la lejanía, que parecían jugar junto a unas huertas.

Se dirigió hacia ellos pensando en qué le diría a Víctor cuando lo encontrase. Andaba tan abstraída en sus propios pensamientos que cuando llegó ante ellos no supo cómo reaccionar.

Porque Víctor no estaba allí. En cambio, a quien distinguió enseguida fue a Enrique, que, junto a una decena de frailes jóvenes, atendía a las explicaciones de uno de ellos. Uno que parecía tallado en roca pura y permanecía frente a la fila de monjes sin perder de vista una bola de madera.

La pelota se acercó hacia él unos centímetros y de pronto se paró. Luego comenzó a rodar hacia los otros, y de nuevo detuvo su marcha.

Todos estaban en silencio. Expectantes. Contemplando aquella pelota como si fuese a desaparecer de un momento a otro.

Ella pensó que se trataba de un juego que desconocía y que en cualquier momento alguno se acercaría a recoger la bola. Pero no. Todos continuaron impertérritos mirando en silencio cómo se movía muy lentamente hacia uno u otro lado.

Veridiana observó a Enrique y le pareció entrever una lengua de luz que salía de su frente y llegaba hasta la pelota para acariciarla y empujarla con delicadeza. Era algo difuso y tremendamente sutil, pero a ella le recordó la imagen de la luz incidiendo sobre las motas de polvo con las que jugaba. Era lo mismo pero más ordenado.

Se le escapó un suspiro de asombro y entonces todos aquellos hombres que habían estado concentrados en el juego hasta ese instante repararon en su presencia.

Enrique le sonrió, y se dirigió hacia ella.

Cuando llegó a su lado debió de encontrar algo en su expresión que hizo que su voz se tiñese de preocupación.

—¿Os encontráis bien, Veridiana?...

Ella recuperó su dominio habitual.

—Perfectamente... —y levantó su mirada hacia la de Enrique.

Le pareció escuchar dentro de ella un eco que se superponía al de los latidos de su propio corazón. Era esa sensación la que le había confundido y le había hecho pensar que Víctor se encontraba por allí cerca.

Estaba a punto de farfullar una tonta excusa y obviar lo que le había parecido ver cuando dejándose llevar por un arrebato le soltó:

—Estabais empujando esa pelota con la simple fuerza de vuestra mente.

Se arrepintió en el mismo instante de haberlo dicho. Pero ya no podía hacer nada para remediarlo.

—Solamente lo estaba intentando —se sinceró él.

Los dos permanecieron en silencio.

Ella pensó que debería haber disimulado, como si no hubiese visto nada. Él acababa de reconocer una especie de acto de brujería. Y sin embargo... Sin embargo Veridiana encontró algo nuevo en los ojos tan azules y oscuros de Enrique.

De pronto se sintió cansada de seguir ocultando sus

secretos, de obviar las preguntas que se le amontonaban en el corazón, de sentirse sola en aquel mundo que le llenaba de nuevas percepciones hasta el punto de que pensaba que acabaría estallando.

Si guardaba un solo secreto más, explotaría realmente.

—Yo también puedo hacerlo —murmuró mirando al suelo.

Y sorprendentemente Enrique sonrió de medio lado para contestarle:

—Estaba convencido de ello. Probadlo entonces.

Le señaló la esfera de madera que permanecía inmóvil sobre la tierra.

Todos los monjes los contemplaban, pero ella los ignoró. Se concentró sobre el objeto de la misma forma que lo hacía con sus motas de polvo e intentó que se desplazase.

Donde se descubren los poderes de Veridiana y sus encuentros secretos con Enrique

Ya estaba anocheciendo cuando llegó Dimas. Venía acompañado por Víctor y José. Veridiana los esperaba sentada sobre una roca junto a Enrique. Los vio llegar desde lejos como si se tratase de tres fantasmales sombras blancas que se acercasen por un sendero casi totalmente en tinieblas.

José había tardado un buen rato en localizar al prior. Y mientras lo esperaban Veridiana y Enrique habían estado hablando. Ella le había confesado que podía hacer aquellas cosas desde muy niña. Pero que lo que hacía era tan sutil como las motas de polvo con las que jugaba. Al llegar al Mundo todo había cambiado. Era como si sus fuerzas se hubieran desatado.

Cuando por fin llegó Dimas junto a ellos, contempló a la pareja sin decir ni una palabra y buscó aquello que le había contado José. Y en efecto, vio los trozos de madera de la esfera esparcidos por el suelo.

El maestro en combates le mostró la cicatriz que había dejado en el muro.

—Llegó hasta allá arriba —señaló.

Dimas se dirigió a Veridiana.

—¿Cómo lo hicisteis? —su voz era tan serena como siempre.

—Intenté mover la bola como ellos…

—¡Y salió volando! —la interrumpió José—. Hasta allá —señaló de nuevo el estropicio en el muro.

—Nosotros habíamos conseguido moverla unos centímetros —apuntó Enrique—, pero ella la lanzó directamente contra la pared a una velocidad tal que…

—¡Dimas, por Dios bendito! ¡Nadie ha conseguido algo así! ¡Y sin entrenamiento!

—Tranquilízate, José. Yebra y Bernardo pueden hacerlo también…

—Sí, bueno, ellos sí. Los primeros… Pero desde que yo formo alumnos, no hemos conseguido más que movimientos erráticos y lentos. Quizás debería ser formada, por una mujer. Yebra quizás…

—Yebra y Bernardo están lejos ahora; ocupados con la inversión y con los traductores de Toledo y Burgos.

Veridiana recordó haber oído hablar de aquella «inversión» en otras ocasiones. Pero esta vez al escucharlo en labios de Dimas, se le avivó una alarma en su interior. Como si estuviesen mencionando algo trascendente de lo que dependiese la vida de todos.

—Sí, ellos están lejos. Pero debería ser formada. Aunque por otro lado las mujeres no combaten —continuó José.

—Aquí las mujeres estudian y aprenden a leer y a escribir como los hombres. ¿Por qué no van a combatir?

—intervino Víctor, que hasta ese momento había permanecido callado.

Veridiana, como siempre, lo observó con admiración rendida, intentando controlar el corazón que se le aceleraba en su presencia.

Enrique parecía ser el único que se daba cuenta del brillo que ganaba su mirada cuando contemplaba al monje.

—La naturaleza de la mujer es pacífica. Da la vida y no la quita... —explicó José—. La lucha no es asunto de mujeres.

—Tonterías —se atrevió a apuntar Enrique.

Dimas le lanzó una mirada reprobadora.

—Si Dios le ha otorgado este don, es porque puede aprovecharlo. Yebra la formará cuando regrese de Burgos —concluyó el prior.

—Eso puede llevar un tiempo... —señaló Víctor.

—No hay prisa alguna. Hay un tiempo para cada cosa, y cuando Bernardo y Yebra regresen, ella se ocupará de Veridiana. Todo llegará a su tiempo.

Las astillas permanecían junto al grupo en el suelo. Eran la prueba muda de lo que había realizado.

Veridiana tenía que esforzarse para atender a la conversación que se desarrollaba alrededor. El martilleo de su corazón confundía las sensaciones que le llegaban del resto de sus sentidos. Haber hecho aquello había vuelto a acelerarla. No se atrevió a confesarles que le había parecido ver un haz de luz que surgía de Enrique. Recordarlo la alteró de tal manera que no sólo avivó el batir desbocado de su pulso, sino también la respiración.

Quería más. No podía explicárselo de otro modo. Su espíritu le exigía más. Deseaba mover piedras, bolas, aire... ¡Necesitaba probar de nuevo aquello que se le había escapado en un instante! Quería volver a sentirlo.

Tuvo que acudir a la mayor contención para calmarse. Inspiró despacio, y se concentró por fin en el ritmo de su propio aliento, y así consiguió frenarlo y conducirlo a un estado más cercano al habitual. Comenzó mentalmente a rezar un Padre Nuestro.

Enrique la miraba de reojo y ella tenía la sensación de que era el único que se daba cuenta de que le pasaba algo extraño.

Cuando se recuperó, ya comenzaban a alejarse de las huertas. Dimas, José y Víctor caminaban algo adelantados, murmurando entre dientes palabras que ella apenas podía entender. Enrique permanecía a su lado.

—Deseáis aprender a combatir, ¿no es verdad? ¿Queréis ejercitaros? —le susurró al oído.

Ella levantó sus límpidos ojos azules hacia él.

—Sí —musitó—. ¿Cómo lo sabéis?

—Yo os instruiré... Todo lo que José me enseñe, os lo explicaré a vos.

—¿Seréis capaz?

Enrique sonreía. A Veridiana le sorprendió la seguridad y la confianza con la que el joven le contestó.

—Haré todo lo que esté en mi mano.

Estuvo segura de que el corazón de Enrique batía al mismo ritmo que el suyo propio. Aquello le resultó perturbador porque de nuevo, sin saber por qué, le recordó a Víctor. Pero lo principal era que él la formaría. Le mostraría cómo utilizar ese poder que se le había escapado sin control alguno. Tendría un maestro.

—Gracias, Enrique. Os lo agradezco de veras.

—Alguien me ha dicho que os vieron anoche, después de maitines, en la era —la campesina más jovencita contemplaba a Veridiana con picardía.

Ella procuró no inmutarse. Estaba acostumbrada a los cotilleos de las mujeres. Mientras cosían era habitual hacer un repaso a conocidos y desconocidos. Hasta ahora se había librado de convertirse en el blanco de cualquier habladuría. Hizo como si no hubiese oído nada.

—Me han contado que os acompañaba un hombre. No saben quién era. Pero las malas lenguas aseguran que erais vos.

Veridiana levantó la mirada de su labor y se encontró con cinco pares de ojos fijos en ella.

—No era yo. A otra la han debido de tomar por mí —dijo con tranquilidad.

—Es difícil confundir un porte como el tuyo, querida.

Veridiana suspiró.

—Cada uno debería dedicarse a sus propios asuntos en vez de chismorrear.

Juana se la quedó mirando sorprendida.

—¡Entonces es verdad que te ves con un hombre! —exclamó risueña.

—¿Quién es, dinos? —preguntó la mujer del cordelero.

—No me veo con nadie. No me gusta ningún hombre —mintió sin apartar la mirada del paño que estaba cosiendo.

—¡Eres viuda! No tienes hijos, tu conducta siempre ha sido modélica. Nadie te lo reprocharía.

—¡Quién me va a gustar! ¡A mi edad! Esas cosas ya no son para mí.

No pudo evitar pensar en Víctor y de pronto sintió

como si se fuese a ruborizar. Intentó apartar sus pensamientos del camino que estaban tomando. El hombre que de verdad le gustaba era un fraile cuyo interés por las mujeres estaba tan sólo en sus almas.

Se encontraba con Víctor casi cada día, normalmente lo veía cuando estaba con Dimas. Hablaban de mil temas, sí. Pero todos ellos eran aspectos prácticos y de intendencia. Ella sabía que Víctor valoraba su inteligencia. Pero la trataba con respeto y una cierta distancia.

No había tenido ninguna otra debilidad como la de aquella vez en casa de Jacob, en la que se derrumbó entre sus brazos en la cocina. Cada vez que lo recordaba, se estremecía.

Pero ella siempre controlaba los sentimientos en su presencia. A veces le resultaba especialmente difícil, sobre todo cuando, según cómo soplase el viento, podía olerlo. Reconocía su olor personal por encima del de la cera y la humedad que siempre acompañaban a su hábito. Y cuando su olfato se colmaba de Víctor, deseaba con toda su alma no dejar de respirarlo jamás.

Una vaharada de calor le empezó a subir desde las entrañas. Cerró los puños con fuerza y, entrenada para controlarse, respiró muy profundamente antes de afirmar:

—No hay nadie, os lo aseguro... Aunque os confieso que, a veces, no me importaría que lo hubiese —se atrevió a decirles.

—¡Aleluya, Veridiana! —exclamó Juana—. Por fin te encuentro un rastro de humanidad. ¡Tener un hombre es bueno! La soledad de una mujer pesa como una losa. Un hombre te protege, te da calor en invierno... ¿Qué sería de una mujer sin un hombre?

¿Sin un hombre? Veridiana pensó en Guy, su viejo

marido. No lo echaba de menos. En absoluto. Sólo añoraba la seguridad y la posición que había perdido al morir él. Pero no añoraba al hombre. Más bien al contrario. Era como si se hubiese liberado de una carga.

—No te resultaría difícil encontrar a un hombre recio que te proteja. Estoy segura de que los hombres te miran más que a muchas jovencitas de cuerpo firme pero de seso perdido.

—¡Qué desperdicio de mujer! —rió la mujer del carpintero.

Veridiana recordó con nostalgia a su cuñada, que le solía decir cosas parecidas. Pero ella no tenía ningunas ganas de buscar a un hombre recio. Sólo quería perderse en el olor de Víctor. Tampoco sentía la necesidad de que alguien la protegiese. Se sentía a gusto sola. Aprendiendo de Dimas y Víctor todo lo que tenía que ver con la organización de aquel mundo. Y ejercitándose de noche con Enrique.

El joven la había sorprendido gratamente. Había demostrado una resolución que nunca hubiese imaginado en él cuando se ofreció a compartir sus enseñanzas. Y había resultado ser un buen maestro. La instruía con claridad en las técnicas que José, el maestro en combates, le había enseñado a él. Tenía la paciencia necesaria para observar sus progresos, buen ojo para detectar los fallos y, sobre todo, imaginación para inventar ejercicios con los que domar la fuerza que ella dejaba escapar por las noches.

Porque de noche se sentía realmente libre. Cuando practicaba moviendo objetos y siguiendo los complicados laberintos y recorridos que Enrique preparaba para ella, sentía su espíritu libre y como si su alma volase hacia las alturas. Eran los únicos momentos del día en los que se sentía tal cual era, sin ataduras, sin tener que dominarse a cada instante.

De noche, cuando dejaba correr su fuerza, Veridiana era ella misma.

Una de aquellas noches, las desconocidas estrellas del Mundo otorgaban una luz lechosa y difusa a la era en la que se encontraron Veridiana y Enrique.

—Hemos de buscar otro sitio para practicar. Alguien nos ha visto. Creen que tú y yo... Que vengo aquí a encontrarme con un hombre.

Estaba oscuro pero Veridiana sintió cómo Enrique se ruborizaba hasta la punta de las orejas.

Ella lo ignoró.

—Tendremos que quedar más lejos del pueblo. En el bosque, más allá...

—Es peligroso alejarse, Veridiana.

—Yo no tengo miedo.

Enrique suspiró.

—Busquemos pues un lugar adecuado.

Enrique cargó con la cuerda que había traído esa noche y empezaron a caminar hacia el bosque.

Los dos acordaron que era mejor no internarse demasiado y se quedaron en un claro, antes de que la espesura se hiciera más densa.

Enrique colocó la cuerda sobre el suelo, y dibujó con ella curvas y ángulos. Después sacó una bola de madera y la colocó junto a uno de sus extremos.

—Intentad seguir el camino —le dijo.

Veridiana dejó escapar la fuerza que llevaba conteniendo todo el día. La pelota empezó a rodar despacio, al principio un poco erráticamente, después con mayor seguridad. Seguía las curvas caprichosas que marcaba la cuerda.

—En los ángulos rectos, os desviáis —observó él—. Controladla. Tenéis que controlar esa fuerza vuestra.

Ella fue a recoger la bola, para volver a colocarla al principio del recorrido y repetir el circuito.

—¡Esperad! —la frenó Enrique—. Dejadla en el suelo. Intentad traerla volando.

Veridiana se quedó observando al joven. Con los brazos en jarras parecía retarla a un nuevo juego. ¿Por qué no probarlo?

Se concentró en el objeto e intentó que levitase sin que saliese disparado. Imaginó su peso, imaginó que lo levantaba con la mano... La bola comenzó a temblar, a elevarse... Y después de subir unos tres palmos se desplomó sobre el suelo.

—¡Oh! —Enrique parecía desilusionado.

—Puedo hacerlo —afirmó ella con rotundidad—. Es sólo que...

—¿Qué?

—¡Que se me va a ir volando! Tengo que contenerla todo el rato, es como si quisiera salir volando. Lo que hago es frenarla, no... impulsarla. No sé si me explico.

Enrique se quedó contemplando la bola con lo que Veridiana interpretó como una mirada teñida de envidia.

—Probad, vos —le dijo ella—. No os he visto hacerlo nunca.

—Apenas puedo moverla un poco.

—Dejadme verlo.

Él no pudo resistirse a su petición.

La bola empezó a rodar despacio pero firme. Como si no dudase de la dirección que debía tomar.

—¿¡Enrique!? —gritó ella asustada—. ¿Qué es eso?

Él perdió la concentración y la bola se detuvo en una curva de la cuerda.

—¡¿El qué!? —miró inquieto alrededor.

—¡No! ¡¡¡Eso!!!

Ella señalaba hacia su persona.

—No veo nada, Veridiana. No hay nada.

Ella se le acercó resoplando.

—Ya me había parecido véroslo otra vez... —llegó ante él—. Hacedlo de nuevo. Empujad la bola.

—¿Qué es lo que veis? —murmuró asustado.

—Hacedlo —ordenó ella con voz firme pero persuasiva.

Enrique intentó concentrarse de nuevo. Mientras lo hacía Veridiana acercó la mano hasta su frente.

—Veo... —susurró—, veo un haz que...

Veridiana tocó la frente de Enrique y en ese momento fue como si ella lo tiñese con humo. Él pudo sentir cómo de su frente surgía una especie de tentáculo blanquecino, casi transparente, como una burbuja teñida de niebla.

Al verlo, se asustó, y desapareció de golpe.

Los dos se quedaron mirando sin atreverse a hablar.

No tuvieron que decir ni una palabra. Sabían que estaban pensando lo mismo: había que probarlo de nuevo. Así que Enrique volvió a concentrarse y el zarcillo apareció otra vez, al principio tímido, luego más seguro. El extremo de aquello se dirigió hacia la bola y la empujó suavemente.

—Puedo ver lo que hago —dijo Enrique de manera casi inaudible—. Así es más fácil...

Veridiana no podía apartar la mirada de aquella lengua de fuerza que ahora visualizaba claramente.

—Espera —susurró—. Continúa… Verás…

Ella se concentró también en la bola que rodaba por el suelo a una velocidad regular. Intentó levantarla y, sorprendentemente, nada más hacerlo, surgió de su frente un zarcillo semejante al de él, sólo que más grueso y nítido. Se dirigió hacia el objeto y lo levantó, como una mano, con delicadeza.

Los tentáculos se rozaron en sus extremos y surgieron unas chispas azuladas.

No les dio apenas tiempo para sorprenderse. Los dos brazos se entrelazaron y al hacerlo la bola salió disparada hacia el bosque con una velocidad inusitada.

—¡¡Por Dios bendito!!

Los sonidos que habían oído les hicieron pensar que había tropezado contra varios árboles antes de chocar con algo y partirse en mil pedazos.

Los dos se quedaron mirándose. Buscando en sus frentes el rastro de aquello que de pronto había desaparecido.

—¿Has visto?

—¡¡Cómo no lo voy a haber visto!! ¿No lo has sentido tú, Enrique? ¿No has sentido la fuerza de… ¡de eso!?

—Claro que sí…

Sin necesidad de explicar lo que quería probar, él intentó concentrarse en algo, en cualquier objeto. Eligió la soga que había traído y se quedó mirándola, deseando que se moviese. Ella hizo lo mismo.

Los zarcillos surgieron aún más nítidos, se unieron y retorcieron para acabar formando una hebra de fuerza que recogió la cuerda y la hizo bailar por el aire.

Enrique comenzó a reírse a carcajadas mientras la soga continuaba su loca danza. Ella no pudo menos que reír con él.

Hicieron que la cuerda rodease un tronco y que luego lo soltase. Intentaron hacer nudos con ella. La hicieron arrastrarse como una serpiente sobre el suelo y los troncos de los árboles. La hicieron restallar como un látigo. La hicieron saltar para después dejarla caer y atraparla de nuevo al vuelo... Y cuando quisieron darse cuenta escucharon las campanas que llamaban a laudes.

Habían pasado las horas sin advertir siquiera la claridad que comenzaba a teñir el horizonte.

Veridiana observó el rostro sofocado de Enrique. Sus ojos brillantes. La sensación de felicidad absoluta que emanaba de él. Y entonces se dio cuenta de que ella debía de presentar el mismo aspecto. Estaba eufórica.

—No sé qué es esto, Santo Dios, ¡pero cómo me gusta!

A Veridiana le hizo gracia la sencilla confesión de Enrique.

—Tenemos que volver al pueblo...

—¿Esta noche nos vemos de nuevo?

Ella asintió sin dudarlo.

Esperó a que Enrique recogiese la cuerda y comenzaron a caminar juntos por el sendero. Hacía frío, ese frío afilado que anuncia el amanecer.

—Estoy deseando volver a probarlo.

—Yo también, Enrique. Yo también.

Veridiana observó al joven.

—No entiendo por qué sólo puedo verlo contigo... El día que estuve contemplando el entrenamiento de los otros monjes... sólo vi tu..., tu tentáculo. Sólo puedo ver el tuyo.

Enrique se paró en medio del camino.

—Lo puedes ver porque somos iguales, Veridiana —su semblante se cubrió de seriedad en un instante—.

Porque yo, como tú, siempre he tenido presentimientos y pálpitos, porque este mundo ha avivado algo que teníamos ya dentro de nosotros...

Ella se quedó mirándolo con una muda pregunta asomando a sus labios. ¿Cómo podía saber que ella había tenido presentimientos?

Él la contestó sin que tuviese que formular la pregunta en voz alta.

—Me lo contó tu sobrina, Clara... A mí también me han pasado cosas parecidas.

Sin saber por qué a Veridiana le recorrió un escalofrío.

Quizás fue la fresca de la mañana que le había calado los huesos, o quizás descubrir que aquel joven sabía de ella más de lo que pensaba. O esa vaga sensación de que una parte suya se había quedado dentro de él, de igual manera que ella cargaba con algo suyo. Como si al unir esas extrañas fuerzas que surgían de los dos, sus almas también se hubiesen enlazado formando parte de una sola hebra.

—Escuchad, Enrique —le gritó José—, si he de poner dos hitos en vuestra evolución, el primero sería el del día en que me vencisteis cuerpo a cuerpo. Después vuestros progresos han sido paulatinos. Pero hoy, ¡válgame el cielo!, ¿qué os ha pasado hoy?

El joven sonrió de medio lado.

—He tenido una inspiración divina.

No podía contarle que Veridiana lo había llenado de una energía nueva. Que aunque sin ella era incapaz de ver el tentáculo de fuerza, ahora sabía que estaba allí y por tanto podía imaginarlo empujando, sosteniendo, enrollándose sobre su adversario.

José no había tenido ni una oportunidad. Enrique lo había derrotado una vez tras otra, tanto en sus combates cuerpo a cuerpo como cuando probaron a retarse sin tocarse, enfrentándose con la simple fuerza de la mente.

—Pues bien, enhorabuena, Enrique de Rascón y Cornejo. Ha llegado el día en el que el maestro debe confesar que ha sido superado por el alumno. Yo ya no puedo enseñaros más. Habréis de ser vos quien me enseñe a mí…

José le ofreció su mano y Enrique se la estrechó con fuerza.

—Sois el alumno más prometedor que he encontrado, Enrique. Lo sabéis bien. Estoy más que satisfecho de haberos formado. Pero no pertenecéis a la Orden. Amigo, usad este don que Dios os ha otorgado con sabiduría. Haced que me sienta orgulloso de vos.

—Estad seguro de ello.

José sonrió.

—Bien, en ese caso, sólo queda una cosa por hacer. Volved a repetir ese último movimiento, os lo ruego… Mostrádmelo con detalle, ahora únicamente me resta aprender de vos.

—Como gustéis, maestro.

Aquella noche las estrellas de aquel mundo sin luna se encontraban recubiertas de un halo extraño. Como si la humedad de la atmósfera les impidiese brillar como debieran.

—Estoy agotada —dijo ella—, pero no podía faltar.

—Yo también estoy cansado, Veridiana —él le mostró aquella sonrisa de medio lado en la que ella no había reparado hasta ese momento—. Hoy he vencido a José. Dice que no puede enseñarme nada más y…, por lo tanto, yo tampoco a ti.

—Bueno —comenzó a explicar ella con timidez—, quizás podrías enseñarme esas formas de combatir, esa manera de luchar sin la mente…

—Sois una mujer.

Ella permaneció en silencio con el ceño fruncido. Su gesto fue más explícito que cualquier palabra.

—¿Os interesa el combate? ¡Nunca lo hubiese creído!

—Lo que me interesa es... Os he visto practicar a veces, y he pensado que podría aprovechar las…, los tentáculos estos —se señaló la frente— para este tipo de combate, hum, más físico.

—¿Quieres usar «eso» contra mí?

Ella se limitó a contemplarle con sus ojos inocentes.

Enrique de Rascón y Cornejo terminó sonriéndole.

—Colócate ahí, de costado. Así, como yo... Bien. Levanta los brazos, más. Bueno, ya tenemos una postura de la que partir.

Él se quedó dudando frente a ella.

—No quiero hacerte daño. Te voy a tirar al suelo.

—¡Que te crees tú eso! —rió ella desafiándolo.

—Tendré cuidado.

—No hace falta.

Su bravuconería le dio fuerzas. Enrique se abalanzó sobre ella dispuesto a golpear su pierna para derribarla al suelo. Pero ella, sencillamente, lo evitó.

El ímpetu del joven lo empujó hasta el suelo.

—Sabía que vendríais por este lado. No sé por qué… —explicó ella con candidez.

Enrique se levantó y se sacudió la tierra de las calzas.

—Bueno. Veamos ahora...

Hizo un amago y la engañó. La agarró por el brazo y cargó con ella para tirarla al suelo. Ella se defendió. Pateó en el aire y Enrique sintió de pronto cómo se le escurría entre las manos. Sólo pudo entrever su tentáculo disolviéndose.

—Has usado «eso». No es lícito. No es juego limpio.

—¿Por qué no? Precisamente se trata de eso: de usarlo.

Enrique se quedó contemplándola. Empezaba a sentirse muy cansado.

—Está bien.

Volvió a cargar contra Veridiana. Amagó un falso ataque y se concentró de manera que no le sorprendiese como había hecho antes. Esta vez sintió surgir en ella su halo de fuerza.

Casi sin pensarlo, nació el suyo propio que frenó al otro como si se tratara de una mano diminuta. Al rozarse, los dos haces de fuerza desprendieron chispazos azules.

Enrique inmovilizó el zarcillo de Veridiana y fue capaz de iniciar una llave que derribó a Veridiana contra el suelo.

—¿Te he hecho daño? —se inclinó para ayudarla a incorporarse—. Perdona, no era mi intención.

Ella parecía enfadada.

—Si no puedo usar mi fuerza, si la frenas así, siempre me vencerás. Físicamente eres más fuerte que yo...

—Entonces intenta pararme a mí antes. No dejes que te atrape. ¿Continuamos?

Ella asintió.

—¡Prepárate entonces!

—¡Prepárate tú! —se mofó ella.

Los dos acabaron rebozados en la tierra. Probaron diferentes maneras de defenderse y atacar. Veridiana consiguió en varias ocasiones que Enrique no llegase a frenarla. Intentaba copiar los movimientos que le había visto hacer a él cuando amagaba un ataque. Pero la mayoría de las veces era él quien terminaba venciendo.

El tiempo voló y terminaron agotados y sudorosos, pero al mismo tiempo tan eufóricos como la noche anterior.

—Deberíamos descansar.

—Tienes razón, hemos de volver ya.

Veridiana se apartó un sucio mechón de pelo de la cara y se sacudió la tierra de la falda.

—¿Te encuentras bien?

—Por supuesto. ¿Y tú?

Ella asintió.

—¿Volvemos?

Los dos echaron a andar por el sendero. Se sentían totalmente agotados pero felices. No intercambiaron ni una palabra hasta que se despidieron justo al llegar al pueblo.

Después de algunas noches decidieron dedicar menos horas a entrenarse. Se encontraban demasiado cansados como para poder hacer frente a sus obligaciones diarias. Veridiana bostezaba continuamente por muy interesantes que le resultasen las explicaciones de Dimas. Y si se sentaba y se relajaba un solo instante, se quedaba dormida. Se daba cuenta de que se le escapaban algunos comentarios de Víctor o del maestre y a ellos tampoco les pasaba desapercibido su nuevo estado.

—¿Os encontráis bien, Veridiana? —le habían preguntado.

Ella asentía muda.

—Últimamente se os ve cansada y esas ojeras…

—Oh, no es nada. He dormido mal estos días. Enseguida se me pasará.

Y alrededor se arremolinaban los *crisos* que destellaban con brillos metálicos y azulados atraídos por su falsedad.

Por su parte, cuando los críos no lo atosigaban con sus cosas, Enrique se quedaba dormido en las clases. Se vio forzado a solicitar a José que entrenasen solamente cinco días a la semana. Así, por las tardes, volvía a la posada para dormir e intentar recuperar fuerzas para enfrentarse a Veridiana por las noches.

Porque las noches eran suyas. Continuaban encontrándose en secreto. A veces les sorprendía el frío del amanecer enfrascados en la práctica de los ejercicios que se les iban ocurriendo.

Combatían de todas las formas que podían imaginar y perfeccionaban el arte de mover objetos con la simple fuerza de sus mentes. Juntos disfrutaban impulsando los que podían articularse, como era el caso de las cuerdas o los tejidos, que les proporcionaban más posibilidades a la hora de dominar unos movimientos que cada vez controlaban de forma más completa.

Después de cada práctica, les inundaba aquella creciente sensación de plenitud y felicidad perfectas.

—Cada vez es mejor —se atrevió Enrique a comentarle una de aquellas noches mientras regresaban al pueblo.

Ella no fue capaz de decirle hasta qué punto la llenaban sus encuentros secretos. Cuando regresaba a su jergón, se sentía plena de fuerza, casi borracha. Y aunque se encontraba agotada, a veces le era imposible conciliar el sueño.

La noche era tan oscura como el alma de un condenado. Debían quedar aún unas cuantas horas hasta el amanecer.

—Veridiana —continuó él sin saber bien cómo seguir—, ¿te has preguntado alguna vez por qué sólo nosotros podemos ver..., podemos vernos... esos tentáculos?

—No sé, Enrique. No lo sé —dudó—. Pero estoy convencida de que los demás también los poseen. Sólo que no podemos percibirlos. Solamente vemos los nuestros. Quizás es por la misma razón por la que algunos no son capaces de ver a las criaturas.

Enrique tomó aire para confesarle lo que llevaba tiempo pensando.

—Yo creo saber por qué tú y yo podemos ver nuestros tentáculos de fuerza. Porque somos iguales, Veridiana. No, no digas nada aún, y no me mires con esa cara.

No era la primera vez que Enrique le contaba que eran parecidos. Y ella no quería volver a oírlo. No quería escuchar de nuevo aquellas historias, y mucho menos a oscuras, a solas junto al bosque, y con aquella sensación de plenitud que se le quedaba en el alma después de practicar con él.

—Escucha, ya te conté que en Toledo tu sobrina me habló de tus... pálpitos, tus presentimientos. Y yo, yo también los he tenido desde siempre. Yo..., yo también siempre he visto sombras en la oscuridad, sombras que me aterraban cuando era un crío. Ahora sé que eran las criaturas de este Mundo, y sé, estoy convencido de ello, Veridiana, que tú también veías esas sombras.

Se encontraban los dos junto al sendero, pero por alguna razón permanecían quietos, sin continuar su camino.

—Yo... lo supe desde la primera vez que te vi. Supe que eras especial —Enrique empezó a hablar más deprisa, como si hubiese ensayado cien veces lo que quería decir y soltase unas palabras bien aprendidas—. Cuando te vi, supe que nuestras almas estaban atadas y que tú eras la mujer que el destino me había reservado.

Veridiana iba a intervenir, pero él le hizo un gesto para que callase.

—Te amo, Veridiana, desde ese primer momento en que te vi. ¿No lo notas? Desde que nos vemos juntos por las noches, ¿no sientes esa fuerza especial que nos rodea?, ¿no sientes como yo, como si el corazón se te quisiera escapar por la boca, como si tu alma estuviese a punto de volar por fin libre?... ¿No sientes cómo nuestras almas se encuentran cada noche...?

—¡Enrique! No continuéis, por favor. No... —a él no se le escapó que volvía a tratarlo de vos.

—Te amo, Veridiana —la interrumpió—, como nunca he amado a nadie.

Ella intentó descubrir su expresión en las tinieblas de la noche. Pero sólo podía imaginar el gesto triste que a veces nublaba sus ojos.

—Por favor, Enrique, por favor. No desvariéis. Vos sois muy joven y yo, una mujer madura. ¿Cuántos años tenéis? Seguramente ni tan sólo veinte años... ¡Es absurdo!

—¿Acaso sabe de años el amor? No era absurdo cuando te casaste con tu marido. ¿Cuántos años tenía él entonces? ¿Y cuántos tú, Veridiana?

Por un instante ella se imaginó a sí misma con aquellos doce años recién cumplidos. Guy acababa de cumplir los cincuenta.

—Aquello era diferente.

—Es lo mismo, Veridiana, justamente lo mismo.

Ella comenzó a improvisar. No sabía cómo enfrentarse a aquella declaración.

—No son solamente los años, Enrique. Son también... las vivencias. Yo he vivido demasiado. Y vos ¡tan poco!

—No me juzguéis tan deprisa. No sabéis de mi vida ni de mi experiencia.

Enrique había sorprendido varias veces a Veridiana con su madurez, pero desde luego ella no iba a reconocerlo ahora.

—Nuestro amor es imposible, Enrique. No os empeñéis, os lo ruego.

Ahora que se había acostumbrado a la penumbra de la noche, distinguió los ojos azules de Enrique. Nunca le habían parecido tan oscuros. Nunca le habían parecido tan hermosos.

—Sois un gran amigo y un gran maestro. Pese a vuestra juventud os habéis ganado mi respeto y mi amistad. Pero...

—Hay otro, ¿verdad? —él la interrumpió—. Vuestro corazón pertenece a otro. Es eso. ¿No es cierto?

Veridiana bajó la mirada. Le hubiese gustado que la tierra se la tragase en ese mismo momento.

—No hay nadie, Enrique. Nadie —mintió.

—Mi querida Veridiana, la noche hace dormir a algunas criaturas al igual que a los hombres. Y si no fuese por ello, los *crisos* estarían revoloteando a vuestro alrededor alimentándose de vuestra mentira. Porque podréis ocultarlo a los demás, pero no a mí. Nuestras almas están atadas por mucho que lo neguéis y puedo leer en vos como nadie más puede hacerlo.

Veridiana le dio la espalda enfurecida y se encaminó hacia el pueblo.

Su corazón latía con más fuerza que nunca.

Temía que él la siguiera, pero también esperaba que lo hiciese.

No escuchó ningún paso tras ella.

Cuando llegó a su celda y se acostó en el jergón, le fue absolutamente imposible conciliar el sueño. En su imaginación se mezclaban los oscuros ojos de Enrique con otros más claros, mucho más parecidos a los suyos propios.

Lejos estaba de imaginar que aquella noche sería la última en la que se encontraba con Enrique. Y que el recuerdo y la nostalgia por sus encuentros secretos la acompañarían como una sombra para siempre.

Que trata de la declaración de amor cortés por el caballero que no espera recompensa alguna

Ocurrió al día siguiente.

Los prados verdes y brillantes ya comenzaban a cubrirse de dorados. Las explosiones de florecillas rojas o violetas mostraban una tonalidad más subida que anunciaba que pronto, si no llegaban más lluvias, acabarían secándose y desapareciendo, y llegaría un calor muy parecido al del verano.

Había dejado el monasterio y se dirigía hacia el pueblo cuando, sin saber por qué, decidió atravesar los campos y dejar atrás los huertos y almacenes, para internarse en el bosque.

Antes de encontrarlos supo que estarían allí.

Se ocultó detrás de un árbol temiendo que lo descubrieran. Pero ellos estaban demasiado ocupados como para darse cuenta de lo que ocurría alrededor. De modo que se asomó para observarlos.

Ella se encontraba sentada sobre el tronco de un árbol herido por un rayo. Mantenía la mirada baja y estrujaba las manos sobre su regazo. Él permanecía arrodillado ante ella.

Parecía estar rogándole algo, pero desde donde se encontraba no le llegaba ni una palabra.

El joven que los observaba tuvo que convencerse de que no podrían oír su corazón desde aquella distancia aunque a él le pareciese que sonaba con la fuerza de un tambor. Le sorprendió comprobar que la pareja estaba demasiado ensimismada como para fijarse en las nubes de *grejos, ostes* y *suvios* que habían atraído con su excitación y curiosidad desatadas.

Atisbó de nuevo, resguardado por el tronco. Su deseo por verlos era casi tan grande como el temor a encontrarse con lo que creía que había descubierto.

El hombre continuaba arrodillado frente a ella, pero ya no hablaba.

De pronto Veridiana levantó la cabeza y con un gesto inesperado tomó la cara del hombre entre las manos, lo acercó hacia ella y lo besó lenta y largamente.

Enrique no podía creer lo que veía.

Víctor era un hermano de la Orden, un monje. Había jurado sus votos de obediencia, pobreza y castidad. ¡Y ella lo estaba besando! Traicionar su juramento era una muestra de felonía e iniquidad que no hubiera imaginado en él.

Su alma se sumergió en un pozo oscuro y casi pudo sentir cómo se perdía en el fondo. No podía apartar la mirada de la pareja por mucho que le doliese la escena que se desarrollaba ante sus ojos. Una ola ácida de rabia le subió desde las entrañas hacia la boca. Tuvo que hacer un esfuerzo por no vomitar, por no gritar, por no golpear el tronco del árbol hasta dejarse la piel en su corteza.

Ella continuaba besando a Víctor. El monje alzó su mano y le acarició lenta y sensualmente el costado.

Por fin Enrique reunió el valor suficiente para apartar la mirada. Se ocultó de nuevo tras el árbol. No podría eliminar el vacío que le estaba llenando por entero aunque se arrancase a jirones la piel y llegase a contemplar sus huesos bajo la carne viva. No podría acabar con la angustia que lo empezaba a consumir aunque torturase su cuerpo hasta la muerte.

Sin volver la vista atrás, comenzó a alejarse de aquel rincón del bosque en el que acababa de perder el alma.

No pudo ver cómo poco después, Víctor tomó la cara de ella entre sus manos y la apartó delicadamente de sí.

—No, Veridiana. Vuestro amor es del todo diferente al que yo siento. ¿Qué son los placeres de la carne en comparación con los goces de la fe? ¡Cómo puede sacrificarse la verdadera dicha por unos breves instantes de embriaguez seguidos de profundos remordimientos y amargos sinsabores!

—Pero habéis dicho que también me amáis.

—No como vos pensáis. Mi amor es puro y cortés. Soy y seré siempre vuestro servidor. Vos representáis las mejores cualidades, estáis en lo más alto de mis deseos y dirigís cada uno de mis actos. Todo lo que hago es y seguirá siendo por vos, pero…

Veridiana escuchaba absorta la declaración que tanto había anhelado y que sin embargo se parecía tan poco a aquélla con la que tantas veces había soñado.

—No espero recompensa alguna, no quiero de vos más que me consideréis digno de mereceros. Vos sois mi ideal…

—Pero ¡Víctor!…

Él se atrevió a tocarle los labios y con un gesto delicado la hizo callar.

—Soy un monje de Santa Ceclina y un hombre de honor. He jurado mis votos y serviré a Dios y a la Orden hasta mi último aliento. El amor que siento por vos es el camino que he elegido de superación personal para llegar a Dios... Yo no soy como vos, Veridiana. Sirvo a Dios como mejor sé, sirvo a la Orden. Gran cosa es la obediencia y vivir sometido a ella y renunciar a la voluntad propia, y hacerlo por amor y no por necesidad. No hay mayor dicha que encontrar el sosiego del espíritu en la humilde sumisión.

Ella no quería llorar ni derramar una sola lágrima, pero los labios le temblaron cuando le dijo:

—Cuando os he besado hace un momento os he sentido temblar y conmoveros. No podéis negar vuestros sentimientos... Sois un hombre y como tal...

—Como tal —la interrumpió de nuevo— soy imperfecto. Nadie puede verse libre de las tentaciones. Pero éstas nos humillan, y una vez son apartadas, nos enseñan a seguir por el camino correcto y nos hacen más fuertes y puros. Me tomo vuestro beso como prenda de amor. Lo guardaré en mi corazón hasta la muerte.

Ella se había atrevido a citarlo en el bosque. Él había accedido a la reunión y aquello había dado alas a sus esperanzas. Veridiana le había confesado lo que sentía por él, y Víctor también le había abierto su corazón. Pero el amor que le ofrecía no era el que ella esperaba encontrar.

Nada había salido como esperaba.

Víctor se llevó la mano hasta el pecho y estiró de un cordel hasta sacar su medallón de la Orden. Representaba una espiral grabada toscamente sobre una madera tan oscura, gastada y rígida que casi parecía piedra.

—Tomad, Veridiana. Aceptadlo como prueba de mi

amor. Representa lo que más amo. Quiero que cada vez que lo sintáis junto a vuestro corazón, recordéis que mi amor por vos es un sentimiento ideal, perfecto, sin mácula alguna. Lucharé por vos, como siempre lo he hecho por Santa Ceclina. Por mi ideal.

Arrodillado de nuevo ante ella le ofreció su prenda de amor.

—Mi señora...

Sin apartar su mirada de la de él, Veridiana aferró el medallón como quien se aferra a una última oportunidad.

—Os amo, Víctor. Desde la primera vez que os vi.

—Lo sé —se atrevió a enfrentar su mirada—. Yo también os amo, pero la naturaleza de mi amor es del todo diferente al vuestro. Aceptadlo, Veridiana.

Víctor le mostró una sonrisa conciliadora. La sonrisa perfecta del perfecto caballero de Dios.

Le ofreció luego su mano para que se levantara. Pero ella la rechazó. Prefirió quedarse un rato a solas, en el bosque.

Contempló cómo Víctor volvía al pueblo, y sólo entonces, cuando estuvo segura de que nadie podría verla, dejó que saliese todo lo que había estado conteniendo.

Pensaba que lloraría, pero no derramó ni una sola lágrima.

Se quedó allá un rato; no sabría decir si fue poco o mucho. Pero sólo cuando sintió que el tronco muerto hendía su piel, decidió levantarse. Su espíritu estaba tan seco y yermo como aquel árbol que había caído víctima de un rayo.

Aquella noche aguardó a Enrique con el alma estrujada por cien sentimientos distintos a la vez. Deseaba dejar volar con él aquella fuerza que la llenaba y que era lo único que la hacía sentir feliz y libre. Necesitaba sentir aquello para olvidarse de Víctor. Pero al mismo tiempo temía volver a encontrarse con el joven al que había rechazado. Lo imaginaba tan triste y contrito como se encontraba ella. Y no sabía muy bien cómo debía actuar ante él. Ella, desde luego, no se consideraba tan perfecta como Víctor.

Era una noche fresca que arrastraba soplos de aire desde las montañas, y con ellos le llegaban olores desconocidos que de pronto, esa noche, le hacían sentir temerosa y solitaria.

El tiempo pasó y Enrique no aparecía.

Esperó, como lo había esperado tantas veces, pero el joven no se presentó.

Se sintió decepcionada pero no le extrañó demasiado. Después de todo ella le había rechazado la noche anterior, y quizás por ello, él se sentiría incómodo.

Cuando regresó sola, al pueblo, pensaba que en cuanto lo viese tendría que decirle que sus sentimientos no deberían interferir con sus ejercicios. Que deseaba seguir entrenándose con él como siempre lo habían hecho. Pensaba en cómo se lo diría sin herirlo. Cómo recuperar una amistad que apreciaba de veras. Pensaba en cada una de las palabras que utilizaría.

No estaba inquieta. Al menos, no demasiado.

Y sin embargo, al día siguiente, cuando no distinguió su cabeza entre la multitud que acudió a misa, cuando lo buscó y no lo encontró, comenzó a preocuparse.

La soledad nunca la había asustado. Pero cuando empezó a sospechar que nunca más disfrutaría de aquellos sentimientos que había disfrutado junto a él cada bendita noche, comenzó a añorar un vínculo que hasta entonces ni tan sólo había sido consciente de que existiera.

Porque Enrique de Rascón y Cornejo no apareció aquella noche. Ni a la siguiente. Ni nunca más.

Sencillamente Enrique desapareció para siempre del Mundo.

Sólo Dimas pareció echar de menos al joven. Porque si los demás repararon en el hecho, no se lo hicieron saber a ella.

—¿Dónde está Enrique, Veridiana?

A ella le tomó por sorpresa la pregunta. Acababa de calcular junto al prior cuántas vacas necesitarían para obtener doscientos quesos. Habían discutido de las mejores formas para fabricarlos y conservarlos, y después ella le había hecho saber con delicadeza que en su opinión deberían dedicar más recursos a la exploración del Mundo. Aún estaba meditando la importancia de los posibles descubrimientos de animales, minerales y piedras preciosas cuando el prior la desconcertó preguntándola por Enrique.

—¿Cómo puedo yo saberlo? —le contestó intentando mantenerse inexpresiva.

—Pensé que vos me lo diríais. Ya que sois la única que puede saberlo... Todos tenemos ojos y oídos, Veridiana, pero yo veo y oigo lo que a los otros les pasa desapercibido. No es sólo que pueda llegar a conocer confidencias que guardo para mí por el secreto de confesión. No es eso, hija mía, simplemente mantengo los ojos y las orejas abiertos.

Ella se dejó caer sobre un rústico taburete.

—No lo sé. Verdaderamente, no sé dónde está. Bueno... Sí, sé que está lejos, porque lo siento lejos de mí.

Estuvo unido a mi espíritu por un tiempo, y ahora está... lejos. Muy lejos.

Dimas acercó otra banqueta. Las patas arañaron el suelo de madera. Se sentó junto a ella.

—Estoy tan cansado... Cosas así me hacen comprender que los años me pesan cada día más. Es pesado el lastre del tiempo —a Veridiana le extrañó el camino de la conversación que parecía haber tomado Dimas—. Años ha no se me hubiese pasado por alto un joven como él. No hubiese permitido que se fuera. Que desperdiciase sus habilidades en ejercicios inútiles...

Ella se volvió sorprendida, estuvo a punto de gritar que no eran inútiles.

—Ha de ser Yebra la que os enseñe, Veridiana. Una mujer como vos. Es ella la que debería haberos formado. No lo entendéis, pero... los espíritus, el alma de maestro y pupilo se entrelazan para siempre. Es fácil confundir esas sensaciones con el amor.

Veridiana guardó un educado silencio. Le vino una duda a la cabeza. ¿Quién había sido el maestro y quién el pupilo? Dimas parecía dar por sentado que Enrique era el maestro. Pero ella sabía que la frontera entre los dos nunca había estado muy clara. ¿Y eso de la «sensación de amor»? ¿Era acaso amor esa plenitud que había alcanzado junto a Enrique? No. No podía serlo. En cambio, lo que sentía por Víctor sí que se lo parecía.

—Yebra está lejos —murmuró al fin.

—Sí, y en verdad espero que regrese pronto. Cada día me siento más cansado, y el tiempo pasa demasiado despacio aquí... Tienen que regresar pronto.

Veridiana no acababa de entender la lógica en el discurrir del discurso del prior.

—Antes de que sea demasiado tarde, hay que aclarar el tema de la inversión.

La inversión. Veridiana sabía que era importante, recordaba que en la casa de Jacob ya parecía ser una preocupación general, pero no había averiguado nada más.

—Dimas, ¿qué es la inversión? ¿Por qué es tan importante?

La mirada que le devolvió Dimas le pareció más cansada de lo habitual.

—Querida niña —nunca hasta entonces la había llamado así—, es un simple problema de traducción. Hemos comprendido el libro que abrió las puertas a este mundo, el *Porta Coeli,* casi en su totalidad. El problema radica precisamente en ese «casi». Es complicado de explicar... —dudó un instante—. Ya os lo contaré. Vos también habréis de saberlo tarde o temprano...

Dimas se levantó como si diese por terminada la conversación.

—Estoy cansado... —musitó.

—Descansad, padre.

—Sí, lo haré. Lo haré. Pero hay tanto por hacer y tan poco tiempo —de nuevo pareció perderse entre sus pensamientos enmarañados—. Doy gracias a Dios porque ahora os tengo a vos.

Pasó un verano templado al que siguió un tímido otoño. Un buen día Veridiana descubrió que hacía varios días que necesitaba echarse sobre los hombros una capa, y así comprendió que llegaba el invierno.

Enrique se había convertido en un recuerdo que le asaltaba cada noche. Cada bendita noche añoraba al joven que había desaparecido de su vida. A veces, cuando sabía que nadie podía verla, se ejercitaba moviendo telas y cuerdas, tal y como había hecho con él. Pero aquello no era lo mismo. Si bien llegó a perfeccionar las evoluciones de los objetos, las sensaciones que le acompañaban eran del todo distintas. Nunca más volvió a ver aquel tentáculo de pura energía surgir de su frente. Era como si le faltase algo, como si aquellos entrenamientos fuesen el simple eco de algo mucho más potente que había desaparecido para siempre.

Veridiana también pensaba en aquella Yebra de la que hablaban. Si algún día volvería al Mundo, y si entonces podría alcanzar con ella algo parecido a lo que había vivido con Enrique.

A Víctor ya no lo veía tan a menudo. En cuanto Veridiana pudo hacerse cargo de sus tareas, él se dedicó a otros trabajos que ya no compartía con ella.

Las veces que se lo encontraba veía en sus ojos aquella misma luz que la fascinaba como una llama a una polilla en la oscuridad. Sabía que la amaba, pero de alguna manera se sentía como un simple objeto. Para el monje ella constituía tan sólo un camino para llegar a Dios.

Por las mañanas, Veridiana seguía jugando con las motas de polvo y las corrientes de aire. Era algo mucho más sutil que los objetos. Con ellas podía llegar a conseguir dibujos complicados que a veces le recordaban las labores de punto que tejía junto a las compañeras del Mundo.

Cosía con ellas prácticamente cada día. «La costura perfecciona la personalidad de una mujer», le decía Dimas. Y ella creía que era cierto. Se sentía a gusto dejando libre su mente y dando simples puntadas que un buen día llegaban a convertirse en una obra con un sentido completo. Se sentía orgullosa de sus labores. Como le habían enseñado siempre, mantenía su cesto de costura en un orden perfecto. Y sus bordados eran cada vez más primorosos.

Con Enrique desaparecido de su vida, el alejamiento de Víctor y el lánguido transcurrir del tiempo, Veridiana se fue volviendo más silenciosa y solitaria. Las responsabilidades que Dimas dejaba en sus manos y la costura eran sus únicas satisfacciones. A menudo sus compañeras de labores le reprochaban su mutismo.

—¿No dice nada la señora? —bromeaba Juana, la esposa del maestro Vicente, tratándola de «señora» con ironía.

—Simplemente escucho —les decía haciendo caso omiso de sus puyas—. Y sin hablar, poniendo atención a lo que hay que estar atento, se perfecciona cada puntada. Mirad...

Acababa de terminar el bordado de un blanco unicornio que galopaba por un campo azul en un tejido semejante a la seda.

—Es precioso —le comentó Magdalena, la campesina delgada y enjuta en la que había descubierto un corazón de oro.

—Dicen que antiguamente había unicornios en este mundo —apuntó la mujer del cordelero—. Pero que todos se han ido al otro. Y que allí, se mueren porque les falta la vida.

—Pues también cuentan que las criaturas de este mundo y del otro se están cruzando... Y que una nueva generación de monstruos puebla los dos mundos.

—¡Válgame el cielo, Juana! Me estás asustando —dijo Carmen—. Yo no he visto nunca ninguna de esas bestias.

—Pues yo a veces, creo que veo sombras, según

cómo, me parece verlas... —les explicó muy seria Magdalena.

—Aquí la única que puede verlas es Veridiana. ¿Eh? ¿Has visto alguna vez un unicornio?

Ella negó con el gesto. Pero después de una pausa, dudó, y se decidió a contarles:

—Creo que vi uno hace mucho tiempo. Cuando era casi una niña... No era un animal hermoso como éste —señaló su bordado.

—Sí, dicen que los de aquí eran grandes y gordos —continuó la mujer del cordelero—, pero... especiales.

—Sí —recordó Veridiana—, tenía algo especial...

—Cuentan que sólo las doncellas pueden montarlos —mencionó Elena, la campesina más joven.

Veridiana pensó en que debería insistir de nuevo en la idea de formar más equipos que explorasen el Mundo. Dimas no parecía demasiado interesado en ello, pero en su opinión el descubrimiento de riquezas naturales y el comercio con el viejo mundo podrían ser las piedras angulares sobre las que construir un nuevo futuro.

—¡¡Tengo algo que contaros!! —interrumpió sus pensamientos Carmen—. ¡¡Gabriel se me ha declarado!!

—¡Cómo no nos lo has dicho antes! —saltó Juana.

—Yo ya lo sabía —Magdalena le sacó la lengua con un gesto desenfadado y simpático.

—Va a pedir mi mano a padre y, ay, luego nos casaremos.

—¡Tenías que habérnoslo dicho antes! Habríamos cosido más cosas para tu ajuar.

—Llevo muchos años preparándolo todo, Juana. Ya está casi todo listo.

—¿Cuántos años tienes, Carmen? —preguntó Veridiana.

—Dieciséis.

—Una edad perfecta para casarte y dar una docena de hijos hermosos a tu Gabriel.

La chiquilla se sonrojó.

—Serán tan guapos como él.

—Espérate a casarte, ¿eh? Que yo me conozco a ésos, y Jaime, el hermano de Gabriel... Ya sabéis... Isabelita se casó con la barriga puesta... —la mujer del cordelero tenía la fea costumbre de no acabar las frases.

Juana se santiguó.

—Tú ándate con ojo, niña. Espérate a que Dios bendiga vuestra unión.

Todas asintieron en silencio. Pero Carmen se mordió los labios antes de estallar:

—¿Por qué el pecado da tanto gusto?

Veridiana levantó su mirada y la clavó reprobadora sobre la chica.

—Noo, no... Quiero decir, yo me esperaré a casarme, claro está. Pero a veces, me toca y...

Veridiana perdió la concentración en su labor.

Había oído hablar muchas veces de aquello. El placer en el amor. Ella sólo había conocido a Guy. Y Guy era más bien desagradable. Un peso sudoroso que caía sobre ella y en un momento parecía disfrutar de un éxtasis que ella estaba más que lejos de sentir. En sus asaltos amorosos ella sólo intentaba no ser aplastada y seguir respirando.

En cambio Víctor... Víctor olía bien. Sus labios habían sido tan suaves. Tan tiernos. Su único beso valía por todos los arrebatos de Guy.

Se preguntó de nuevo si ellas disfrutarían de besos así. Si sus maridos eran tiernos como Víctor o brutos como Guy. Porque hasta que no las conoció a ellas, Veridiana pensaba que todos los hombres eran como las bestias; como los conejos que, después de cubrir a las conejas, en un instante, caían desplomados, como muertos... Igual que Guy, que después, esas noches, se derrumbaba junto a ella, y llenaba la oscuridad con sus atronadores ronquidos.

Veridiana, con la mente muy lejos de aquel grupo de mujeres, se preguntó una vez más a qué se parecerían esas delicias del amor de las que tanto hablaban. Y sin darse cuenta su imaginación voló hasta Víctor. Y como si con la única fuerza de su pensamiento lo hubiera convocado, descubrió con sorpresa que Juana estaba hablando de él.

—Se va.

—¡Cómo que se va! —saltó Veridiana, y en cuanto se dio cuenta de lo excesivo de su exclamación, rectificó y preguntó con una calma fingida—: ¿Y adónde se va?

—Pues dicen que precisamente es por tu causa —continuó Juana—. Quiero decir que, como Dimas se apoya en ti, ya no lo necesita y por ello se vuelve a Toledo. Para asuntos de libros y de sabios. Os confieso que a veces me gustaría a mí poder ir de este mundo al otro como hacen algunos. Echo tanto de menos a mis hermanos, a mis sobrinos...

La mujer del cordelero dejó definitivamente su labor de lado.

—Dicen que es peligroso. Que lo de pasar una y otra vez a través de las Puertas puede llegar a matarte. Yo desde luego no lo volveré a repetir. Fue una experiencia horrible.

—Yo no me enteré de nada. Me había desmayado —dijo con tranquilidad Magdalena.

A Veridiana se le pasó por la cabeza si se habría desmayado de verdad, o la habrían golpeado como había visto que le hacían a Enrique.

—Sí, es tan peligroso que puedes llegar a morir —continuó Juana—. Y dicen que aquellos que traspasan las Puertas a menudo acaban perdiendo la razón.

—¡Toma!, por eso sólo se lo permiten a algunos. Los buscadores, esos que buscan a gente para traer acá —apuntó la mujer del cordelero.

Veridiana pensó un instante en Enrique. Si habría encontrado una Puerta y estaría de nuevo en Toledo, si estaría muerto, o perdido en el umbral entre los mundos.

—Hacía tiempo que Víctor no se marchaba... —continuaba diciendo Juana—. Fue él el que nos trajo a mi Vicente y a mí. Es un valiente.

«Un perfecto caballero de Dios», pensó Veridiana.

—Es la mano derecha del prior. Le sucederá sin duda —afirmó Magdalena.

—Si hay alguien que lo merece, es él...

—Es guapo —dijo ruborizándose Elena, la campesina jovencita.

—Eso es cierto —rió Juana mientras las demás asentían—. Vaya desperdicio de hombre.

—Dios se queda con los mejores —bromeó la mujer del cordelero.

—Además —continuó Juana—, éste es un hombre de Dios de los de verdad, no como esos otros monjes, que sí, que de día rezan a Dios, pero de noche... Y cuando pasas a su lado te echan unas miradas...

Veridiana no pudo dar ni una sola puntada más.

Víctor se iba. Una tristeza gris como el cielo de invierno la envolvió por entero.

—Me alegro de encontraros, Veridiana. Venid aquí, por favor.

Ella se había dejado caer por la cilla, el almacén donde se guardaba el grano y algunos alimentos de primera necesidad. Sabía que el prior solía pasarse después de misa para comprobar el suministro de algunos de ellos.

Aquella mañana la escarcha todavía cubría los campos. Se aferraba a las briznas de hierba y a las rocas con la tozudez del condenado a muerte que sabe que le quedan pocas horas de vida. En cuanto el sol amarillento acariciase los prados, la escarcha desaparecería.

—Ayudadme a levantarme, Veridiana. Estas rodillas mías cada día me fallan más.

Ella se acercó y le ofreció el brazo. Tuvo que sostenerlo para que pudiese alzarse.

Se despidieron del encargado del almacén y comenzaron a andar hacia el monasterio.

—Me han dicho que Víctor se va —murmuró Veridiana, como si se tratara de un comentario casual.

—Os han informado mal —ella sintió un destello de alegría asomar en su espíritu—. No se va a ir; se ha marchado ya.

El mundo cayó a sus pies. Una *bruma* revoloteó en busca de su tristeza.

—No me ha dicho nada —se le escapó.

Dimas interrumpió el paseo.

—¿Por qué habría de hacerlo, Veridiana? Víctor sólo rinde cuentas a Dios y a la Orden —el prior tiñó su voz de una seriedad inhabitual—. ¡Ay, Veridiana, querida niña! ¿Aún no os habéis dado cuenta? Puedo leer en vos como en un pergamino desplegado ante mis ojos. Yo también puedo ver a las criaturas...

La mirada de Dimas refulgía traviesa.

—¿Acaso os sorprende? No lo sabíais, ¿verdad?... Veridiana, he visto los *diélagos* que Víctor atrae cada vez que os cruzabais con él. He visto cómo las *odas* os rodeaban cuando os hablaba. Mirad, ahora, esas *brumas* que os rodean. ¡Qué demonios! —maldijo de pronto para sorpresa de Veridiana—. Si no hace falta más que conoceros, y ver cómo os brillan los ojos cada vez que lo observáis aunque sea desde lejos. Veridiana, hija, sois una mujer con experiencia, y debéis saber que Víctor es un hombre de Dios y de la Orden.

Ella se enfrentó a los ojillos azules del prior y se encontró con su cálida mirada transparente. Se dejó acariciar por ella.

—Lo sé, Dimas. Por supuesto que lo sé.

—Entonces sencillamente olvidadlo. Y no hay nada más adecuado que el distanciamiento para enterrar ese sentimiento que os atribula. Víctor ha regresado a Toledo y eso es lo mejor para los dos.

«¿¡Para los dos!?» Dimas lo había dicho como si la distancia no sólo fuese necesaria para ella sino también para él. ¿Acaso también sabía de los sentimientos de Víctor? Veridiana se mordió los labios. Seguramente lo sabía. Era un hombre observador y sagaz, y además, conocía los secretos de confesión de muchos de los habitantes del Mundo. Conocería a Víctor mejor que si fuese su propio hijo. Su alma no le escondería ningún secreto.

—Ahora que vos sabéis de la organización del Mundo

tanto como él, ha podido regresar a Toledo —continuó el prior—. Sólo me queda presentaros a los miembros del Concejo. Me acompañaréis hoy, por primera vez, ¿qué os parece?... A algunos ya los conocéis, pero quiero que se acostumbren a vos. Que confíen en vos como lo hacían en Víctor.

Dimas reanudó la marcha.

—Será un desafío para vos, Veridiana —el prior casi hablaba para sí mismo—. Sois una mujer y os habréis de ganar su confianza. Pero sé que eso, lejos de asustaros, os estimulará a trabajar más duro y mejor por la Orden y el Mundo. Y estoy convencido de que os ganaréis la confianza del Concejo, como os habéis ganado la mía.

Veridiana le sonrió. Casi habían llegado hasta el monasterio. La escarcha se estaba derritiendo y los prados brillaban como si estuviesen cubiertos por millones de diminutos brillantes.

El Concejo, dirigido por Dimas como abad y prior, estaba formado por ocho miembros. Cuatro de ellos representaban al clero, y cuatro, al pueblo, a la ciudad. No había ningún representante de la nobleza, porque aún no habían llegado nobles al Mundo.

Víctor actuaba como lugarteniente de Dimas, y también ocupaba cargo en el Concejo.

Semanalmente se reunían en la sala capitular y desde allí dirigían todos los asuntos.

Cuando Veridiana entró en la sala con Dimas, los cinco miembros presentes ya los estaban esperando. Si les sorprendió que ella los acompañase no dejaron traslucir su sorpresa.

Ella condujo a Dimas hasta su escaño y permaneció en silencio a su lado. Esperando que le dijesen qué hacer.

Recorrió con una tímida mirada a todos los miembros y cuando dio con el espacio vacío que debía ocupar Víctor, la *bruma* que la acompañaba se hinchó y se tiñó de un púrpura más subido.

Conocía de vista a la mayoría de los miembros. Como representantes del clero, además de Dimas y Víctor, estaban Blas y Anselmo. Anselmo era un fraile muy mayor y enfermo, que ella había visto en contadas ocasiones. Todos los aspectos militares pasaban por sus manos, y la mayoría de las veces, era José, el maestro de armas de Enrique, el que en la práctica se ocupaba de sus asuntos. El hermano Blas era el responsable de la biblioteca y las leyes.

Como representantes del pueblo, se encontraba Lorenzo López, que asesoraba sobre aspectos relacionados con lo comercial y la producción. Veridiana conocía bien su espíritu práctico y viva inteligencia. Había tratado también con Gil de Beltrán, el contador o tesorero, y con Pablo de Zamora, el escribano o notario. Vicente, el maestro de obras, era el mayordomo, representante de las crecientes cofradías que se establecían en el Mundo.

Veridiana sólo lo había visto en otra ocasión, y muy de lejos. Ahora por fin se encontraba con el maestro Vicente. Le parecía mentira que ese hombre no muy alto y regordete fuese aquél en el que tanto había pensado cuando creía que había desaparecido, allá en Toledo.

Todos se pusieron en pie y Dimas les dio la bienvenida con una voz profunda y firme que sorprendió a Veridiana. Después abrió la sesión.

—Buenos días, señores, Dios os guarde. Como sabéis,

Víctor hoy no se encuentra con nosotros. Ha regresado a Toledo. La traducción del *Porta Coeli* sigue siendo un asunto capital para nuestro mundo. Y por lo que parece avanza positivamente. Creo que estamos cerca de conseguirlo. Jacob había quedado en contactar con Juan de Cremona y con los propietarios de algunos de los restos de bibliotecas árabes. Creo que habrá tenido tiempo suficiente para hacerlo. Espero que, cuando Víctor regrese, lo haga con la traducción completa bajo el brazo.

Dimas hizo una pausa como si tuviese que coger fuerzas, después de haber terminado con ese breve resumen. Entonces pasó a otros temas:

—Hoy, como veis, me acompaña Veridiana. Veridiana de Sanabria, baronesa de Fleurilles, señora de Toulouse. Como adelanté en la pasada reunión, propongo su incorporación al Concejo…

Veridiana dio un salto. No le habían dicho nada. Cruzó un instante su mirada con la de Dimas y se encontró con una sonrisa risueña.

—Por un lado, en ausencia de Víctor, actúa como mi lugarteniente. Por otro, es miembro de la nobleza castellana, hija de Sancho de Sanabria, de los Sanabria de León. Una familia de noble y alta cuna. Además, por su matrimonio, señora de Fleurilles y de Toulouse. Como tal, propongo su incorporación a este Concejo. Primero como sustituta de Víctor y, si el Concejo ve en ella las mismas cualidades que yo he encontrado, propongo que después, al regreso de Víctor, se incorpore a él como miembro de pleno derecho.

Veridiana no sabía qué cara poner. No haberle advertido de nada era toda una sorpresa muy del estilo de Dimas. Mantuvo la mirada baja, prudente. Observó con todo detalle el suelo de la sala capitular, formada por sencillos tablones de madera mientras Dimas exponía sus virtudes y méritos.

—Muchos de ustedes ya conocen su forma de trabajar, pero para aquellos que no, sólo puedo decirles que confío en el raciocinio de esta mujer tanto como en el mío propio, y por ello ruego que tomen las palabras de su boca como si surgieran de la de Víctor o la mía. Tengo una confianza absoluta en esta dama que hoy me acompaña y estoy convencido de que, con el tiempo, el Concejo depositará igualmente su confianza en ella.

Dimas continuó su discurso y ella fue sintiéndose más decidida, hasta que levantó la cabeza y contempló directamente a todos y cada uno de los miembros del Concejo.

Después le presentaron formalmente a todos ellos, y por fin, terminó sentándose en el espacio que debía ocupar Víctor.

Cuando desde allí asistió al resto de la sesión, se preguntó si alguno de aquellos hombres, además de Dimas, sería capaz de ver lo que ella percibía. Porque decenas de *reitos* se habían arremolinado a sus pies bebiendo de su orgullo, algunas *odas* revoloteaban alrededor desplegando sus alas brillantes, y los *suvios* se arrastraban hacia ella dejando tras de sí una estela de vivos colores.

Las *brumas* se habían esfumado por completo. El dolor por la pérdida de Víctor se había evaporado por el efecto de verse sentada, como uno más, entre los miembros del Concejo. Ella, una simple mujer.

De pronto allí, junto a los dirigentes del Mundo, sintió que se encontraba donde tenía que estar, donde siempre debería haber estado. Y por un momento su alegría y su satisfacción fueron tan grandes, que pensó que se desmayaría de pura euforia.

Tuvo que hacer un esfuerzo para relajarse y concentrarse en los asuntos que empezaban a tratar. Tenía que poner atención. Quería aprenderlo todo, cumplir con su cometido a la perfección, y ganarse la confianza y el respeto del Concejo tal y como se había ganado los de Dimas.

Como había dicho el prior, sólo era cuestión de tiempo.

Jamás una primavera le había parecido tan brillante. La luz amarilla era más amarilla que nunca y las tardes se prolongaban hasta muy tarde, de manera que podía alargar el tiempo que dedicaba a sus múltiples tareas. Los prados habían estallado en una miríada de colores, y el bosque estaba tan verde que a veces parecía brillar como una gema.

Cada día, hasta que el sol se ocultaba, recorría con Lorenzo López y los proveedores los almacenes de suministros, y repasaba las cuentas con Gil de Beltrán, el tesorero. Con Lorenzo discutía a menudo de las mercaderías más adecuadas con las que comerciar. Él se inclinaba por los frutos secos y algunas semillas de plantas semejantes a las del otro mundo, pero Veridiana creía que los beneficios eran mayores vendiendo productos ya elaborados, como los tejidos que por fin habían conseguido fabricar y que tanto se parecían a la seda. Todo lo que había aprendido de su hermano Juan sobre el comercio de paños, ahora podía ponerlo en práctica. Todo lo que sabía de intendencia provenía de su experiencia en el castillo de Toulouse. Parecía como si Dios le hubiese ido abriendo un camino de enseñanzas a lo largo de toda su vida que ahora por fin podía aplicar en el lugar para el que estaba destinada: en el Mundo.

Le faltaba tiempo para ocuparse de todo lo que quería atender y por ello quiso dejar las labores, y con ellas a Juana, Magdalena, Carmen, Elena... Pero Dimas no se lo permitió.

—Veridiana, querida, la costura templa y serena el alma femenina, y más aún la vuestra. Vuestro pecado es el orgullo, y por ello os conviene tratar a personas más sencillas y participar de sus preocupaciones cotidianas. Y más ahora que estáis en el Concejo.

—Pero, padre —se atrevió a discutirle—, ¡me encanta coser! Es sólo que creo que puedo ser más útil al Mundo, a Dios y a la Orden si dedicara mi tiempo con otras ocupaciones más...

—Ni hablar —la interrumpió—. Sé lo que necesitáis Veridiana: una cura de humildad...

—Si soy humilde... —protestó susurrando.

Dimas se carcajeó y su carcajada terminó convirtiéndose en una suerte de tos seca.

—Basta con miraros a la cara para descubrirlo, querida niña. Cada día la humildad femenina lucha en vuestro espíritu contra la vanidad y la ambición. Cualquiera diría que ni siquiera vos misma os conocéis. Dad gracias a Dios que no os destine a cuidar a los enfermos...

Ella bajó la mirada.

—Soy un desastre curando heridas. Dios no me ha llamado por ese camino...

—Ya lo sé, querida. Por eso una aguja en la mano es vuestra mejor arma. Contención y prudencia es lo que necesitáis. La costura ordena y serena vuestra alma y pone freno a vuestros anhelos.

Veridiana suspiró. Seguía pensando que perdía miserablemente el tiempo con las labores. Además, para aquellas mujeres ella continuaba siendo una altiva señora, que ahora además era un miembro del Concejo. No, no era como una de ellas y lo sabía.

Carmen era por la que sentía una mayor simpatía. Se había casado con Gabriel y enseguida quedó embarazada. A Veridiana le parecía una chiquilla amable a la que imaginaba pronto con un bebé gordezuelo en su regazo. Cuando pensaba en el bebé se acordaba de sus sobrinos. Si se encontrarían bien, en lo hermosos que estarían. Siempre los imaginaba jugando en el patio de la casa de su hermano; tal y como los había visto la última vez antes de abandonar Toledo.

Todas las noches rezaba por ellos. Le gustaba recordar sus gritos, el olor dulce como de bizcocho que sentía cuando les revolvía el pelo, la manecita regordeta de Clarita. Y también oraba por su hermano y su cuñada. Y por Víctor. Para que regresase pronto al Mundo.

Y fue una de esas noches, precisamente cuando había terminado de rezar y la irrealidad de la noche estaba a punto de vencerla, cuando tuvo el sueño.

De pronto la oscuridad real de su celda se fundió con otra penumbra de la que provenían unos lejanos gemidos. Era una respiración agitada la que le parecía escuchar dentro de su cabeza. Entre las tinieblas buscó de quién procedía. Y encontró a Víctor.

Víctor sufría. Sangraba como Cristo en la cruz.

Veridiana vio con claridad cómo unas gotas de sangre le caían por la frente, como si se tratase de sudor, y cómo él apretaba los dientes conteniendo un grito. Hasta que no pudo más y dejó escapar un chillido que casi pareció un silbido.

«¡¡Víctor!!», pensó aterrada.

—¡Veridiana! —la imagen de sus sueños abrió los ojos como si acabase de escucharla.

Ella se despertó del todo.

«He tenido una pesadilla horrible.» La oscuridad más completa reinaba en el humilde cuarto que ocupaba en el ala reservada para las mujeres y hermanas de la Orden. El corazón le latía desbocado. Intentó tranquilizarse, pero la visión que había tenido aún le atormentaba.

Cerró los ojos y al hacerlo volvió a ella la imagen de Víctor. Ahora estaba rezando. El monje rezaba entre dientes con sangre seca sobre la cara.

Veridiana se asustó y abrió los ojos. Pero aún con los ojos abiertos continuó viendo a Víctor rezando frente a ella.

Sus cabellos rubios eran una masa pegajosa en la que se mezclaba el sudor y la sangre. Era tan real como si lo tuviese delante de ella. Incluso podía sentir su olor.

Veridiana mantuvo los ojos abiertos y frente a ella permaneció la visión de Víctor.

Cerró los ojos. Pero con ellos cerrados la imagen continuaba en sus retinas.

Abriese o cerrase los ojos, Víctor continuaba sufriendo ante ella.

—¡Víctor! —gritó desesperada en la oscuridad.

—Veridiana —murmuró su visión—. Muero feliz porque estáis junto a mí —apenas era un hilillo de voz.

Veridiana se incorporó en el jergón como si la hubiese impulsado un resorte.

La oscuridad había desaparecido. Víctor estaba frente a ella, atado a una especie de poste. Como un san Bartolomé a punto de ser martirizado.

—¡No! —le gritó de una forma tan tajante que más

bien pareció una orden—. No vas a morir. Aguanta, Víctor. ¿Dónde estás?

La imagen de Víctor no le contestó, se limitó a cerrar los ojos como si un cansancio infinito se hubiera adueñado de él. Como si se hubiese desmayado. Y entonces la penumbra familiar de su celda regresó a ella. Pero antes, justo un instante antes de que la rodeara por completo, escuchó las campanas de San Román. Las que la habían acompañado durante todos los años que vivió en Toledo. Y supo, sin atisbo de duda, que Víctor estaba allí, en Toledo, a punto de morir.

La envolvió la negra oscuridad.

Su corazón latía como si se le fuese a salir de un momento a otro por la boca.

Víctor no podía morir así.

Ella no lo permitiría.

Lo habían despertado en plena noche. El joven Isidro lo había sacado del jergón y Veridiana había conseguido llegar hasta su puerta. Se protegía del fresco con una amplia capa y sostenía una bujía ante ella.

—¡Por Dios bendito, Veridiana! ¿Qué pasa? ¿Qué es tan urgente que no puede esperar a mañana?

Ella despidió con un gesto al joven al que había obligado a despertar al prior, que mientras se alejaba por el pasillo pareció ser tragado por la oscuridad.

—Víctor se muere.

—¡¿Cómo?!

—Víctor se está muriendo. Lo están torturando, en Toledo.

Dimas se despertó del todo.

—¿Qué me decís?

—He tenido una visión. Y no, no era una pesadilla, estoy segura. Sé lo que es una pesadilla y sé que esto era real. De alguna manera he podido verlo. Y lo están matando —explicó de forma apresurada.

Dimas señaló con un gesto a Veridiana el pasillo. Había que sacarla de allí. Una mujer no podía estar en aquella zona del monasterio.

—Vayamos al refectorio...

—Vayamos a donde vayamos, habéis de enviar a alguien rápido. Víctor se muere...

Dimas suspiró.

—Vamos por partes. ¿Por qué pensáis que se muere?

—No lo pienso, estoy segura de ello. Tan segura como que vos y yo estamos ahora aquí. Si no estuviese tan segura, si no sintiese con una indudable certeza que lo que he visto era real, no hubiese tenido el valor de hacer que os levantasen y venir a buscaros. Si no supiese que es perentorio que lo rescatemos, no se me ocurriría molestaros —terminó acelerada—. ¡Por Dios, Dimas!

—¿Qué habéis visto exactamente? —preguntó el prior cargado de dudas.

—Estaba sufriendo... Sangraba... No estoy segura. Estaba en Toledo, en una celda, encerrado en algún lugar húmedo y oscuro. Lo habían atado a una columna...

Dimas tropezó al intentar evitar un *oste* que insistía en quedarse pegado a sus pies.

—En el pasado me hubiese preguntado por la veracidad de vuestra, hummm, vuestra visión. Pero hoy en día ya no dudo de ello. He visto cosas increíbles y he vivido lo suficiente como para comprender que este Mundo hace cosas extrañas con los que lo habitamos. Vos habéis demostrado tener unos poderes que los demás estamos lejos de alcanzar, y quizás, sí, quizás ése sea un paso más en vuestra evolución en el Mundo. He visto casos semejantes, sí...

Entraron en el refectorio y Veridiana encendió las lámparas que flanqueaban las puertas. Una luz temblorosa y vacilante iluminó la estancia.

Dimas arrastró los pies hasta dejarse caer en uno de los bancos que se apoyaba en la pared. Nuevas sombras surgieron de las tinieblas. Las *pergas* se unieron a los *ostes* alrededor del prior.

—No puedo enviar a nadie. No es fácil viajar entre los mundos, Veridiana —murmuró desolado—. Hemos entrenado a un pequeño grupo de buscadores, y en este preciso momento no cuento con nadie.

—Entonces iré yo misma.

—¿Qué vais a hacer vos?...

—No lo sé, Dimas, no lo sé. Todo lo que esté en mi mano. No puedo quedarme cruzada de brazos sabiendo que Víctor se muere, ¿comprendéis?

—Todos hemos de morir algún día, y si ésa es la voluntad de Dios... No podemos rebelarnos ante ella.

—¿Entonces por qué me habría mandado Él esa visión? ¡Para salvarlo, Dimas! Para que pueda acudir en su ayuda y salvarlo.

—Nadie puede saber de los designios del Señor para con nosotros, los pobres mortales. Pero no hay un peor momento para que os marchéis. Sin vos, sin Víctor, el Concejo pierde dos de sus más útiles miembros...

Veridiana se quedó de piedra. ¿A quién le importaba ahora el Concejo? ¡Lo importante era la vida de Víctor!

—Si no regresarais ninguno de los dos, ¿qué sería del Concejo?

—¡A quién le importa el Concejo! —escupió con rabia.

—A mí, Veridiana. A mí. Porque el Concejo dirige el Mundo y sin Víctor, sin vos... Tenéis que saberlo, Veridiana... —tomó aire para continuar—. Víctor es mi sucesor. Bien lo sabéis, ¿verdad? El Concejo no se ha pronunciado aún sobre ello de manera formal, pero se da por hecho. Siempre se ha dado por hecho, y no hay nadie mejor que él para ocupar ese lugar... Excepto vos, claro. Pero vos sois una mujer. Podéis ocuparos de todos los asuntos de intendencia, de la organización, de la gestión material, pero ¿y el espíritu? ¿Quién puede cuidar de las almas de los habitantes de este mundo?... Nunca podríais ser prior de la Orden —en un momento tan serio fue capaz de sonreír—. Vos podéis desempeñar sus funciones como lugarteniente. Y lo habéis demostrado perfectamente... Pero si yo tampoco estuviese...

—Vos estáis aquí...

Dimas suspiró con cansancio.

—No lo entendéis. Sí, estoy aquí, pero por poco tiempo, Veridiana, por poco tiempo. Mi tiempo se acaba. Me consumo, me marchito como una flor de primavera ante el inclemente verano. Los años me pesan como cadenas y la muerte está a punto de alcanzarme. Soy fuerte, siempre lo he sido, y por eso precisamente me doy cuenta, de un día para otro, de lo que me agota bajar y subir estos pocos escalones —señaló el pasillo a su espalda—. Me doy cuenta de que a veces me olvido de cosas que no podrían olvidárseme. Que de noche me cuesta hasta respirar... Los huesos me crujen, Veridiana. Sé que un día me dormiré para no despertarme jamás, y ese día está muy cerca. No me importa. Es el orden de las cosas... Pero sí me importa no dejar atado todo aquí en el Mundo. Me preocupa que…

—¿Acaso no confiáis en el resto del Concejo? —lo interrumpió—. El maestro Vicente, el hermano Anselmo, Blas… Todos ellos son capaces de…

Dimas la hizo callar.

—Anselmo morirá pronto. Antes que yo, probablemente. Está gravemente enfermo desde hace mucho. Y Blas es una rata de biblioteca. El Concejo no le interesa. Su mayor preocupación es recuperar el saber que perdimos en el primitivo monasterio de Santa Ceclina y se obsesiona con la ordenación de libros, pergaminos y legajos. Por otro lado, Gil, Pablo y Lorenzo velan más por los beneficios que por el bien de las almas de este Mundo. La codicia los acosa… Por eso es tan necesario que haya alguien de Dios en el Concejo, alguien con peso moral para dirigirlos; alguien como Víctor…

Ella nunca había pensado en el Concejo bajo aquel punto de vista.

—Entonces dejad que marche sola. Prometo regresar, os doy mi palabra…

—¿Acaso creéis que pasar la Puerta es como atravesar este dintel? —señaló el arco tenuemente iluminado, y a Veridiana le pareció que Dimas estaba mortalmente serio—. No, querida Veridiana, no tenéis idea de lo que representa.

—Si os referís al dolor, ¡puedo soportarlo!

—No, no es sólo el dolor. ¡Si tan sólo fuese eso! ¿Por qué creéis que sólo permitimos que unos pocos crucen las Puertas? ¿Por qué hemos entrenado a los mejores como buscadores?… Porque, querida niña, ellos guardan un terrible secreto. Un secreto de tanto alcance que hace que quien llega al Mundo renuncie al otro para siempre. Hay tanto que aún no sabéis... —terminó con un deje lastimero.

—Voy a ir a Toledo, Dimas. Pase lo que pase. Y puedo guardar un secreto...

«Llevo toda la vida escondiéndolos», pensó.

—Sí, ya veo que iréis, os prohíba lo que os prohíba... —Dimas suspiró con cansancio—. Y que haréis todo lo posible por salvar a Víctor. Os conozco bien, Veridiana, quizás mejor que vos misma. Por ello os ruego que me escuchéis, porque es complicado lo que os he de explicar, lo que habéis de saber antes de decidiros a hacer cualquier barbaridad...

Una ráfaga de viento hizo bailar las llamas de las lámparas. Por un momento a Veridiana le pareció que se iban a quedar en una completa oscuridad.

—El tiempo transcurre aquí, en este mundo, lentamente. ¿Habéis visto estas eternas estaciones? Allí, fuera, pasa más rápido. Un año aquí vale por más de una decena de ahí fuera.

Veridiana escuchaba sin acabar de comprender.

—¿No lo entendéis? Vuestros sobrinos, los que dejasteis afuera, ya no son niños. Puede que se hayan casado, que tengan sus propios hijos... Un año aquí equivale a muchos en el otro mundo.

Ella dejó escapar un grito. Acababa de darse cuenta de las consecuencias de lo que intentaba explicarle el prior.

—Por eso renunciamos a todo al llegar al Mundo —continuó Dimas—, por eso sólo unos pocos, los buscadores, atraviesan sus puertas. Ellos son capaces de aceptar el paso del tiempo. De enfrentarse a un mundo que no es el mismo que abandonaron y creían conocer...

Veridiana pensó en la manita gordezuela de Clara. ¿Ya no era una niña? ¿Qué habría sido de la pequeña que tanto amaba?

—¡¡Deberíais habérmelo dicho!!

—¿Por qué? ¿Para qué? Saber que las gentes que conocisteis envejecen y mueren, mientras vos vivís dentro de un tiempo más... lento no tiene ninguna utilidad. Únicamente supondría un sufrimiento añadido. Una renuncia es una renuncia. Es mejor no saber.

El prior suspiró largamente. Parecía muy cansado.

—Pero no sólo es eso... Escuchadme bien, el tiempo es un misterio más de este mundo. Porque parece ser que las Puertas pueden permitir el paso contrario, hacia el otro lado. Es decir: la inversión. Eso es algo que el *Porta Coeli* explica pero nosotros no hemos sido capaces, aún, de entender.

—¿La inversión?

¿Por fin le iba a explicar Dimas aquello de lo que tanto había oído hablar siempre a escondidas, siempre entre susurros, como si se tratara de un horrible secreto que todos temían mencionar?

—Creemos que las Puertas pueden abrirse en dos direcciones. Nosotros entramos en este tiempo lento, y al volver a nuestro mundo original, allí el tiempo ha pasado más deprisa. Bien... Supongamos que pasáis ahora, y os encontráis con que vuestros padres ya son ancianos, vuestros sobrinos son adultos... Pero —Dimas levantó un dedo para enfatizar el efecto de sus palabras— tal vez exista la posibilidad de que sea al revés, de volver al pasado...

—¿Volver al pasado? —la frase carecía de sentido para ella.

—Sí, volver al pasado, a cuando, por ejemplo, vuestros padres eran niños... Pasar las Puertas para ir al pasado, más allá del momento en el que pasasteis a este mundo. Parece ser que las Puertas pueden abrirse y orientarse en la dirección contraria: la inversión...

Veridiana lo entendió entonces, gracias al ejemplo; era una idea aterradora la de enfrentarse a sus padres niños. A los tiempos en los que ella no existía. La cabeza estaba a punto de estallarle.

—Sí, es un concepto complicado que escapa a nuestras limitadas mentes mortales —como tantas veces, Dimas pareció leerle el pensamiento—. Hemos estudiado largamente los pasajes que lo explican. Los mayores sabios a los que hemos consultado han debatido entre ellos para llegar a concluir que sí, que es posible hacerlo. Lo que no está claro es el cómo. Nos enfrentamos a un simple problema de traducción, para un concepto que apenas podemos llegar a aprehender. Porque las implicaciones van más allá de lo que podemos entender —Dimas se llevó la mano al pecho, como si le doliese el corazón al desgranar tamaños misterios—. Imaginad que en efecto llegáis al pasado. Encontráis a vuestros padres y, por ejemplo, es un suponer, matáis a uno de ellos. Entonces..., entonces...

Ella lo comprendió de pronto.

—¡¡Entonces yo nunca habría nacido!!

—En efecto —Dimas estaba complacido ante su rapidez mental—. Ni vos, ni vuestros hermanos. Y si no hubieseis nacido, no existiríais. Y entonces no habríais podido llegar al Mundo, ni viajar al pasado. Sinceramente, Veridiana, ni lo entiendo yo, ni los mayores sabios a los que hemos consultado. Por eso os digo en verdad que la inversión, el viaje al pasado, es un concepto que escapa a nuestras humildes mentes mortales.

El prior hizo un gesto como si se fuese a incorporar. Pero pareció pensárselo mejor y se dejó caer sobre el banco.

—El *Porta Coeli* avisa de los inmensos peligros que supone la inversión, es decir, atravesar una Puerta hacia el pasado. Unos peligros, querida, que van más allá de la simple vida del viajero. Porque no sólo las consecuencias pueden ser terribles para aquel que atraviese la Puerta hacia el pasado, sino para nuestro Mundo... ¡y para el otro!, para aquél del que procedemos. Es como si el equilibrio entre los mundos se rompiera al dar vida a la existencia de algo del todo imposible.

Dimas apoyó la espalda sobre la pared. De repente pareció más viejo, más cansado; un hombre acabado.

—Por eso hemos de estudiarlo. Por eso nuestros mejores buscadores tienen la misión de traducir el *Porta Coeli*. Y si en algún sitio reside la clave de todo, es en Toledo. Allí han llegado los restos de las fabulosas bibliotecas de los sabios árabes, los textos de culturas anteriores a la nuestra, de los persas, del lejano Oriente. Toda la luz del saber se encuentra allí, Veridiana, en Toledo. Si alguien puede entender el *Porta Coeli* estará allí, en Toledo.

Dimas suspiró de nuevo con infinito cansancio.

—Vos queréis salvar la vida de un hombre, de un solo hombre... Cuando nos debemos ocupar de todo un mundo.

—Es un hombre de Dios, Dimas.

«El mejor de los hombres, el perfecto caballero.»

—Dios sabe que quiero a Víctor como a un hijo propio, Veridiana. Desde que era niño se crió con nosotros en Santa Ceclina.

Veridiana se quedó mirándolo fijamente. La decisión

que el prior pudo leer en su mirada pesó más que todo lo que había intentado hacerle comprender.

—Si Dios os ha enviado esa visión, es que guarda sus propios designios para con vos. Y nada de lo que yo os diga os hará cambiar de opinión, ¿verdad?

Veridiana afirmó con un gesto.

—Entonces, id, Veridiana. Id a Toledo e intentad salvar a Víctor. Pero habréis de hacerlo sola, y si no regresáis..., que Dios se apiade de todos nosotros.

III

Que trata del regreso a Toledo y la muerte negra

Se sentía confusa y demasiado cansada. Todo había ocurrido de manera muy rápida. Dimas le había conducido a las cocinas y había hecho preparar un hatillo con lo imprescindible.

—Las Puertas se mueven, Veridiana. Siempre se encuentran cerca de algún antiguo lugar de poder —le dijo cuando ya tenían todo preparado y esperaban a Isidro que los acompañaría en busca de la más cercana—. Toledo es un poderoso lugar; desde tiempos inmemoriales ha sido un enclave místico. Siempre habrá alguna Puerta cerca de Toledo... Pero escuchad, Veridiana, no hay seguridad alguna de saber por qué Puerta, de todas las que pueblan el mundo, vais a aparecer. Sólo hay una manera, que nosotros conozcamos, de asegurarnos la ida y, por supuesto, el regreso. Tenéis que pensar en algo o en alguien que conozcáis bien. Centraos en ello, en ese único pensamiento, para llegar lo más cerca de él. Vos podréis hacerlo, vos que fuisteis capaz de mover aquella esfera con la simple fuerza de vuestra mente. Usad esa fuerza para encontrar Toledo.

Dimas y el joven Isidro la acompañaron hasta la Puerta más cercana al pueblo. Fueron apenas dos horas de marcha en las que hubieron de atravesar un bosque oscuro cuya negrura contribuyó a inquietar su ánimo, cada vez más angustiado.

—Encontrar una Puerta para el regreso no os será difícil —continuaba explicando el prior mientras atravesaban el bosque—. Estoy seguro de ello. Habéis permanecido en este Mundo, y por ello hay algo que os mantendrá unida a él para siempre. Sentiréis las Puertas como una tenue inquietud en lo más profundo de vuestro espíritu; algo difícil de explicar, pero que reconoceréis sin dudarlo cuando os encontréis cerca de cualquiera de ellas. ¿Lo habéis comprendido bien?

Ella afirmó haberlo entendido. Pero fue en vano. Dimas se lo volvió a explicar de diez maneras diferentes.

—No quiero perderos. Volved, Veridiana —le había dicho por fin el prior cuando llegaron a un lugar en el que el viento parecía soplar en mil direcciones diferentes a la vez.

—No me perderéis, os doy mi palabra.

Dimas rebuscó entre su hábito y le entregó un puñal.

—*Deo volente* que no lo necesitéis. Pero más vale prevenir. Os servirá para defenderos, y si necesitaseis dinero... También se trata de un objeto valioso.

Era un fino puñal toledano. Las filigranas de su empuñadura rivalizaban en hermosura con las de la vaina de recio cuero. Aunque a Veridiana nunca le habían atraído las armas, sopesó el puñal en su mano, como había visto hacer tantas veces a los hombres, y le pareció que estaba hecho justamente a su medida.

Dimas le mostró una mirada triste.

—Ojalá no necesitéis usarlo. Que Dios os acompañe.

Y cuando el viento fue tan fuerte que apenas podía escuchar algo, la figura borrosa de Dimas insistió aún con sus gritos:

—¡Pensad en Toledo, en un lugar que conozcáis bien!

Veridiana cerró los ojos e intentó olvidarse de las fuerzas que la empujaban hacia un pozo tan negro como el infierno, para concentrarse en el patio de la casa de su hermano. Recordó cómo olía aquel patio cuando quedaba a cubierto del inclemente sol propio de los veranos toledanos. Recorrió con los dedos de su memoria la superficie desgastada de la piedra del pozo, acarició el pellejo suave con el que recogían el agua. Pensó en los ladrillos del suelo, rojizos y brillantes por el uso de miles de pisadas. Con su imaginación cruzó el patio y subió las escaleras de madera que crujían en el segundo y séptimo escalón, y atravesó la galería que conducía hasta su habitación. Y allí, al entrar, además del viejo baúl repujado y su jergón, encontró la cuna de su sobrino Rodrigo, y de pronto pensó que ya no sería un niño. Que ese niño habría desaparecido para no volver. Que nunca sentiría sus bracitos alrededor, y nunca más podría cogerlo aúpa y abrazarlo... Y cuando una lágrima, no sabía si de dolor físico o de tristeza, estuvo a punto de resbalar por sus mejillas, ¡se obligó a salir de la habitación imaginada y volver a la barandilla de madera sobre la que se asomó hasta el patio! Y de pronto respiró el olor del bosque, del aire plagado de la humedad... Y descubrió que no estaba en patio alguno, sino al aire libre, respirando el aire fresco de la noche.

Abrió los ojos para encontrarse en la más completa oscuridad.

La brisa nocturna acariciaba sus cabellos. Veridiana levantó la mirada para descubrir la vieja luna. Una luna creciente que le pareció más brillante y más hermosa que nunca.

Estaba en un bosque, era de noche y se encontraba sola. Olía a encina y a tierra húmeda, todos ellos antiguos olores conocidos, pero mil veces más profundos. Olfateó higueras y almendros cercanos, animales pequeños que dormían cerca, y algunos más grandes que se arrastraban no demasiado lejos.

Echó un vistazo y, aunque sus sentidos la colmaban con tantas sensaciones que casi la marearon, no vio más que sombras alrededor.

Se esforzó por mantener el miedo a raya. Se arrebujó en su capa de viaje. Apretó el hatillo contra sí, se acercó hacia un árbol y se apoyó en su tronco.

Y así, se dispuso a esperar el día. Rezando. Sin dejar de orar para que aquella luz difusa que le parecía vislumbrar en el horizonte fuese el bendito amanecer.

Cuando el sol terminó de perfilarse tras las suaves colinas, no supo bien hacia dónde dirigirse. Hacía frío, un frío seco que le resultaba lejanamente familiar. Los pájaros, tordos, mirlos, verderoles, rompieron el silencio para dar la bienvenida al nuevo día.

Con la luz constató que era primavera. Los campos estaban verdes, manchados del rojo de las amapolas, el violeta de la lavanda y el amarillo brillante de las florecillas que habían conseguido saltar desde los prados hasta lo más profundo del bosque.

Veridiana pensó en Toledo, en la ciudad encaramada sobre el Tajo, en el solemne perfil de la torre de la catedral... Y su olfato le pareció que le traía un efluvio a mortal humanidad procedente del Oeste. De modo que comenzó a andar hacia allí, buscando senderos y siguiendo el curso de los arroyuelos, en busca de un camino. Del camino que la llevase a Toledo.

La posada parecía haber sido abandonada hacía ya tiempo.

Veridiana recorrió los establos vacíos que olían a heno podrido. Los abrevaderos todavía conservaban agua, como si el espectro de alguna bestia fuese a llegar de un momento a otro para beberla.

El viento silbaba entre los tablones sueltos de las paredes y la puerta crujía bailando sobre sus goznes. Alguien la había forzado y Veridiana entró y deambuló por la vivienda fantasma.

No quedaba nada excepto un denso tufo a muerte y orines.

Las pesadas tablas sobre las que se montaban las mesas se amontonaban sobre las paredes. Los caballetes estaban hechos trizas. Alguien había hecho fuego en el interior de la sala.

No había nadie allá. No necesitaba acudir a sus percepciones especiales para saberlo. Aquello estaba muerto y totalmente abandonado.

Creyó reconocer el lugar. Se encontraba apenas a unas leguas de Toledo. En el camino de Sonseca.

Echó a andar hacia donde pensaba que se encontraba la ciudad intentando imaginar qué es lo que habría impulsado a los posaderos a abandonar lo que había sido su hogar y su negocio.

Dejó atrás un campo de trigo maduro que nadie había segado. Y pasaron horas hasta que se cruzó con otros caminantes en lo que ella suponía que era una ruta concurrida.

Un padre y su hijo le dirigieron una torva mirada al acercarse a ella. El muchacho cabalgaba sobre una mula esquelética. El padre la guiaba por los arreos. La bestia apenas podía con el peso del chiquillo y los fardos estaban cargados hasta los topes con objetos que unos paños sucios y raídos intentaban ocultar.

Veridiana sintió el miedo y precaución primitivos que emanaban de ellos.

Ella era una mujer sola y sin embargo ellos tenían miedo; podía olerlo como si se tratase de un lobo. Y debajo de ese miedo había algo más..., un aire a podrido y a muerte. A enfermedad.

La vaina del puñal se le clavaba en la cintura.

Exhibió una sonrisa que intentó que resultase amable.

—Dios os guarde —les saludó.

El hombre le dirigió una mirada cansada. Los ojos brillantes estaban enmarcados por unas profundas ojeras.

—¿Voy bien para llegar a Toledo, buen hombre?

El desconocido la contempló de arriba abajo y no cambió su expresión cuando le contestó:

—Éste es el camino de Toledo. Pero estáis loca si pretendéis llegar hasta la ciudad. Éste es un camino de muerte.

En aquellas extrañas palabras además del olor a miedo percibió un tono de sinceridad.

—¿Por qué lo decís? —le preguntó sin dejar de sonreír.

—¡¿Cómo que por qué?! ¿¡De dónde salís, mujer!? La muerte negra llegó a estas tierras para quedarse y alojarse en ellas. Todavía queda una oportunidad de salvarse si uno abandona las ciudades y busca refugio en el campo, allá donde la muerte negra aún no ha llegado. Pero las ciudades, ¡ah!, las ciudades son nidos de muerte y enfermedad. Ir a Toledo es ir a buscar la muerte, señora.

El hombre se persignó, siguió su camino y la dejó atrás.

Veridiana continuó unos instantes clavada en el sitio intentando digerir lo que le había contado.

La muerte negra había llegado a Toledo.

La peste.

Y nadie puede escapar de la peste negra.

Aquel hombre y su hijo fueron las primeras cuentas de un lento rosario de peregrinos con los que se cruzó. Todos huían de Toledo en busca de inútiles esperanzas. Todos guardaban un pesado silencio. Tenían los ojos brillantes y hundidos, como si los horrores que habían vivido intramuros hubiesen quedado grabados en sus retinas y ya no pudiesen abandonarlos nunca jamás.

A Veridiana le impresionó una mujer que cargaba con una nena que no debía de llegar al año. A distancia percibió el olor del pus infectado de sus heridas, de la fiebre y el sudor. Los bubones de las axilas debían de ser tan gruesos que la madre mantenía los brazos separados, intentando que apenas le rozasen contra el cuerpo para evitar el dolor. Su hija dormitaba sobre su hombro.

¡¡La peste!!

Veridiana se retiró hacia un lado del camino, y la mujer hacia el otro. Cuando se acercaron aguantó la respiración. Olía a muerte de una forma tan densa que supo con certeza que apenas aguantarían unos días.

Imaginó a la madre perdiendo las últimas fuerzas y cayendo en la linde del camino. La niña se quedaría hecha un ovillo sobre sus brazos. Lloraría. ¿La recogería alguien? ¿Lloraría hasta morir? ¿Las bestias la devorarían antes?

Se mordió los labios, fijó su vista en su camino, y continuó andando. «No es mi problema. Nada puedo hacer por ellas.»

Todos morían. Era el destino que Dios nos había reservado. Cada uno tenía una muerte esperando. Si la suya estaba en Toledo, allí marcharía a encontrarla. Pero antes rescataría a Víctor.

Cuando llegó a la puerta de la ciudad, la escena ofrecía un aspecto muy diferente al que recordaba.

A aquellas horas siempre había habido comerciantes que entraban y salían. Los carros, mulos y caballos se arremolinaban junto a la muralla en grupos bulliciosos.

Ahora sólo quedaban unos pocos que abandonaban la ciudad arrastrando los pies.

Y nadie osaba entrar en Toledo. Nadie, excepto ella.

Los guardias la contemplaron de arriba abajo, pero no le hicieron ninguna pregunta.

El Toledo que encontró era también muy diferente al que había dejado. Apenas había gente por las calles. Las oscuras *pergas* se arrastraban por los suelos para colarse por debajo de las rendijas de algunas puertas. Los *mertos* flotaban alrededor de las ventanas, esperando la mínima ocasión para entrar en los hogares en los que reinaba la enfermedad.

Subió resoplando hacia la calle Ancha.

Se encontró con casas abandonadas, con las puertas y ventanas clausuradas con tablones. Pasó por Zocodover y vio el *clavicote;* era un poste coronado por una cruz en el que se recogía dinero para todos aquellos que no podían permitirse pagar un entierro. Esta vez daba la impresión de estar totalmente abandonado. Veridiana se estremeció pensando en todos los apestados que condenarían sus almas por no haberse podido pagar una santa muerte cristiana.

De pronto le entraron ganas de llorar. Aquélla era una ciudad espectral. Sus planes le parecían ridículos y fútiles. No sabía dónde estaba Víctor. No había imaginado que todo sería tan horrible. Ella había pensado fácil y simple: encontrar a Víctor y liberarlo.

Las campanas repicaron y por un instante la sacaron de sus lóbregos pensamientos. Era un ritmo fúnebre y lánguido que anunciaba la muerte. «Escuché las campanas de San Román», recordó. «Víctor debe de estar cerca de la iglesia.»

Sus pasos la llevaron, sin pensarlo, hacia su calle. Un camino que había hecho miles de veces, rumbo a San Román. Y de pronto se encontró ante el portón de la casa de su hermano Juan. Estaba atravesado por un madero que habían clavado con unos gruesos clavos.

Todo le parecía sutilmente diferente. El color de la tablazón. La suciedad de las paredes. Los dibujos de la madera… Se quedó un buen rato delante de la puerta, sin saber qué hacer, hasta que fue consciente de que alguien la observaba. Se volvió y se encontró con una sombra asomada al más alto ventanuco de la casa de enfrente.

Veridiana tuvo que aclararse la voz para gritar:

—Buenos días nos dé Dios. Disculpe, busco a Juan, el comerciante de paños.

—Ya no queda nadie —le contestó la sombra.

—¿Se han marchado?

Hubo una pausa antes de que le llegase un susurro afilado.

—No. Todos han muerto.

Veridiana sintió como si un peso enorme le hubiese caído encima. Se le ablandaron las piernas y sólo continuó en pie porque, con un último resto de voluntad, se negó a desfallecer. Cerró los ojos e imaginó a sus sobrinos jugando a caballeros y princesas en ese patio espectral que debía de estar al otro lado de la puerta. La sonrisa de los niños, su olor, sus abrazos…, ¿se habían esfumado para siempre? Y su cuñada María y su hermano Juan, ¿nunca más oiría sus voces?

La muerte se lleva a todos. Ése es el orden natural de las cosas. Pero ella esperaba poder encontrar a alguno.

Inspiró profundamente y rezó por sus almas. Rezó porque Dios los hubiese acogido junto a Él, y tuviese a bien reservarle un lugar junto a ellos.

No supo cuánto tiempo pasó así, clavada junto a la casa abandonada. Cuando quiso darse cuenta, ya no había ninguna sombra tras el ventanuco. Y entonces sonaron otra vez las campanas de San Román.

Fueron doce campanadas brillantes y profundas que retumbaron en su corazón, y con ellas, como un eco lejano, comenzaron a tañer las demás campanas de las iglesias de Toledo, cada una con su propia canción.

Veridiana salió de su aturdimiento.

Se fijó en la casa de Isabel, la vecina en cuyo patio tantas veces había cosido, que también permanecía cerrada. Abandonada como tantas otras.

Respiró hondo. Y se encaminó hacia la iglesia.

Recordó a Dimas, que le había repetido tantas veces que no tenía más que pensar en alguien o algo que conociese bien para encontrar la Puerta adecuada. Esto no era lo mismo, pero se parecía. Así que intentó concentrarse en Víctor. Se llevó las manos al medallón que llevaba colgando del cuello, el que le había regalado aquel día en el que la besó en el bosque. Acarició la espiral grabada en la madera oscura.

Rodeó San Román pensando en el monje, en sus ojos tan claros como los de ella. En su cabello rubio oscuro. En el sabor de los labios que había probado una única vez.

«¡Víctor!», pensaba con toda la intensidad de la que era capaz. «¿Dónde estás?»

Si alguno de los transeúntes con los que se cruzó se extrañó de ver a una mujer de mirada perturbada, no lo demostró. Eran malos tiempos. ¿Quién no parecía trastornado? ¿En qué mirada no anidaba un punto de locura?

«¡Víctor he venido por ti! Soy Veridiana.»

Atravesaba la calle del Gordo cuando se quedó inmóvil. Le había parecido oír un grito. Fue tan fugaz y sutil como un parpadeo.

Se dirigió hacia el edificio del que pensaba que había

surgido el sonido y se encontró con un soldado que entraba en él. Ella se quedó mirándolo, porque tras él adivinaba un tenue hedor a sangre, sudor y excrementos. El soldado siguió su camino y ella permaneció delante de aquella puerta.

Otro guarda quedaba junto a ella. Le llegaba un fuerte olor a humanidad. Si toda la ciudad olía a muerte, allí reinaba el dolor.

Atravesó el umbral y fue a parar a un patio cerrado, frente al guardián que la miraba extrañado.

—¿Qué buscas? —le dijo sin norma de educación alguna.

Ella lo contempló, pensando en una respuesta que pudiera tener lógica.

—Busco al prisionero —explicó fingiendo una seguridad que estaba lejos de sentir.

—¿Cuál?, ¿el del conde? Nadie puede verlo.

Veridiana olió a Víctor. Estaba allí. Ahora tenía la certeza de haberlo encontrado.

Y no estaba solo. Había otros muchos con él. Allí, al fondo de aquel pasillo oscuro.

—¿Quién lo busca? —amenazó el soldado.

—¡Veridiana de Sanabria! —gritó sin darse cuenta de lo que hacía.

Observó un velón grueso que descansaba sobre una mesa y, como tantas veces había ensayado, aunque nunca se había atrevido a realizar en presencia de alguien, lo hizo volar por los aires para estrellarlo contra el guardián, que se fue al suelo.

Ella aprovechó su confusión para arrebatarle una espada que llevaba al cinto. No dejaba de gritar:

—¡Víctor! ¿Dónde estáis?

Corrió, sin pensar, hacia el pasadizo que permanecía a oscuras.

Se encontró ante unas escaleras que subían y bajaban.

—¿Víctor?

Él estaba abajo. Abajo. En las húmedas tinieblas.

Sus sentidos le avisaron de los diferentes niveles, de los pisos en los que se organizaba aquella especie de cárcel.

Arriba las condiciones eran casi humanas, pero abajo del todo... En el último sótano estaba el pudridero. Un agujero oscuro e inmundo del que no se podía salir y al que se arrojaba a los prisioneros para esperar sencillamente a que se muriesen y... pudriesen. Allí, los condenados compartían la oscuridad de sus últimos días con los huesos de los que les habían precedido.

Respiró del aire pútrido de aquel lugar infernal, buscando y pensando en Víctor.

No estaba abajo del todo. No. Afortunadamente no lo habían encerrado en el pudridero.

Se dirigió hacia las profundidades.

Era difícil descender por aquellas escaleras de caracol con la espada en la mano.

Alguien venía tras ella. Pero hizo caso omiso de su perseguidor y aceleró su marcha.

De pronto, frente a ella apareció una sombra que interpuso el filo de una espada. Pareció sorprenderse de encontrarse con una mujer y dudó un instante. Lo justo para que ella alzase su mano izquierda y lo empujase sin tan siquiera haberlo llegado a tocar.

Continuó su descenso tras el cuerpo pesado que rodaba escaleras abajo, sin saber lo que había hecho exactamente.

El sótano del piso inferior olía a humedad. Esa misma humedad grasienta que había sentido en su visión.

—¡¡¡Víctor!!! —gritó.

—¡¿Veridiana?! —fue apenas un susurro que nunca supo si escuchó con los oídos o dentro de su mente.

Saltó sobre el cuerpo del hombre que había derribado, hacia el lugar de donde pensaba que procedía la voz.

—¿Víctor?

—¡Veridiana!

Esta vez escuchó un grito real. Un grito seguro y sorprendido.

Ella se paró ante una puerta cerrada. La empujó pero no cedía...

Estaba a punto de intentar echarla abajo con la mente cuando retrocedió hasta el cuerpo del guardián. Rebuscó en su escarcela hasta dar con un par de grandes llaves insertadas en una argolla. La cogió y las probó en la cerradura. Aunque le temblaban las manos, consiguió que la segunda llave entrase.

La puerta se resistía a ser abierta. Chirrió al empujarla y el hedor que se escondía dentro la golpeó como una bofetada.

Víctor estaba allá. Tal y como lo había imaginado. Atado a un poste. Mucho más delgado, demacrado, pero vivo. Lastimosamente vivo.

—¡Veridiana! —sus ojos claros brillaron hundidos en sus cuencas.

—He venido por ti —gritó sin ser consciente de lo que decía.

Observó que estaba atado con una cuerda que le había arañado las muñecas hasta dejarlas en carne viva. Las heridas se habían infectado y asomaba un pus blanquecino entre su carne rosada.

Echó mano al puñal que llevaba a la cintura. Aquella soga no era fácil de cortar. Y ella estaba muy nerviosa. Oyó pasos tras ella.

—¡¡El prisionero del conde escapa!! —gritó alguien a sus espaldas.

«Qué conde», fue capaz de pensar antes de volverse y encontrarse con un hombre ancho y gordo como una vasija de aceite. El guardia resoplaba frente a ella. Como si le hubiese costado llegar hasta aquel agujero infecto.

—¡Vaya!, ¿qué tenemos aquí? ¿Es una antigua amante la que pretende rescatarte?

Hizo un movimiento para arremeter contra ella, pero antes de que aquella bola de sebo se le acercase, lo empujó contra la pared con toda la fuerza que fue capaz de concentrar sobre sus manos.

Se volvió para continuar cortando la cuerda que mantenía prisionero a Víctor. Casi lo había conseguido.

El monje la ayudó cuando sólo quedaban unas hebras de su ligadura. En cuanto tuvo libres las manos, agarró la espada que había traído Veridiana y que ahora permanecía en el suelo. Se encontraba débil pero sus reflejos seguían siendo los de un guerrero.

En las celdas vecinas algunos prisioneros gritaron.

Veridiana hizo un gesto señalando hacia las escaleras.

Víctor quedó paralizado junto al primer escalón. Su cuerpo maltratado que había permanecido casi inmóvil durante tanto tiempo se resistía a obedecer sus órdenes.

—No puedo...

Veridiana se fijó entonces en su delgadez extrema.

Debajo de aquel hábito los músculos casi habían desaparecido. Las muñecas en carne viva eran tan finas como las suyas propias, las de una mujer. Los dedos igual que garras. Las uñas eran largas y se encontraban tan sucias como su cabello, que era una masa costrosa y rojiza pegada a la cabeza.

—¡Víctor! —le gritó—. ¡¡No he venido hasta aquí para que te rindas ahora!!

Él no tuvo más remedio que seguirla escalones arriba.

Cuando atravesaban el oscuro pasillo que conducía al patio de la entrada, Veridiana intuyó que se acercaban más hombres.

—¡¡Corre, Víctor, corre!! ¡Tenemos que salir de aquí!

Él, jadeante, intentaba seguir su paso.

Veridiana escuchó tras ella el entrechocar del acero.

Se volvió para encontrarse con que, de pronto, Víctor se defendía como podía de dos soldados. El monje había sido un buen guerrero. Un guerrero de Dios. Pero ahora estaba agotado y herido. Ya no era el gladiador que ella había conocido. A duras penas podía sostener la espada con las dos manos. Paraba los golpes que le infringían, pero era incapaz de iniciar un solo ataque.

Veridiana levantó sus manos e intentó impulsar el aire que la rodeaba para empujar a los hombres. Cuando comenzaba a hacerlo escuchó a alguien que entraba en el patio a sus espaldas. Se volvió para encontrarse un anciano encorvado al que flanqueaban dos soldados.

—¡Don Bartolomé! —le llevó un instante reconocerlo.

Su antiguo confesor, el párroco de San Román, seguía vistiendo un hábito raído y viejo. Se había quedado calvo casi por completo. Su mirada continuaba siendo bondadosa y en ese instante relampagueaba iluminada por la sorpresa. Porque él también la había reconocido. Se encontraba frente a la misma mujer que hacía más de diez años había desaparecido de Toledo.

—¡¡Veridiana de Sanabria!! —murmuró.

Al verlo, ella se distrajo un instante. Fue lo suficiente como para que uno de los soldados la golpease con el canto de la espada.

Veridiana tuvo tiempo para comprender que había cometido un error, y mientras caía, casi inconsciente, vio cómo a Víctor lo derribaban entre sus dos atacantes.

Luego escuchó la rasposa voz de don Bartolomé que ordenaba:

—Avisad al conde de Rascón y Cornejo, que venga cuanto antes.

Que trata del ofrecimiento que Veridiana hace al conde de Rascón y Cornejo

Entre la bruma de la confusión, distinguió a un hombre que, frente a ella, se inclinaba sobre un escritorio. Repasaba algunos pergaminos a la luz de una bujía. Vestía una túnica de seda entretejida con hilos de oro y plata. Las amplias mangas terminaban en unos complicados bordados. En sus dedos refulgía un anillo de oro en el que destacaba una piedra granate. A su lado reposaba un manto de armiño.

Veridiana se revolvió y entonces reparó en que se encontraba acostada sobre un colchón de plumas. Hacía siglos que no reposaba sobre un lecho tan suave. Al incorporarse cayó al suelo una cataplasma que tenía sobre la cabeza.

El hombre levantó la vista de los papeles para fijarla en ella.

Una sonrisa conocida cuarteó su rostro.

Las antiguas formas redondeadas de su cara se habían

convertido en ángulos, y las arruguillas antes apenas esbozadas ahora eran profundos tajos que herían su piel tostada.

Sin embargo seguía siendo él.

—¡Enrique!

Se aproximó hacia ella.

Lucía una barba espesa y castaña en la que asomaban pelillos blancos. También en su cabello habían aparecido canas, como reflejos de granizo entre la tierra parda. Pero eran sus ojos azules oscuros los que más brillaban atrayendo su atención. Eran tan fríos como esa escarcha de la que parecía haberse recubierto por entero.

—Ahora sois más joven que yo —le dijo con una voz ronca y oscura mientras la observaba.

Él se enfrentaba al mismo rostro que lo había atormentado hacía tantos años. Acarició su tersa mejilla como en un sueño. A ella le vinieron a la cabeza las últimas palabras que había escuchado antes de perder el sentido. «¿El conde de Rascón y Cornejo?»

—La peste se llevó a mi hermano y a sus hijos. El título es mío ahora —contestó sin que hubiese formulado pregunta alguna en voz alta—. Pensé que no volvería a veros —inclinó brevemente la cabeza a modo de saludo y le tendió la mano para ayudarla a incorporarse.

Ese Enrique, conocido y desconocido a un mismo tiempo, seguía sonriéndole.

—¿Dónde está Víctor?

La sonrisa del conde se congeló en sus labios y sus ojos se cubrieron de acero.

—¿Tanto os inquieta la suerte de vuestro amante? No os preocupéis por él. Está a buen recaudo.

Veridiana tardó un poco en contestarle. La voz de Enrique era mucho más ronca de lo que recordaba y ahora se vestía de una dolorosa capa de ironía.

—No es mi amante.

Se había terminado de poner en pie y aún se encontraba un poco mareada.

—Vaya, ¿ya os habéis cansado de él? ¿O ha sido él el que se ha cansado de vos?

—¿A qué os referís? Víctor es un hombre de Dios. Nunca… hemos sido amantes.

—Mentís muy mal. Los dos mentís muy mal.

Una sospecha roja y negra nació de pronto en el alma de Veridiana.

—Vos ¿se lo habéis preguntado?… ¿Acaso lo habéis torturado vos?

Enrique sonrió de nuevo. Y el azul de su mirada volvió a tomar el brillo del acero.

—Yo no torturo a nadie. Son otros los que se dedican a ello.

Veridiana se horrorizó.

—Pero Enrique, ¿en qué os habéis convertido?

—Soy el conde de Rascón y Cornejo, el representante de la Inquisición romana en Castilla —y se inclinó ante ella en una parodia de reverencia—. Combato la herejía y la brujería, queridísima Veridiana. Represento a su Santidad el Papa en Castilla —clavó sus ojos en los de ella remarcando la palabra «brujería».

Un *oste* apareció entre las sombras. Dispuesto a beber del temor que empezaba a alojarse en el corazón de Veridiana.

—Víctor no ha hecho nada malo.

—Pertenece a una orden anatematizada y prohibida, de hechiceros, brujos e impíos.

—Es sólo un monje, un guerrero de Dios... Un hombre de Dios.

—No dejaréis de defenderlo, ¿verdad?

—¡No, porque es inocente! Bien lo sabéis.

—Ha confesado sus tratos con brujos y herejes.

—¿Y quién no confesaría lo que fuese si le infringen esas torturas?... —Veridiana ardía de pronto de rabia—. Además no posee poder alguno. Si alguien debería estar en esa mazmorra, sois vos. Vuestros poderes sí son verdaderos.

—O vos, Veridiana —se permitió dejar asomar su sonrisa afilada—. Vos quizás deberíais estar en esa mazmorra. Vos, para quien el tiempo no ha pasado. Qué mejor prueba de brujería que ésa... —le acarició la barbilla de nuevo y a ella le pareció que estallaban unas chispas azuladas entre ellos.

—¡No soy más bruja que vos! Por el amor de Dios, Enrique, no hay nada demoníaco en mí, y mucho menos en Víctor —le escupió con rabia.

El conde de Rascón y Cornejo exhibió una amplia sonrisa.

Aquello la enfureció aún más.

—¡Vos sois quien debiera estar prisionero! ¡Vos sois quien posee poderes! Víctor es sólo un monje que siempre ha obedecido órdenes. Órdenes procedentes de hombres justos. En cambio vos...

Él la interrumpió.

—En cambio yo, ¿qué?

—Vos sí tenéis poderes... —repitió clavando su mirada en la suya.

—Y por ello, ¿no soy el más adecuado para ocupar esta posición en el Santo Oficio?

Ella le quiso gritar que se había convertido en un hombre cruel e injusto. Que no se parecía en nada al joven a quien había considerado su amigo en el otro mundo. Que no lo reconocía... Pero no fue capaz. Las ideas se le agolpaban en la cabeza y no pudo convertirlas en palabras.

—¿No soy acaso un experto en hechizos y encantamientos?

Dirigió su mirada hacia la mesa y de pronto, suavemente, uno de los pergaminos despegó y emprendió un delicado vuelo hasta su mano. Él lo aferró con fuerza. El granate de su anillo brillaba como sangre húmeda.

—No he dejado de practicar ni un solo día, Veridiana. ¿No me habéis echado de menos? —el pergamino emprendió su vuelo de regreso hacia el escritorio—. Porque yo os he recordado cada noche, cada noche en todos estos años. No he vuelto a sentir aquello desde que abandoné el Mundo. Pero sé perfectamente lo que puedo hacer. ¿Y vos? —terminó de decirle entre dientes—. ¿Acaso sabéis de qué sois capaz?

Enrique puso sus manos ante ella y le mostró las palmas. Ella sintió de pronto una fuerza que la empujaba hacia atrás. Él continuaba sonriendo. Había creado un viento invisible que la hizo retroceder.

—¿No habéis seguido practicando sin mí, Veridiana? —reiteró—. Yo lo he hecho cada noche...

El aire se intensificó y el cabello de Veridiana se le enredó alrededor y le impidió ver con claridad. Las faldas se le arremolinaban alrededor de las piernas.

Frente a ella, ese Enrique conocido y desconocido alzaba sus manos mientras un vendaval se le venía encima.

Ella intentó protegerse con los brazos.

—¿Por qué me hacéis esto? —la voz le salió entrecortada.

Por toda respuesta él hizo un gesto y la fuerza del vendaval se duplicó.

Veridiana cayó al suelo. Sin pensarlo, alzó sus manos y, tal y como había hecho miles de veces con las motas de polvo, intentó arrastrar el aire hacia él.

Entonces se hizo visible el tentáculo de fuerza de Enrique.

A él se le escapó un grito de sorpresa y placer a un mismo tiempo.

En cuanto lo vio, ella supo cómo pararlo, e igual que habían hecho tiempo atrás, se enzarzaron en una lucha.

De pronto no hubo nada más que fintas, amagos y envites. El resto del mundo desapareció y sólo quedó una danza peligrosa entre sus respectivas fuerzas. Hacía años que Enrique no se sentía tan pleno.

—Soy más fuerte, Veridiana. Siempre lo he sido.

Hubo un nuevo envite y ella se vio en el suelo, acorralada. Su tentáculo apenas podía frenar el empuje del de él.

—Escuchadme, Víctor y yo nunca hemos sido amantes. Creedme. Os lo prometo por lo más sagrado.

Enrique se acercaba a ella con una sonrisa peligrosa pintada en el semblante.

—Hay algo que puedo proponeros —empezó a improvisar titubeante—. Liberad a Víctor y volved conmigo al Mundo. Conmigo.

—¿Y qué puede haber allí que me interese?

Veridiana bajó su mirada, y Enrique comprendió de pronto a lo que se refería.

—¿Vos? —el aire alrededor volvió a la normalidad y el combate cesó.

En un instante su zarcillo desapareció y con él también se esfumó el de ella.

—¿Vos? —continuó—. Poco es eso, ¿no?

Ella hizo caso omiso a su tono burlón.

—No soy poco —jadeó—. Lo soy todo... Soy una llave que abre la puerta a más de lo que nunca hayáis soñado.

Y de pronto Veridiana supo que podría convencerlo. Que el joven despierto y ambicioso que le había declarado su amor continuaba dentro de aquel hombre que ahora permanecía en pie delante de ella con una sonrisa de lobo dibujada en los labios. Así que inspiró aire e intentó ordenar las ideas que atropelladas se amontonaban en su imaginación.

—El Mundo lo dirige Dimas como prior y abad de la Orden. Pero, Enrique, es todo un nuevo mundo el que se está organizando. Ahora existe una forma de gobierno a imagen de la que existía en el monasterio, pero... nada es definitivo —ella lo seguía contemplando desde el suelo—. Existe un Concejo. Un Concejo que representa al clero y a la ciudad. No hay nobles, Enrique. No existe nobleza alguna en el Mundo. ¿Podéis creerlo?

El conde la escuchaba atento. Al menos había conseguido su atención.

—No hay nobleza... Nadie reina. Nadie representa a los reyes. ¡No hay reyes en ese nuevo mundo! —intentó hablar más despacio para que le alcanzasen las implicaciones de su explicación—. Yo soy la única que representa a la nobleza en el Concejo... y en el Mundo. Como señora y baronesa de Fleurilles y lugarteniente de Dimas, ocupo un puesto en él. Pero Dimas está enfermo y morirá pronto. Los demás representantes del clero son ancianos y tienen otros intereses. Y los demás, los de la ciudad, son tan..., tan fácilmente manipulables. Su apoyo lo conseguiríamos sencillamente, con las riquezas y los títulos que podríamos ofrecerles.

Enrique de Rascón y Cornejo la contemplaba mortalmente serio.

—Y si hay algo que nos sobra en el Mundo son sus riquezas. Hemos comenzado a comerciar con algunas especias, frutos, paños... Si lo explorásemos de forma más organizada, en busca de oro, de piedras preciosas, ¡de nuevas especias!...

Ella calló un solo instante. Acababa de organizar en voz alta las ideas que se le habían cruzado en ocasiones por la cabeza, pero en ese momento, en ese preciso instante, comprendió que la clave de todo eran ellos dos. Entendió la diferencia que representaban frente al resto del Concejo.

—Vos y yo juntos... podríamos conseguir lo que nos propongamos. Las gentes como nosotros han de guiar a los demás. Una vez Dimas no esté, seremos los únicos con poderes en el Concejo. Somos superiores. También lo somos por nuestra sangre y posición: la nobleza sólo rinde cuentas al rey y a Dios.

Veridiana alzó la cabeza con ese gesto altivo que a veces le salía de natural.

—Somos los dirigentes más adecuados entre ese grupo de plebeyos y hombres de Dios. Vos sois conde, con sangre de reyes aragoneses en las venas, ¿no es verdad? Yo, la señora de Fleurilles, de los Sanabria de León. Un antepasado mío estuvo emparentado con los reyes castellanos... Enrique —le soltó casi con rabia—, hay un lugar para cada hombre, y cada hombre tiene su lugar. Nuestro sitio está allí, dirigiendo el Concejo. Además, vos contáis con la experiencia y la inteligencia suficientes como para dirigir el Mundo, y yo también —levantó la barbilla orgullosa, esta vez sin darse cuenta de ello—. Enrique..., liberad a Víctor y venid conmigo al Mundo —le rogó—. Vos y yo, juntos, con nuestros poderes, podremos dirigir un mundo entero. ¡Un nuevo mundo!

Enrique sonrió con ironía.

—Juntos... ¿Me estáis proponiendo simplemente que dirija ese Concejo o me estáis proponiendo algo más?

Su mirada la acariciaba como lo había hecho en el pasado, pero ahora lo hacía de forma afilada, sin disimulos.

—Tú y yo podemos gobernar el Mundo —repitió ella tuteándolo.

—¿Juntos?

Ella asintió con un gesto.

—¿Reyes del Mundo?

Ella no había dicho eso: «reyes del Mundo». Pero pensó que sí, ¿por qué no?

—Sí, reyes del Mundo. Tú y yo juntos.

Enrique estalló en una áspera carcajada.

—¿Te estás ofreciendo a mí, Veridiana? En el pasado me rechazaste, ¡¿y ahora te me ofreces en bandeja como aderezo de todo un mundo?! —rió.

—Liberad a Víctor y yo seré la llave que os proporcione el gobierno de un nuevo mundo.

—¡Os ofrecéis pues! Y ¿entonces qué?, ¿os casaréis conmigo?... Callad, que puedo imaginarlo. ¿Acaso nos casará uno de esos monjes impíos?, ¿a una pareja de brujos? —casi se ahogó entre sus risas—. El Diablo disfrutaría del espectáculo: algún monje maldito y condenado declarando ante Dios la unión de dos auténticos brujos.

Veridiana comprendió entonces que ya había jugado todas sus bazas.

—No somos brujos, lo sabéis bien.

—Es un poco tarde para todo, Veridiana —la interrumpió—. Querida Veridiana, es tarde para ofreceros.

—¡No soy sólo yo! —insistió—. ¡Es todo el Mundo! —gritó con la desesperación de quien da ya todo por perdido.

Enrique se le acercó y le tendió la mano. Nunca sabría si pretendió ayudarla a levantarse, o acariciarla.

—Sin duda hubiese resultado tentador —estaba tan cerca que Veridiana casi pudo escuchar cómo chasqueaba su sonrisa—. Pero las cosas no me han ido nada mal, Veridiana. Digamos que he usado mis poderes para conseguir todo lo que deseaba... Ahora me muevo en el círculo de influencia del Santo Padre. Hasta Gil de Albornoz, el arzobispo de Toledo, busca mi beneplácito y mi compañía.

—¡¡Liberad a Víctor al menos!! —repitió ella—. Haced conmigo lo que queráis, pero él ¡es inocente!

Enrique soltó una fingida carcajada.

—Olvidadlo ya, Veridiana. Víctor permanece allá donde debería haber estado desde hace semanas, en la cueva de Hércules, con los condenados.

A Veridiana la asaltó un hedor a podredumbre y enfermedad. El velo pegajoso de una mortaja y su olor a muerte se alojó entre sus fosas nasales y tuvo que hacer un esfuerzo para no vomitar. La sombra de un Víctor moribundo se le clavó en la retina y comprendió que aquel horror era real, y que esas sensaciones que estaba sintiendo debían de ser las mismas que él estaba viviendo.

—¿¡Qué cueva!?

—La peste ha terminado con más de la mitad de los habitantes de Toledo; está acabando con todos. Y nos hemos visto obligados a tomar medidas.

—¿Qué medidas?, ¿de qué cueva estáis hablando? —escupió entre dientes.

—Estamos intentando mantener apartada la enfermedad. Los pobres desgraciados que contraen la peste negra están juntos. Aislados.

—¿Encerrados?, ¿en una cueva? —preguntó con horror.

—No es una sola cueva. Toledo es una ciudad construida sobre piedra caliza. El subsuelo se asienta sobre cientos de cuevas, pasadizos, aljibes, sótanos, alcantarillas romanas... Es todo un laberinto subterráneo.

Veridiana recordó de pronto las historias de Isabel, la vecina que escuchaba aquellos sonidos misteriosos procedentes de su almacén.

—¿Están encerrados en el subsuelo de la ciudad?

El conde se encogió de hombros.

—Sí, es terrible. Una verdadera lástima —la mirada del conde no parecía dolida en absoluto—. Pero cuando se decidió, se hizo por el bien de la mayoría. Y peor ha sido en otros países y ciudades donde han llegado a emparedar a los enfermos para evitar el contagio. Es el sacrificio de unos pocos por el bien de todos. Y parece que estamos consiguiendo frenar la enfermedad.

A Veridiana le vino a la cabeza la imagen de la madre apestada que huía de Toledo. Sin duda lo estaban consiguiendo: los enfermos o bien morían en el subsuelo, o huían de la ciudad por temor a ser enterrados vivos en aquellas cuevas.

—¿¡Y Víctor está encerrado con ellos!?, ¿con los apestados?

—Vuestro Víctor está donde siempre debería haber permanecido: con los condenados.

—¡Sacadlo de allí! —rogó desesperada.

—Nadie puede salir de allí. Nadie ha salido nunca de las cuevas, ni vivo… ni muerto. Olvidadlo de una vez.

Su desdén hizo surgir una ola de sangre en Veridiana. La ira la inundó con la furia de un animal salvaje enjaulado durante demasiado tiempo.

—Sacadlo u os arrepentiréis —Veridiana no gritó, su amenaza surgió apenas murmurada entre los labios.

Enrique, sin embargo, soltó una carcajada.

—Yo sólo di la orden de encerrarlo, querida Veridiana. Nadie puede sacarlo de allí.

Sin planearlo, Veridiana hizo salir su tentáculo de fuerza y lo lanzó tan rápido como si lo hubiera disparado con una ballesta hacia el conde de Rascón y Cornejo. Directo hacia su frente. El movimiento lo tomó por sorpresa y lo derribó contra el suelo.

Enrique intentó defenderse. Su zarcillo volvió a aparecer y frenó el de Veridiana.

—Soy más fuerte, Veridiana. No lo olvidéis nunca —se jactó.

Pero a ella la cegaban las lágrimas. La cegaba la rabia de pensar en un Víctor encerrado y condenado con los apestados. Una ola amarga de despecho había anegado su espíritu.

—Soy más fuerte —repitió él.

El tentáculo de Enrique rodeaba el de Veridiana como si se tratara de un nudo.

Un nudo. Una lazada que de pronto le pareció a ella que se asemejaba a los que hacía al coser.

Y Veridiana los había deshecho mil veces, cuando se enredaban las hebras con las que bordaba.

Con la mente, tiró de los mismos lugares que habría

atacado si hubiese querido deshacer aquel nudo con su aguja.

Y sorprendentemente, la atadura se desarmó.

Enrique protestó. Y volvió a lanzar su tentáculo hacia ella.

Pero Veridiana acababa de descubrir que no debía luchar contra él.

Combatiendo nunca lo vencería. Él siempre sería más fuerte.

La respuesta estaba más allá de la fuerza bruta.

Pensó en los zarcillos como si fuesen hebras. Durante toda su vida había bordado, cosido y zurcido. Desde que era una niña había manejado hilos, ovillos, ruecas... Había logrado componer las más complicadas filigranas. Sabía trenzar con maestría, sabía crear tejidos a partir de simples fibras. Podía cruzarlos y descruzarlos como quisiera.

De pronto sabía cómo liberarse, cómo frenarlo, cómo aprovechar los movimientos del otro para sus propios fines.

La fuerza era de Enrique. La destreza era suya.

Comenzó a trabajar su zarcillo como si se tratara de una labor.

Enrique no supo cómo reaccionar a los quiebros y giros que de pronto estaba sufriendo. Y sin saber bien cómo, se encontró perdido entre lo que le parecía una maraña sin sentido.

Ella sólo se atrevió a hablar cuando lo tuvo arrinconado contra una esquina.

—Sí —afirmó—, vos sois mucho más fuerte, Enrique de Rascón y Cornejo, pero yo... Yo soy una mujer ¡y sé coser!

Apoyado contra la pared, lo hizo resbalar hasta el suelo, como si se tratase de un pelele.

En la mirada sorprendida del hombre apareció un punto de terror, y quizás de admiración.

—No tenéis nada que hacer contra mí, Enrique. Rendíos.

Él respiraba pesadamente por el esfuerzo. Ella también.

Veridiana se sentía llena de fuerza. Igual que había ocurrido en el pasado cuando terminaban de practicar juntos durante aquellas noches que habían compartido cuando él era joven.

—Rendíos —reiteró.

—Nunca —murmuró él.

Ella hizo que el extremo de su tentáculo le rodease el cuello. Casi pudo sentir, como si lo estuviese envolviendo con las manos, su suave barba bellida. Apretó primero suavemente, luego con firmeza.

—Rendíos y liberad a Víctor —repitió con la misma voz con la que la baronesa de Fleurilles ordenaba a su servidumbre.

Él apenas podía hablar.

Tuvo que aflojar un poco su presa para que pudiese explicarse:

—Nadie puede sacarlo de allí. ¡Nadie!

—Yo puedo y yo lo haré.

Veridiana echó un vistazo al escritorio y al sello de su anillo.

—Habéis dicho que vos disteis la orden, ¿no es cierto? Entonces, escribid otra orden de liberación. ¡Ahora mismo! Y selladla… ¡Ahora!

Lo empujó hacia el escritorio. Enrique cayó sobre él y algunos pergaminos se dispersaron por el suelo entre un murmullo de papeles que a ella le sonó a victoria.

—Aunque la escribiese —balbuceó medio ahogado—, nadie lo sacará de allí. Nadie se atreverá a entrar en la cueva de los condenados.

—Escribid y disponed lo necesario para que pueda sacarlo de la cueva. ¡Ahora! —gritó de nuevo.

—¡¿Es que no lo entendéis?! Nadie entrará en esa cueva a por él.

—Escribid que yo lo haré. Que la mujer que porta la orden lo hará.

Enrique tomó una pluma de oca y empezó a garrapatear sobre un pergamino.

Veridiana se colocó a su espalda y leyó lo que iba escribiendo. Asentía en un silencio roto tan sólo por los arañazos del estilete sobre la superficie. Semejaba el sonido de unas uñas que resbalasen sobre la roca.

Cuando Enrique terminó, echó unos finos polvos secantes sobre la tinta fresca. Calentó el lacre e imprimió su sello.

—¿Dónde está la entrada a esa cueva de Hércules?

—Al lado de la iglesia de San Ginés. No os perderéis... El hedor de la muerte negra guiará vuestros pasos.

El conde de Rascón y Cornejo le entregó el legajo con desprecio.

Ella aferró el pergamino.

—Haced que me permitan salir de aquí. Dejadme ir... Y olvidaos de mí para siempre, Enrique —su voz surgió mucho más dulce y suave de lo que pretendió, acariciaba como la seda más fina.

—¡Olvidaros! Nunca podré olvidaros —balbuceó él.

Ella clavó sus ojos en los del conde. Sus pobladas cejas se fruncían sobre una mirada que no recordaba que fuese tan cortante. Era azul, pero también metálica, como el brillo de una espada bien templada.

Veridiana apretó el legajo que sostenía en la mano, dio media vuelta, y ni siquiera se volvió cuando la voz del conde de Rascón y Cornejo ordenó tras ella:

—¡Guardia! Acompaña a esta mujer hasta la cueva de Hércules. Y aseguraos de que le permiten la entrada… y la salida.

Donde Veridiana conoce todos los horrores que esconde la cueva de los condenados

El sonido de la puerta al cerrarse había retumbado entre las profundidades de la gruta y se había incrustado en el espíritu de Veridiana. No podía quitarse de la cabeza la impresión de que se había metido en su propia tumba. Porque aquel lugar olía a humedad y a enfermedad, pero por encima de todo hedía a muerte.

—Ahora todo corre de vuestra cuenta. Aquí dentro nada podemos hacer por vos —le había escupido con desprecio el guardia que la acompañó.

Se quedó parada, al pie de los primeros escalones apenas iluminados por su lamparilla de aceite. Contempló las escaleras que descendían hacia la más profunda oscuridad, esperando, según le habían dicho que hiciera.

Sintió la presencia de criaturas que rozaban su rostro. Se imaginó a los *mertos* flotando alrededor y los repugnantes *ostes* alimentándose de sus temores.

Afuera, el soldado hizo sonar una campanilla que vibró, a sus oídos, incongruentemente alegre. Las tinieblas engulleron el sonido y Veridiana cerró con fuerza los puños hasta clavarse las uñas. Pasaron unos momentos que se le hicieron eternos. La llama temblaba y ella no se atrevía ni a pensar en lo que haría si se extinguiese.

Por fin, escuchó un murmullo procedente de la hedionda negrura. Una sombra ominosa se acercaba. Más que verla, la sintió aproximarse.

Cuando la tuvo ante sí, descubrió que no era más que un chiquillo harapiento que no debía de alcanzar los diez años.

—¿Y la comida?, ¿no es la hora de la comida? —le espetó—. ¿Y el sebo?

—No traigo comida, yo sólo...

—¿Estás enferma? —el chaval la examinó de arriba abajo.

—No. Vengo a por alguien —contestó con toda la seguridad de la que fue capaz.

El chico se rió como una rata.

—Busco a un monje que debieron de traer ayer mismo —continuó ella como si no lo hubiese oído—. Vestía hábitos blancos. Estaba malherido.

—¿Enfermo?

—Herido, pero no enfermo. No era la peste...

—Si no estaba enfermo, ahora lo estará —el chico volvió a soltar aquella risilla indecente.

—Tengo órdenes para sacarlo de aquí.

—Sacarlo, ¿eh? —la risa se hizo aún más rasposa y sus ecos se perdieron entre las tinieblas en las que se internaron.

Al principio las escaleras eran amplias, propias de cualquiera de los sótanos de algunas de las casas que conocía. Pero después se hicieron cada vez más estrechas y empinadas.

Dejaron atrás varias salas y pequeños almacenes en los que pudo observar puertas y pasajes cegados con piedras y argamasa. Era como si hubiesen tapiado decenas de posibles caminos de un inmenso laberinto, de manera que no les quedase otra posibilidad que la de seguir el único recorrido que les estaba permitido.

El muchacho parecía no necesitar luz ni guía. Como si se supiese de memoria cada una de las bifurcaciones, peldaños y rampas. Se deslizaba entre las sombras con la agilidad de un hurón. Quizás sus ojos se habían habituado a la negrura y era capaz de ver algo en medio de la más completa oscuridad. Veridiana, con su absurda lamparilla, sólo podía intentar seguir a la sombra fugaz que la guiaba.

Después de girar una curva cerrada, el pasadizo se estrechó y se encontró con que había algún tipo de iluminación unas decenas de metros más adelante. Era una luz muy difusa, pero en la penumbra distinguió algunos candiles pequeños, colgando a largos intervalos de lo que parecía un extenso pasillo.

—¡Ya he vuelto! —gritó el chiquillo—. ¡No hay nada de comida ni de sebo!

—¡Nos matarán de hambre estos malditos! Serán capaces —una voz de hombre salió de un rincón entre las sombras.

Veridiana siguió al chico. Comenzó a atravesar aquel corredor al que se abrían pequeñas dependencias. Seguramente habían sido despensas y almacenes en el pasado. Ahora en cada uno de aquellos pequeños cuartos se amontonaban grupos de personas. Había niños pequeños, mujeres... ¡Eran familias completas las que permanecían hacinadas en aquellos exiguos espacios! Los más pequeños chapoteaban sobre las inmundicias. Las ratas debían de campar a sus anchas por aquellos laberínticos corredores.

Ella intentó no mirar a los lados ni atrás, ignorar los repelentes olores que la asaltaban y seguir a su guía; pero no podía evitar escuchar algún llanto, el revuelo de los inocentes juegos de algunos niños... Aquello era una diminuta ciudad. Un pueblo subterráneo. Un pueblo subterráneo, maldito y condenado.

Junto a uno de los huecos horadados descubrió a un cestero trenzando mimbres; apenas había luz, pero sus dedos conocían los movimientos que debían de haber hecho millones de veces. La vida continuaba. Los condenados se habrían organizado en una comunidad, y probablemente seguirían con sus rutinas diarias, adaptadas a ese infierno en la tierra.

—Si estaba enfermo, estará allí —señaló el chiquillo hacia uno de los pasillos—. Pregunta por Ángela—. Y salió corriendo dejándola sola en la penumbra.

Veridiana se dirigió hacia donde le había señalado con el estómago encogido y los murmullos de los *mertos* y las *pergas* susurrando alrededor.

El terrible olor al que su olfato todavía no se había acostumbrado era allí sutilmente distinto.

Se agachó para poder pasar a la cámara que se abría ante ella como una inmensa boca desnuda en la que sólo quedasen los restos podridos de antiguos dientes.

Allí, los enfermos se repartían por el suelo, algunos en jergones que compartían entre tres o cuatro, otros sobre la arena desnuda. Unos pocos se apoyaban sobre las paredes.

Hacía calor y humedad. Un calor humano y terrible procedente de sombras y bultos humanos irreconocibles.

—¿Víctor? —preguntó, y la voz le salió débil y temerosa.

Una sombra se abalanzó hacia ella.

—¿Estás loca? ¡Vete de aquí!

—Busco a alguien…

Veridiana pudo ver entonces que hablaba con una chica. Una chica joven que no parecía enferma. Al contrario, si no fuera por su palidez y las ojeras, resultaría hasta lozana.

—¿Ángela?

—¿Quién te envía?, ¿estás enferma? —la evaluó—. No pareces enferma.

—Busco a Víctor, un monje que debió de llegar ayer. Viste hábitos blancos.

—Está allí… —señaló la chica aún dudando de su interlocutora.

Una sombra blanca arrodillada se volvió al oírla.

—¡Veridiana! ¡Os han condenado!

—¡Víctor! —prácticamente se arrojó sobre él.

La tensión que la había sostenido se quebró. Por un instante se olvidó de todo y se perdió entre sus brazos. El olor de Víctor anuló todos los demás. Tenerlo delante, vivo, y poder abrazarlo era un milagro.

—He venido por propia voluntad —balbuceó sin darse cuenta de que Víctor la alejaba delicadamente de sí—. He venido a buscaros. ¡Salgamos de aquí!

—Nadie puede salir.

—Yo sí, tengo una orden —afirmó tajante.

—Ninguna orden os sacará de aquí —intervino Ángela, que había asistido muda a la conversación—. Las puertas sólo se abren para dejar entrar más enfermos. Con ellos nos traen los víveres y suministros. Nadie ha salido de aquí —se agachó para ponerse a la altura de ellos—. Al principio, algunos lo intentaron. Hubo una matanza. Más de un centenar de soldados exterminaron a los que intentaron escapar —susurró—. Desde entonces sólo un puñado lo ha vuelto a intentar. Pero nadie lo ha conseguido. Aquí sólo se entra. Nunca se sale.

—Tengo una orden firmada por el conde de Rascón y Cornejo —insistió.

—Ni aunque la hubiese firmado Cristo misericordioso en persona. Os han engañado. Una vez se entra, de aquí no se sale —reiteró.

—¡Ya lo veremos! —afirmó testaruda—. ¡Vámonos, Víctor! ¡Vámonos ya! —ella tiró de la manga de su hábito.

Cada instante que permanecían en aquel agujero le parecía que la acercaba un poco más a esa muerte negra que se empeñaba en rodearla con su fetidez.

—No. Esperad —él hizo un gesto extraño para señalar hacia uno de los bultos que se removían inquietos en un jergón—. A ella la conozco y vos..., vos también la conocéis.

Una joven de largos cabellos desvariaba en susurros.

Quizás fue el perfil familiar de aquel rostro lo que la hizo pararse y observar con detalle esos ojos oscuros que de pronto azuzaron su memoria para poder ponerles un nombre.

—¿Clara? —los labios le temblaron al gritarlo—. ¡¡¡¡Clarita!!!!

Veridiana se inclinó sobre la joven en la que había creído reconocer los rasgos de su sobrina.

Los ojos oscuros de la chica se posaron sobre ella.

—Tía Veridiana, dame la manita —deliró.

—Aún es pequeñita —contestó Veridiana.

Su mano se aferró automáticamente a aquella garra delgada y huesuda que hacía tantos años había dejado de ser una gordezuela manita de niña.

—Sabía que volverías... —la voz de la chica se arrastró en un lento murmullo.

Veridiana fue incapaz de contestar. En la garganta se había alojado una congoja que le impedía pronunciar cualquier palabra. Se limitó a acariciar la frente que ardía y estaba cubierta de sudor. No estaba segura de si los ojos que la contemplaban entre la bruma de la fiebre la podían ver.

—Querida Clara, mi niña, descansa, duerme... —murmuró por fin.

Le acarició los cabellos que no eran más que una maraña pegajosa.

La mirada de su sobrina se nubló.

—Tiene la nariz afilada. No vivirá mucho tiempo —expuso con frialdad Ángela—. Conozco bien a los enfermos. Cuando la muerte negra viene a por ellos para recoger su cosecha, se les afila la nariz.

A Veridiana le parecía una nariz como la de todos los que estaban allí, cartilaginosa, delgada y consumida. Hasta Víctor tenía la nariz afilada en aquellas tinieblas.

Él le susurró al oído:

—He cuidado de tu sobrina como he podido. No sabía que estaba aquí. Ayer la encontré.

—¡Tenemos que hacer algo!

—Se muere, Veridiana, como morimos todos... Dentro de poco se verá libre de las ataduras de este cuerpo, acabarán sus sufrimientos y estará con Cristo.

A ella se le escapó un sollozo. No se dio cuenta de que aún estrujaba entre sus manos la de su sobrina.

Veridiana se quedó con ellos. Aprendió a cuidar de los enfermos, a darles de beber incluso cuando no podían ni tragar. Aprendió a humedecer un paño en agua y dejarlo escurrir entre sus labios para que no se muriesen de sed. Aprendió a ignorar las moscas, los *mertos,* el hedor a podrido y a pus que desprendían los moribundos. Descubrió con pavor la debilidad de Víctor y fue ella la que se convirtió en la ayudante de Ángela, la que acarreaba agua desde el aljibe hasta la sala de los enfermos.

Ella le contó que había sobrevivido a la peste.

—No he vuelto a enfermar. Creo que la muerte negra ya no me quiere. Me probó y no le he gustado... Cuando estuve mal, hubo una mujer que me cuidó. Fue mi única esperanza en medio de una pesadilla —suspiró mientras mordisqueaba un trozo de pan mohoso—. Ella murió y en cambio yo... La muerte negra no me quiso llevar. Por eso ahora me ocupo de ellos, porque ella murió y sé lo que es vivir un infierno. Sé lo que significa que a alguien no le importen tus llagas, el pus infectado o las flemas de sangre. Sé lo que es sentirte cuidado por alguien que no tiene miedo, que te trata con el mismo cariño que una madre o una hermana. Alguien que te da de beber cuando tu cuerpo arde. Por eso estoy con ellos. Porque la muerte negra no me quiso llevar y, si Dios me ha dejado vivir, es para poder ayudar a los otros.

Veridiana se admiraba de la fortaleza de la chica. Le parecía un auténtico ángel: Ángela.

—Aquí abajo uno de cada diez puede sobrevivir —le había explicado—. La peste negra deja escapar a uno de cada diez.

A Veridiana le recorrió un escalofrío cuando se preguntó cuántos más podrían haber llegado a habitar aquellas tinieblas. Y quiénes serían los que sobrevivirían.

Abajo, en el subsuelo, las campanas de las iglesias de Toledo reverberaban como si se tratase de espectrales ilusiones. Por ellas sabían del implacable transcurso del tiempo y del paso de las horas.

Fue así como Veridiana supo que habían transcurrido tres días.

A Clara respirar se le hacía cada vez más difícil. A veces tosía sangre y parecía que iba a ahogarse en sus propios esputos. Deliraba casi constantemente y, en las pocas ocasiones que recuperó la consciencia, Veridiana no supo si era consciente de dónde se encontraba o pensaba que aún era una niña que aferraba la mano de su querida tía.

Veridiana la cuidaba al menos como si aún fuese esa niña que tanto amaba. Como si no temiese a la peste, como veía hacer a Ángela y a Víctor, que sorprendentemente se había recuperado un poco de su debilidad en aquel mundo de oscuridad y de muerte.

Una de aquellas veces en las que Clara parecía consciente, Veridiana descubrió que su sobrina rezaba casi sin fuerzas.

—Aguanta, Clarita, aguanta. Yo estoy contigo.

—Rodrigo, y padre, y madre me están aguardando. No los haré esperar mucho…

—No, Clara, no. Ellos están muertos y nosotras no. Yo he vuelto, he venido a por ti. ¡Aguanta, cariño!

—No me importa morir —dejó escapar con un gemido.

—¡A mí sí me importa que mueras! —murmuró con rabia.

No se atrevió a gritarle lo que sentía: «¡Eres lo único que me ata a este mundo, Clara! Si tú te vas, nada me queda.»

Veridiana contempló la nariz de su sobrina que parecía haberse afilado más en el último día. Suspiró y le dijo con ternura:

—Anda, cariño, dame la manita.

La muchacha no tuvo ni fuerzas para levantarla. Veridiana hubo de buscarla y aferrarla con fuerza.

—No te rindas. Aguanta…

Veridiana continuó apretando su mano aunque sabía que su sobrina ya no podría sentirlo.

Mucho tiempo después de que hubiese perdido la consciencia, Víctor la encontró sosteniendo aún la mano de su sobrina.

—Las adversidades nos hacen humildes, nos defienden de la vanagloria y nos hacen reparar en que no hay que poner las esperanzas en cosa alguna de este mundo. La muerte nos libera.

—Yo no deseo que llegue la muerte —contestó Veridiana con rabia—. Quiero salir de aquí, quiero sacarte a ti, quiero que mi sobrina sobreviva…

Víctor la contempló con lástima.

—Nuestros deseos no son más que el aleteo de una

mosca diminuta en la inmensa eternidad. La voluntad de Dios es la única verdad. Nuestros deseos nos traen infelicidad e interfieren en la paz del espíritu.

Veridiana pareció no haber escuchado.

—Clara es lo que más he amado en el mundo —murmuró por fin—. Es la hija que nunca tuve, la he visto crecer, la he tenido entre mis brazos. Ella y su hermano son lo único que me dolió abandonar cuando dejamos Toledo. Ella es...

Víctor se arrodilló a su lado y acercó un trapo húmedo a la boca de su sobrina. Ni siquiera pudo hacer el esfuerzo de chuparlo.

A Veridiana le pareció de pronto que el olor a algo dulce destacaba sobre todos los demás, y los rodeaba en un halo pegajoso. Acarició a Clara y la invadió un perfume a bizcocho y a nata. Era lo mismo que sentía cuando había peinado a su sobrina, cuando dormía con ella y con Rodrigo, cuando los pequeños se le aferraban a las piernas buscando su consuelo... Cerró los ojos y por un momento volvió a estar en el único hogar que había conocido, por un instante estuvo de nuevo en el patio de la casa de su hermano y la rodeó ese olor a niños. Y casi pudo escuchar los gritos de Clara y Rodrigo jugando a caballeros y princesas.

El dulce olor de la muerte la acarició y Veridiana comprendió que la peste negra acababa de llevarse a la última persona que la ataba a Toledo.

Una silenciosa lágrima recorrió su mejilla.

Había permanecido tres días en la cueva de los condenados. Veridiana aprendió que en el subsuelo nadie era enterrado. Los cadáveres se arrojaban a un pozo seco sobre el que después echaban arena y desperdicios.

Víctor rezó junto a ella.

—*Dies irae, dies illa. Solvet saeclum in favilla: teste David cum Sibylla. Quantus tremor est futurus. Quando iudex est venturus. Cuncta stricte discussurus!... Pie Iesu, Domine. Dona eis requiem...*

—Amén.

El sentido discurso del fraile fue la mejor despedida que hubiese podido imaginar para su sobrina. Los dos se quedaron un rato solos, juntos, contemplando la cavidad oscura en la que reposaban los restos de Clara.

Veridiana no volvió a derramar ni una sola lágrima.

—¡Vámonos! —dijo ella por fin.

—Aquí nos necesitan, somos útiles.

—El prior también os necesita, Víctor —le interrumpió—. Vuestro lugar está allí, en ese nuevo mundo que habéis ayudado a construir, junto a Dimas, que ha sido como un padre para vos y que... ahora que se siente morir os reclama a su lado.

Víctor se volvió sorprendido.

—¿Dimas se muere?

Ella asintió con un gesto.

—Está enfermo. No le queda mucho tiempo.

Víctor aspiró aquel aire fétido cargado de oscuridad y de muerte.

—Vamos entonces —y su voz estalló tan llena de energía como antes, cuando era un monje guerrero en la plenitud de sus fuerzas.

El mismo chiquillo escuálido que la había guiado en su bajada a los infiernos los acompañó por el laberinto de oscuros pasajes hacia la superficie. Víctor aún estaba débil y su respiración se aceleró después del esfuerzo causado por la ascensión.

A Veridiana el camino le pareció más corto y muy diferente al que había recorrido hacía apenas unos días. Atrás, en las profundidades, dejaba su pasado. Los únicos vínculos que la unían al mundo y a la humanidad reposaban bajo un mantillo de basuras entre las tinieblas de un pozo.

Cuando recorrió los últimos escalones le dio la sensación de que allí el aire era más fresco, más ligero y más puro. De pronto el deseo de salir de la oscuridad y de volver a respirar una atmósfera acariciada por la bendita luz del sol la invadió de un modo casi lujurioso.

La puerta se presentó ante ellos como una barrera infranqueable.

—Nadie os abrirá —advirtió el muchacho y se dio la vuelta como si fuese a echar a correr.

—¡¡Espera!! —le ordenó Veridiana—. Espera un momento...

Ella golpeó la puerta con todas sus fuerzas.

—¡¡Soy Veridiana de Sanabria, señora de Fleurilles!! Tengo una orden del conde de Rascón y Cornejo. ¡¡Dejadnos salir!! —gritó.

—Nadie os escuchará.

—No tendrán más remedio que oírme. ¡¡Abridnos!! —chilló.

El eco de su orden se perdió entre las cavernas.

Veridiana acercó su mano a la puerta. Acarició la pesada madera como si se tratase de algo frágil. Concentró su pensamiento en el otro lado y percibió un extraño silencio y un débil cosquilleo que le hizo sonreír.

Respiró del aire húmedo del interior que de repente le parecía más denso y espeso, y lo acumuló para arrojarlo contra la puerta.

—Aguarda —susurró en un tono que casi sonó como una amenaza.

Empujó con la fuerza de su mente.

La madera se combó. Un seco crujido sorprendió tanto a Víctor como al muchacho.

Veridiana continuó presionando hasta que con un chasquido espantoso la puerta se hizo mil pedazos. Las astillas saltaron en todas direcciones. Víctor se cubrió con los brazos para protegerse.

—El camino está libre —dijo mortalmente seria al muchacho—. Baja y diles a todos que la puerta está abierta y que... tampoco hay guardias.

—¿A qué esperas? ¡Ve!

El chiquillo salió como una exhalación escaleras abajo. Nunca sabrían si empujado por el miedo a lo que acababa de ver o por la importancia de la noticia que portaba.

Víctor se quedó mirándola con una expresión de pasmo absoluto.

—¿Y los soldados? —susurró inseguro.

—Cuando los demás lleguen arriba, no quedará ninguno.

La seguridad con la que lo dijo sonó tan fría como la humedad que dejaban atrás.

Veridiana dio un paso hacia delante y traspasó el umbral. El fraire la siguió.

En efecto, no había centinela alguno. La entrada se encontraba desierta.

Víctor afinó el oído y creyó escuchar el cercano clangor de las espadas.

Veridiana se dirigió sin dudar hacia la estancia de donde provenían los sonidos. El monje la siguió. En la entrada unos soldados se enfrentaban a otros. Se encontraban tan absortos en la lucha que ni repararon en ellos.

Entre los combatientes uno destacaba por su porte singular. De espaldas a ellos, un caballero con una camisa blanca de seda que cubría una finísima cota de malla mantenía a raya a un par de guardias.

En una de sus fintas, se volvió, mostró su rostro y Víctor comprobó sorprendido que se trataba de Enrique.

El conde de Rascón y Cornejo se estaba enfrentando a sus propios hombres.

Cuando reparó en la pareja, su rostro se adornó con la sonrisa irónica que parecía haberse convertido en su gesto habitual en estos últimos tiempos.

—¿Sigue en pie vuestra oferta, Veridiana? —gritó para hacerse oír entre el estruendo—. ¿Sigue en pie la oferta? —repitió mirándola a los ojos.

—¡Por supuesto! —escupió ella.

Enrique dejó escapar una carcajada que sonó algo teatral.

—Entonces corred... Poned a buen recaudo a vuestro fraile. Yo ya os alcanzaré.

Veridiana se agachó para recoger una espada que pasó a Víctor. Él apenas pudo sostenerla.

—¡¡Vamos!! —rugió ella.

La luz de la calle los cegó. Veridiana se preparó para enfrentarse a una sombra amenazadora que resultó ser simplemente un caballo nervioso atado por el brocal a una argolla.

—¿Podéis montar? —apremió a Víctor—. ¿Tendréis fuerzas para llegar hasta el camino de Sonseca? —él asintió mientras ella continuaba explicando—. Después de los huertos y los prados, cuando se abre el bosque bajo, hay una posada abandonada.

—Sé a qué lugar os referís.

—¿Nos esperaréis allí, Víctor?

El monje afirmó con un gesto y le dijo:

—Venid ahora conmigo.

—No, tengo una cuenta pendiente aquí… —la mirada de Veridiana volvió hacia el interior de la cárcel—. Marchad vos, antes de que lleguen más soldados.

Víctor pareció dudar un momento. Así que Veridiana golpeó al caballo en sus cuartos traseros animándolo a iniciar la marcha.

—¡Esperadnos en la posada! —gritó.

La figura del fraile se perdió en la lejanía junto con la tentación de haberse marchado con él.

Veridiana respiró profundamente del limpio aire de la calle y volvió a entrar en el edificio.

Enrique de Rascón y Cornejo se movía con la rapidez de un diablo para evitar los golpes de los guardias. Parecía más un bailarín que un adversario y esa forma de luchar despistaba a sus atacantes.

A Veridiana le bastó unos instantes para comprender que había al menos dos hombres de su parte, otros cuatro combatían contra él.

Cerró los ojos y convocó la fuerza que residía en su interior. Colocó las manos ante sí y conjuró un vendaval para arrojarlo contra uno de aquellos hombres.

El soldado que había escogido se fue a estrellar contra la pared.

—¡¡Nooo!! ¡Así no! —gritó Enrique, que clavó su mirada enfurecida en ella.

Veridiana volvió a arremeter contra los otros tres, que de pronto se convirtieron en simples títeres maltratados por un tornado.

Se hizo el silencio.

Enrique mostraba un semblante mortalmente serio. Los dos guardias que lo acompañaban la contemplaban boquiabiertos.

El conde se volvió hacia ellos. Cerró los ojos, alzó las manos y convocó una cortina de aire que los empujó por los aires.

Veridiana dejó de oír los gritos cuando sus huesos se aplastaron contra el suelo.

El silencio era más pesado que la propia atmósfera que los rodeaba. Fue ella quien lo rompió.

—¡Enrique! Ésos eran de los vuestros, ¿o no?

—¡Así no! No puede haber testigos...

Y como ella no parecía entender, tuvo que explicarle:

—Brujería, Veridiana. Nunca hay que dejar testigos. Soy el Gran Inquisidor del reino. ¡No puede haber testigos! —repitió con rabia contenida.

Ella calló sorprendida ante el furioso brillo de su mirada.

Enrique parpadeó y pareció volver a convertirse en el joven que ella creía haber conocido.

—Sabía que saldríais —explicó él—. Fue como un pálpito. Y nunca, nunca os hubiesen permitido abandonar la cueva, os lo aseguro.

Enrique se dirigió hacia la puerta y de golpe le enseñó los dientes en una sonrisa que a ella le recordó la de un lobo.

—He meditado mejor vuestra oferta, querida Veridiana. Y he cambiado de opinión.

Ella no supo si alegrarse o echarse a llorar.

El conde dirigió su mirada hacia el corredor que acababan de dejar atrás. Veridiana fue consciente entonces del sordo rumor que provenía de la cueva de Hércules.

—¡Los apestados! —exclamó Enrique.

Ella en cambio ya estaba atendiendo a los ruidos que provenían del otro lado, de la calle.

—¡Vamos! —urgió a Enrique.

Los dos se dirigieron hacia la salida. En el umbral se encontraron con decenas de hombres armados que los contemplaban horrorizados. Veridiana tardó unos segundos en comprender que no se asustaban de ellos, sino de lo que se acercaba a sus espaldas: una multitud de apestados malolientes y andrajosos.

Se volvió hacia Enrique.

—Y ahora ¿qué?... ¿Podemos dejar testigos?

Él se encogió de hombros y por toda respuesta dejó asomar una vez más su sonrisa irónica. Levantó los brazos y conjuró de nuevo las energías que hasta esos momentos sólo se había atrevido a convocar a solas. El aire alrededor adquirió una nueva cualidad. Se hizo tan espeso y pesado como el sebo o el aceite. Y como si formase parte de su propio cuerpo lo dirigió hacia los soldados.

Cuando Veridiana alzó sus manos, se hicieron visibles sendos tentáculos de fuerza que se dirigieron, rápidos como flechas, contra los guardias. Regresó a ellos la misma sensación de plenitud que habían conocido cuando se entrenaban juntos en el bosque, en las noches que habían compartido en el Mundo.

Y la calle pareció desaparecer en un instante sin tiempo, porque en aquel momento sintieron que no existía nada más que ellos dos luchando contra un enemigo común.

Veridiana saboreó la atmósfera que de pronto olía como el bosque nocturno del nuevo mundo. Cada movimiento conjunto y cada arremetida le hacía disfrutar como si se tratara de algo obsceno. Como si formase parte de una perfecta coreografía, cuando cualquiera de los guardias volaba por los aires, ella se llenaba los pulmones de ese aire espeso que la colmaba por entero.

Algunos soldados emprendieron la huida atemorizados. Unos pocos se pegaron a la pared en busca de un mínimo refugio.

Enrique se volvió hacia Veridiana. Su sonrisa había cambiado y ahora reflejaba el éxtasis más puro.

—Creo que mi carrera como inquisidor ha terminado.

Decirlo le llevó sólo un instante. El mismo que aprovechó un hombretón bien entrenado para atacarlo.

Veridiana más que ver, adivinó cómo una espada penetraba en su costado y la sangre bermeja teñía de muerte su cota de malla. Los zarcillos de fuerza se desvanecieron y aquella sensación de plenitud se disolvió en la nada.

—¡¡¡Nooo!!!

El aire se volvió más ligero.

Veridiana arremetió contra el soldado que amenazaba con rematar a Enrique y lo lanzó por los aires. Después dio unos pasos hacia el conde. No llegó a tocarlo y sin embargo fue capaz de percibir cómo su corazón cambiaba de ritmo. Sentía la sangre escapar silbando por el costado. Era como si pudiese ver la vida que abandonaba su cuerpo.

A Veridiana le temblaron las piernas de debilidad. Estuvo a punto de desplomarse sobre el suelo. Tardó un instante en darse cuenta de que lo que estaba sintiendo era lo que vivía Enrique, y no ella. Por un segundo había sido como si formasen parte de un solo cuerpo. Supo que se derrumbaría sin remedio, y se abalanzó hacia él para sostenerlo.

Enrique se desmayó entre sus brazos y ella lo acogió y abrazó como aquellas imágenes en las que la Santa Madre de Dios sostenía a su Hijo en la cruz.

Más de una decena de hombres armados los rodeaban. Otros tantos se preparaban para cargar contra los apestados que se estaban concentrando en el umbral.

Tal y como el fuego consume las hojas secas, la desesperación prendió en el espíritu de Veridiana. Tenía que poner fin a aquello. No podía dejar que aquellos hombres se les acercasen más. Tenía que combatir contra ellos. Pero también había que ocuparse de la herida ¡ya! Había que taponarla para evitar que la vida de Enrique continuase escapándosele por el costado.

Cerró los ojos y sintió el calor espeso y húmedo de la sangre que le acariciaba los brazos y se derramaba sobre sus rodillas.

«Un lugar seguro. Necesito un lugar seguro, Dios mío. Un lugar seguro.»

Cientos de sensaciones la llenaron a un mismo tiempo... Era la casa de su infancia en León y la vieja cocina en invierno. Era el aroma de la cecina y del fuego. Eran los brazos de su madre y una impresión a la que no podía poner palabras pero que entendía como calor y seguridad en un abrazo cargado de amor. Y era también el patio de Toledo en el que jugaban Rodrigo y Clara, y sus gritos alegres resonando con cien ecos en la tarde de un caluroso verano. Era el patio de Isabel y sus propias risas uniéndose a las de su vecina y su cuñada. Olía a cirio y a aceite; era la solitaria iglesia de San Román a últimas horas de la tarde sumergiéndose en la penumbra. Y eran las primeras misas en San Saturnino cuando llegó a Francia...

Veridiana recordó lo que tantas veces le habían contado: que antes de morir uno ve desfilar toda su vida en tan solo unos instantes.

Y el temor más absoluto se apoderó de su espíritu.

«No quiero morir.»

El suelo de Toledo, cuna de saberes prohibidos y olvidados, bebió la sangre de Enrique de Rascón y Cornejo.

—No voy a morir. No quiero morir ahora —Veridiana tensó la mandíbula hasta hacerse daño—. Ahora no.

La arena se tiñó de rojo oscuro. La ciudad que en tiempos de los antiguos se había erigido sobre un lugar de poder recibió sedienta el sacrificio de la sangre. Y Veridiana sintió las fuerzas arcaicas que habían permanecido hibernando durante siglos y las tomó con el ansia de la desesperación. Algo dentro de ella se tensó, despertó y rugió con la fuerza de mil leones.

Fue una y muchos. Y cada una de las vidas que la rodearon estuvo dentro de ella. Sus recuerdos, amores, odios, sus viejas heridas hirvieron en su interior en una confusión embriagadora. Se perdió en ellos hasta dar con el olor nocturno de su bosque del nuevo mundo. Y en ese olor comprendió que había encontrado a Enrique, y junto a él, su dolor en el costado.

La vida, los recuerdos, los olores, sensaciones y deseos se le escapaban en un flujo escarlata.

La fuerza de su deseo buscó los tejidos rotos que se abrían ante ella como fragmentos de una cortina que se dejaba llevar por una corriente de aire. Los tomó con infinito cuidado y buscó las terminaciones que unió como en un primoroso zurcido.

La conciencia de Enrique brilló en la de ella, como si hubiese regresado desde un limbo adormecido.

Y Veridiana aulló su victoria y abrió los ojos y bebió ávida de la brisa que se levantó en todas las direcciones a la vez.

Aferró el cuerpo de Enrique entre los brazos y lo sujetó con unas manos poderosas. El aire a su alrededor los acogió como si se tratara de un amante insaciable. Y ella lo proyectó hacia los hombres que la rodeaban sabiendo que, en cuanto alcanzase sus cuerpos, acabaría con todo atisbo de vida en ellos.

La puerta se balanceaba como si estuviese borracha y batía insistentemente contra el dintel. Se había desatado una tormenta y la lluvia caía en forma de finas y constantes cortinas de agua. El viento soplaba con fuerza y el sonido de las gotas golpeando y resbalando a través del tejado no contribuía precisamente a apaciguar el espíritu de Víctor.

Se había refugiado en el piso superior de la posada. De vez en cuando se asomaba por la ventana, vigilando el camino de Sonseca.

Llevaba horas esperándola y la esperanza y la paciencia iniciales habían desaparecido. Ahora las dudas corroían su alma y ni tan siquiera la oración era capaz de sosegarlo. No podía dejar de preguntarse si Veridiana volvería pronto, si se encontraría bien, si aparecerían soldados en cualquier momento. E intentaba no pensar en qué pasaría si ella no regresase.

Cada vez que sonaba un trueno o batían las destartaladas puertas y contraventanas le daba un vuelco el corazón.

La humedad se colaba por todos los rincones pero no se atrevía a encender un fuego. Temía que alguien divisase el humo, y no sabía si lo estarían buscando.

Las horas transcurrían espesas como la melaza, y cuando empezó a oscurecer y continuaba sin tener noticias de Veridiana, se asomó por centésima vez a la ventana e intentó distinguir alguna cosa entre el denso velo de lluvia.

Entonces le pareció que un bulto informe se acercaba por el camino. La sombra fue afinando sus contornos y Víctor descubrió dos figuras que cabalgaban sobre un asno. Cuando reconoció la silueta de la mujer, bajó las escaleras de dos en dos para recibirla.

—¡¡Veridiana!!

Ella descabalgó y él observó que se encontraba absolutamente empapada. Su cabello rubio parecía casi castaño, se le había soltado de la cofia y se le pegaba a la cara y al cuerpo. Estaba pálida como un espectro y parecía que iba a derrumbarse de un momento a otro.

Le ofreció su brazo y ella prácticamente se dejó caer sobre él.

—¡¿Estáis herida?!

Ella negó.

—Sólo agotada… —la voz era apenas un susurro—. Víctor, ayúdame a levantarlo. Tenemos que hacer fuego.

—El humo puede atraer…

—Hemos de hacer fuego —su tono de voz no admitía discusión—. ¿Conservas el caballo?

—Está allá —el monje hizo un gesto hacia los establos.

—He robado este burro, pero no nos buscarán. Con este tiempo nadie estará tan loco como para hacerlo.

Víctor la ayudó a cargar con el hombre que portaba la bestia. También estaba empapado. Cuando lo alzó y el ropaje oscuro que lo cubría se movió para dejar descubierto su rostro, Víctor constató que se trataba de Enrique.

—¿Está muerto?

—Casi. Pero sobrevivirá.

—¿Para qué lo habéis traído?

—Se viene con nosotros al Mundo —Veridiana levantó sus límpidos ojos hacia el monje—. ¿Acaso le guardáis rencor por lo que os hizo?

Víctor guardó silencio y se limitó a cargar con el herido.

Entre los dos lo llevaron junto a la chimenea. Víctor se afanó en intentar encender un fuego. Mientras buscaba tablones adecuados y amontonaba escobajos secos, Veridiana despojó a Enrique de la camisa.

—Ayúdame.

Ella sola era incapaz de quitar la cota de malla al peso muerto en el que se había convertido el conde. Al recogerla, Víctor comprobó que estaba rota y manchada de sangre a la altura del costado.

—Está herido —señaló Víctor.

—Ya no.

Cuando apareció ante él la pálida piel de Enrique, distinguió cerca de la cintura una gran cicatriz rojiza. Parecía una enorme tela de araña rodeada de púrpura.

Veridiana apoyó su mano justo encima y cerró los ojos.

—Se está curando por dentro.

—¿Puedes verlo? —murmuró Víctor.

—No veo nada. Puedo sentirlo... De la misma manera que siento que ahora llevamos la muerte negra con nosotros.

Víctor retrocedió un paso. La miró fijamente.

—Entonces no podemos volver al Mundo. No podemos llevarles la enfermedad.

Veridiana le mostró una sonrisa triste.

—Volveremos.

—Pero...

—Acércate, Víctor, ven aquí...

Él no la obedeció; se quedó quieto y fue ella la que se aproximó hasta el monje. Le aferró de la muñeca y le clavó su mirada.

Él sintió un cosquilleo extraño que le recorrió desde la mano hasta los pies. Y de pronto le asaltaron las ganas de vomitar. Cuando estaba a punto de hacerlo, Veridiana lo soltó. Como si el simple contacto con su piel la quemase. Bajó la mirada y se dejó caer en el suelo con cansancio.

—Por favor, Víctor, enciende la lumbre. Necesito un poco de calor.

Cuando llegó la noche continuaba lloviendo.

En la sala las llamas eran la única luz. De las vigas del techo colgaban colas de zorro y de jabalí que seguramente los dueños de la posada habían guardado como trofeos de caza. Ahora sus sombras deformadas se balanceaban sobre las paredes y conferían a la estancia un aspecto amenazador.

Enrique reposaba aún inconsciente en el suelo. Su respiración era algo acelerada pero rítmica.

A Veridiana ya se le habían secado sus ropas, y el cabello rubio y suelto le caía como una cascada de trigo maduro por la espalda. Víctor siempre la había visto con el pelo recogido. La visión de esa nueva Veridiana le resultaba provocadora e inquietante.

—Mañana tenemos que salir temprano —dijo ella—. No podemos arriesgarnos a que nos encuentren. Y en cuanto deje de llover, probablemente lo harán.

—No vamos a volver al Mundo, Veridiana. Dijiste que podemos llevarles la peste.

Ella suspiró.

—No te preocupes, Víctor. Ya estás limpio. Ahora no hay rastro de la enfermedad en ti —explicó con un hilo de voz.

—¿¡Cómo puedes saberlo!?, ¿cómo puedes estar segura?

—Lo sé. Veo..., siento dentro de ti. He sentido algo que no marchaba como debería al encontrarte. Había algo oscuro escondido dentro de tu cuerpo. Pero se podía limpiar. Si me esfuerzo, puedo acabar con ello. Y eso he hecho... Ya he acabado —lo miró de reojo—. Ya estás limpio.

Veridiana contempló a Enrique dormitar.

—También percibí cómo se le escapaba la vida por la herida del costado. El tajo era profundo. He visto, he sentido como si esa carne..., como si esa carne no fuese más que un tejido para zurcir. Y he estado cosiendo todo este tiempo. He unido tejido con tejido y ya no sé cómo hacerlo mejor. He limpiado la herida sin tocarla... —continuó evitando su mirada—. La muerte negra también estaba dentro de mí... Pero ya no. Ya sólo me queda este cansancio infinito.

Por fin Veridiana se atrevió a levantar la vista.

A Víctor nunca le había parecido tan desvalida. Su melena rubia la rodeaba como una aureola.

—Ahora mismo veo, oigo y siento tu corazón. Si me concentro, oigo el rumor de la vida circulando en tu interior... Y... tengo miedo, Víctor. Todo esto ahora me da miedo...

El monje se acercó hasta ella y se sentó en el suelo a su lado.

—Cuando llegamos al Mundo pensamos que todos obtendríamos esos... poderes. Pero no fue así. Sólo algunos, los elegidos de Dios, adquieren esas facultades. A unos les afecta de una manera, a otros de forma distinta. No sabemos por qué, pero no has de tener miedo. Yo estoy contigo, Veridiana. Siempre permaneceré a tu lado...

Le tomó de la mano. La mantuvo en la suya unos instantes y después se la llevó a los labios.

Fue un beso sin una pizca de pasión.

Era el mismo gesto que Veridiana había visto tantas veces hacer a caballeros y señores cuando se ofrecían a Guy. Era el beso del vasallaje.

—Mi señora, deseo ser vuestro vasallo —le dijo en un murmullo.

Víctor, el caballero de la Orden de Santa Ceclina, le estaba ofreciendo su espada, su vida... Se le estaba ofreciendo por entero. El monje guerrero heredero de Dimas se ponía a su servicio.

Y aunque Veridiana se sentía tan cansada como si se fuese a derrumbar en cualquier momento, enderezó la espalda, se levantó, y tal y como había visto hacer a Guy tantas veces, en una ceremonia tan parecida y tan distinta, pronunció las palabras sagradas:

—Yo os recibo y os tomo como vasallo —y así, sencillamente, lo aceptó y se hizo con su vida y con su fidelidad.

De la despedida de Dimas, la última proposición de Veridiana y la decisión de Víctor para con Enrique

La celda de Dimas era como todas las demás, una pequeña habitación encalada de blanco con un ventanuco pequeño por el que entraba la difusa luz del sol. Un saliente de la pared, de adobe también encalado, constituía la base que soportaba un jergón de paja.

El prior estaba incorporado sobre el camastro. Su espalda se apoyaba en la pared sobre un hábito enrollado que amortiguaba su dureza.

Estaba extremadamente delgado, y en su rostro destacaba la mirada aguda que siempre lo había caracterizado, sólo que ahora estaba enmarcada por unas profundas ojeras.

Víctor estaba a su lado sentado en un taburete. En las últimas semanas había terminado de recuperarse y sus músculos llenaban de nuevo las vestiduras que cuando regresó de Toledo le quedaban anchas y casi ridículas.

—Hace tiempo que observé que no portáis el medallón de la Orden... —la voz de Dimas era débil, pero su mente estaba tan lúcida como siempre.

—Se lo entregué a...

—Lo sé —lo interrumpió—. La he visto llevarlo.

El prior tiró con dificultad de la sencilla cuerda que llevaba al cuello y se lo quitó.

—Tomad el mío. Allá donde voy, ya no lo necesitaré —tomó la mano de Víctor y se lo dio.

No retiró su mano de la suya ni del medallón.

—Víctor, por favor, continuad la labor de los hombres que os precedieron.

El monje bajó la cabeza asintiendo.

—Habéis sido como un padre para mí.

—Y vos como el hijo que nunca tuve —Dimas se interrumpió de pronto. Se le escapó una expresión de dolor—. Estoy dispuesto para morir. Siento mi corazón aliviado. Pero estos padecimientos se prolongan en el tiempo y... —volvió a detenerse de nuevo para continuar hablando con dificultad—. Dios me llama a su lado y es hora de que me reúna con Él. Mi vida ha sido larga, mucho más larga de lo que nunca hubiera pensado. He visto tanto... Nunca pensé que viviría tantas cosas. Nunca elegí vivirlas.

Dimas guardó unos instantes de silencio y buscó la mirada clara de Víctor.

—Y ha sido una vida plena. He dedicado toda mi vida a la Orden. Los últimos años a reconstruir Santa Ceclina en este extraño mundo, y mantener el espíritu del primer monasterio que tuvimos que abandonar —suspiró—. No viviré lo suficiente como para ver el templo que guarde las reliquias de nuestra santa. Pero he presenciado cómo levantábamos su estructura. He visto nacer cada arco, cada ventana. Cada noche me he acostado con la satisfacción de haber visto avanzar la obra. Cada mañana había un nuevo sillar labrado, una nueva piedra colocada. He encontrado y conseguido traer a los maestros que sabrán terminarlo. Todo ello para mayor Gloria de Dios... *Ut indulgere digneris omnia peccata mea* —sonrió para sus adentros—. Estamos levantando un hermoso templo en Su Nombre. Un templo que presidirá este nuevo mundo. Me siento honrado por haber sido elegido por Él para poner sus primeras piedras, y sólo lamento no terminar de ver lo que empezamos.

—Yo lo terminaré por vos, Dimas.

El prior sonrió de nuevo.

—Estoy seguro de ello. Llega mi turno y estoy preparado. Cuidad del espíritu de Santa Ceclina, cuidad de los nuestros, cuidad del Mundo... ¡Prometédmelo, Víctor!

—Os lo prometo. Tenéis mi palabra de caballero.

—*Et disoluta terrestris huius incolatus domo, aeterna in caelis habitatio comparatur*... —Dimas cerró los ojos con cansancio.

Víctor permaneció sentado a su lado. Contempló el medallón en su mano. Acarició con delicadeza sus relieves, y siguió con el dedo el surco de la espiral que lo adornaba. Se lo colocó al cuello y al sentir de nuevo su peso sobre el pecho se sintió feliz. Como si volviese a contar con algo que hubiese echado de menos durante mucho tiempo.

Encontró a Veridiana en las estancias de Poniente. Para llegar a ella había pasado por delante de una fila de más de una decena de solicitantes. Cada día eran más los habitantes del Mundo que pedían permisos y ayudas para los temas más diversos: abrir una taberna, colocar una urna, comerciar con pieles... Todo ello pasaba por las manos del Concejo. Todo ello pasaba por las de Veridiana.

Cuando entró en la sala, ella estaba examinando unos legajos. A su lado permanecían Gil de Beltrán, el contador, y Pablo de Zamora, el escribiente. Lorenzo López estaba hablando de formar a grupos de exploradores cuando se interrumpió al descubrir a Víctor.

Veridiana despidió con un gesto a los tres hombres.

Sólo cuando la pesada puerta se cerró tras ellos, preguntó al fraile:

—¿Cómo está Dimas?

—Se muere. Continúa muriéndose.

Víctor se dejó caer sobre el escabel que había frente a la mesa. Sólo delante de Veridiana se atrevía a mostrar el cansancio y la tristeza que sentía. A todos los demás mostraba la máscara de una fortaleza que estaba lejos de latir en él.

—Su muerte se prolonga y él sufre. Mi alma se duele cuando lo ve sufrir así.

Víctor buscó los ojos azules de Veridiana.

—¿Seguro que no puedes sanarlo?

Ella se levantó.

—La muerte es la muerte. Algunas enfermedades, algunas heridas son..., se pueden curar. Pero nada puedo hacer frente a la muerte y la vejez. La voluntad de Dios es que los hombres mueran, por mucho que pueda hacer curando algunas enfermedades cuando sólo están empezando a manifestarse. No puedo sanarlo, Víctor.

—Dimas sufre —repitió compungido.

Veridiana se acercó hacia él. Hasta que estuvo tan

cerca que pudo sentir el olor del enfermo que acababa de visitar.

—¿Quieres que haga algo por él? ¿Que deje de sufrir? —preguntó dudosa.

Víctor la contempló con sus límpidos ojos azules.

No hizo falta que contestase.

Las campanas tocaron a difunto. El eco de las doce campanadas se extendió por el valle.

Por primera vez, ese toque tan largo, tan oscuro, el que anunciaba la muerte de un religioso de categoría, se repitió por tres veces en el Mundo.

Así todos supieron de la muerte de Dimas.

El cuerpo permaneció en la iglesia durante todo un día, y cuando llegó la oscuridad, lo velaron los hermanos más próximos al prior.

Víctor oró durante toda la noche, sin acabar de creerse que decía su adiós definitivo a Dimas. Su figura lo había acompañado durante su vida entera y, aunque estaba convencido de que ahora estaría junto a Dios, sabía que su ausencia le pesaría como una losa invisible todos y cada uno de los días que le quedasen.

El penetrante dulzor de la muerte se mezclaba con el olor de los cirios y del incienso, y cuando las primeras luces del alba arañaron las ventanas, Víctor se acercó hasta el cuerpo y contempló con detalle esos rasgos carentes de vida que ya sólo eran el reflejo del hombre que ahora despedía para siempre.

Le dio la espalda y recorrió la nave despacio. Cuando salió afuera respiró hondo del aire puro de la mañana.

Se dirigió al camino para regresar a su celda y descansar unas pocas horas antes de que se celebrase el entierro.

Mientras atravesaba las tierras y huertos cuidados y florecientes recordó a un Dimas más joven, tal y como lo había conocido en el primitivo monasterio de Santa Cecilina. Iba pensando en los amables rasgos del prior; sus ojos azules, llenos de vida y muda inteligencia, sus labios finos que sabían sonreír y oscurecerse en las circunstancias debidas, las cejas gruesas... No quería que con el tiempo su semblante se desdibujase de su memoria, tal como le había ocurrido con otras personas queridas que habían ido a reunirse con Dios. Pensaba que el tiempo era despiadado para con la memoria de las gentes. Y Víctor no quería olvidarlo.

Caminaba tan concentrado en sus pensamientos que no se fijó en la silueta que acechaba confundida con las sombras a la entrada del monasterio.

—Víctor —una voz lo llamó quedamente.

El fraile se sobresaltó.

Veridiana surgió de la negrura para enfrentarse con él. Vestía una capa larga y ancha y cubría su rostro con una amplia capucha.

—Buenos días, Veridiana.

—Tenemos que hablar.

El monje miró alrededor. No se veía a nadie. El Mundo aún no había despertado.

—Mañana se reunirá el Concejo —continuó ella—. Y os nombraremos sustituto de Dimas.

Veridiana no le descubría nada nuevo. Víctor esperó paciente a que ella desligase el hilo de la conversación para saber adónde quería ir a parar.

Veridiana se bajó la capucha. Sus ojos brillaban y eran tan azules como un cielo de primavera.

—A partir de entonces serás el nuevo abad, el prior de la Orden —ella suspiró—. ¿Recuerdas lo que te dije aquel día en el bosque?

Él bajó la vista hasta el suelo.

—Nunca lo olvidaré —le contestó sin mirarla—. ¿Cómo iba a olvidarlo?

—Quiero que sepas que nada ha cambiado desde entonces...

«Todo ha cambiado», pensó Víctor, pero continuó en silencio.

—Mis sentimientos por ti son los mismos —explicó ella.

—Lo que sientes, Veridiana, no es amor —dijo él por fin atreviéndose a levantar la mirada—. Es... otra cosa que confundes con el amor.

—Escúchame bien —lo interrumpió—, porque nunca más volveré a decírtelo. Es nuestra última oportunidad. Ya no habrá más, Víctor. A partir de mañana tú serás el nuevo prior. Aunque no tengas poderes, todos te apoyarán. Y entonces...

Ella hizo una pausa e intentó hablar más despacio. Las ideas se le estaban amontonando en la cabeza. Temía no expresar con claridad todo lo que llevaba dentro.

—Este mundo necesita dirigentes fuertes y sabios. ¡Más allá de un Concejo! Víctor, sólo los animales no tienen reyes.

—¿Reyes? —aquella salida lo sorprendió de veras.

—Aquí, en este nuevo mundo, tenemos a Dios. Tenemos la Orden, que representa la religión, lo más sagrado. Los monjes de Santa Ceclina velan por las almas de los hombres. Es bien cierto que el poder del Papa no llega hasta aquí, pero todos convenimos en que la Orden es la más adecuada para ocuparse de las almas del Mundo —Veridiana hizo una pausa y continuó mirándolo fijamente—. Pero ¿y el rey? ¿Y el poder político? ¿Acaso está representado en ese patético Concejo? Los hombres necesitan quienes los dirijan, Víctor. El Concejo representa el poder del clero y el de la ciudad. Pero ¿y la nobleza? Las gentes de más alta categoría no se hallan representadas en el Concejo. Falta la nobleza de este mundo. ¿Y quiénes serían sus representantes más adecuados, Víctor?

Sólo entonces comprendió el fraile adónde quería ir a parar Veridiana.

—Yo soy la baronesa de Fleurilles, hija del señor de Sanabria, y... —adivinó enseguida lo que seguiría— Enrique, el conde de Rascón y Cornejo. Los únicos nobles en este mundo. De la más alta cuna. Mi familia entronca con el primero de los reyes de Castilla y León. La madre de Enrique proviene de una rama de los reyes de Aragón. Los dos llevamos sangre de reyes en nuestras venas.

—Y ambos sois elegidos de Dios. Vuestros poderes...

—Sí, nuestros poderes... —repitió ella con dejadez—. Nuestros poderes nos hacen aún más superiores a los demás.

—Sois los más adecuados para dirigir el Mundo. Os apoyaré, no te preocupes, Veridiana. Te juré mi apoyo, y siempre lo tendrás.

Ella dio un paso al frente y Víctor no supo si en su rostro se reflejaba una forma de enfado o de tristeza.

—¡No lo entiendes! No quiero tu apoyo. Te quiero a ti... Te estoy ofreciendo un reino, un mundo entero. Yo ya cuento con el apoyo del Concejo. Yo lo tengo. Y tú, tú lo tienes, Víctor. En cambio Enrique no goza de sus simpatías... ¿Y qué no podríamos hacer tú y yo juntos? Yo aportaré la fortaleza y tú la sabiduría. Abandonad la Orden y...

Víctor dejó vagar la mirada por el bosque. La luz del alba se filtraba entre los árboles y la brisa pura y fresca de la mañana inundaba el valle.

Veridiana permanecía frente a él, hermosa como siempre. Sus ojos eran más claros que ese cielo al amanecer. Se parecían a los de Dimas. Aquellos ojos que no quería olvidar.

—El reino que yo persigo no es de este mundo, Veridiana. Ni tan siquiera del otro mundo —Víctor se permitió una sonrisa—. ¿No comprendes que a mí no me interesa el poder? Dimas me ha entregado algo que no me interesa en lo más mínimo. El poder terrenal en este nuevo mundo, o en el otro, el viejo mundo, no son más que espejismos. La vida eterna, junto a Cristo Nuestro Señor, es lo único que ansío.

Veridiana apretó los labios con fuerza. Conocía a Víctor. Ya sabía cuál iba a ser su respuesta, pero tenía que intentarlo. Si no lo hubiera hecho, se lo hubiese reprochado durante el resto de su vida.

La partida ya estaba echada, pero aun así, quedaba una carta por jugar.

—Sé que me amas, Víctor. Lo sé. No me lo niegues porque lo huelo tan claramente como el olor a la leña que ha ardido esta noche.

Víctor sonrió y esa sonrisa la pilló por sorpresa.

—Te amo, pero no como piensas. Soy tu vasallo y siempre lo seré.

Veridiana dejó que su mirada se recreara en el rostro del fraile.

—Un perfecto caballero de Dios. Eso decía siempre Dimas... —Víctor se ruborizó—. Nunca más tendrás una oportunidad como ésta —terminó por decirle ella entre dientes—. Nunca más volveré a hablar contigo así —Veridiana cambió su tono de voz—. Querido Víctor, vos lo habéis sido todo para mí.

—Quizás ya sea hora de que no lo sea.

Ella clavó su mirada en él como si tuviese algo más que decir, pero finalmente guardó silencio. Se dio la vuelta, se cubrió de nuevo con la capucha y lentamente se dirigió por el camino hacia el pueblo.

Víctor no se atrevió a decirle que el amor que sentía por ella era el único perfecto. Que la realidad, la rutina, el roce hacen del amor una caricatura del verdadero amor. Que su amor cortés le despejaba el camino hacia la perfección y hacia Dios. Y que pasase lo que pasase, nunca olvidaría el sabor de aquel beso en el bosque. No se atrevió a contarle que el día en que la muerte llamase a su puerta puede que ya no recordara los rasgos de Dimas, y sin embargo jamás olvidaría su beso.

Víctor suspiró con cansancio.

Contempló cómo la silueta de Veridiana se perdía en el camino, respiró el aire limpio de la mañana y echó a andar hacia el arco que conducía al monasterio.

Sí, estaba cansado pero tenía que hacer algo con urgencia.

Tenía que encontrar a Enrique. Y antes, limpiar y preparar su espada.

Víctor se despojó de sus hábitos blancos y fue en busca de su vestimenta de guerrero. Se vistió despacio. Primero el jubón acolchado que le protegía de la rozadura de la cota de malla. Luego la coraza, protectores, calzas y perneras. Después cubrió la cota con la camisa blanca de lino y se ciñó el cinturón. Por último se abrochó la capa, también blanca de la Orden, y buscó su espada. Era una hermosa arma toledana de doble filo, hoja recta, larga y pesada.

Dejó el yelmo, los guantes y el escudo. No los necesitaría para lo que pensaba acometer.

El monje se irguió. Sentirse como un guerrero le hizo sentirse bien. Le gustaba la sensación que le causaba el frío metal sobre las escasas zonas de la piel que lo rozaban.

Víctor rezó una oración y se encomendó a Dios antes de envainar la espada y dirigirse a las habitaciones de Enrique.

Hacía semanas que habían acondicionado una zona del monasterio para que la habitasen como merecían las personas de categoría.

Cuando llegó ante sus aposentos llamó con firmeza.

Isidro, el joven que había sido destinado al servicio del conde, le hizo esperar.

Mientras aguardaba, Víctor no pudo dejar de recordar lo mucho que habían cambiado las cosas desde que Enrique se alojó en la posada. Cuando llegó al Mundo no era más que un simple y joven maestro. Un joven prometedor por el que no pudo evitar sentir simpatías.

Una sonrisa asomó a su rostro al evocar la imagen de ese Enrique tan diferente al actual.

Cuando por fin le hicieron pasar, el conde de Rascón y Cornejo tenía todo el aspecto de haberse acabado de levantar. No ocultó su sorpresa al encontrarse con Víctor ataviado como un guerrero.

—Buenos días. ¿A qué debemos este…?

El monje lo interrumpió.

—Acabo de hablar con Veridiana.

—¿Y...? —Enrique disimuló bajo una educada fachada su curiosidad.

—Mañana se reúne el Concejo y sé que ella propondrá... Propondrá...

—Ella es una reina —en esta ocasión fue Enrique quien lo interrumpió.

—Lo sé, siempre lo he sabido. En su porte, en cada gesto y cada palabra. Y mañana os propondrá a vos como consorte.

—Pediré su mano oficialmente ante el Concejo —Enrique mostró su sonrisa irónica.

—Lo imaginaba —contestó Víctor con frialdad.

El fraile echó mano al puño de su espada.

Enrique dio un paso atrás.

Tardó un instante en darse cuenta de que al sacarla de la vaina, el fraile ponía el puño por delante.

Víctor tomó con cuidado la espada y la acarició con suavidad. La sujetó por la hoja y se arrodilló ante el conde. Le ofreció su espada en completo silencio.

Enrique quedó estupefacto.

—Yo ordené que os encerraran, Víctor... ¿No me guardáis rencor después de lo de Toledo?, ¿de las mazmorras?, ¿de la cueva de los condenados?

—No. Eso pasó hace mucho tiempo.

Enrique rió.

—¡Hombre de Dios! Sois incorregible. ¡Mucho tiempo!

Víctor se incorporó y buscó la mirada del conde.

—Ya lo he olvidado.

Enrique se aclaró la voz para pedirle algo que le costaba expresar.

—Perdonadme, Víctor —dijo con voz ronca.

—Estáis perdonado. Mi perdón no es más que un humilde reflejo del que todos merecemos por parte de Dios.

Enrique quedó un momento en silencio, contempló al monje, y por fin tomó la espada que se le ofrecía en prenda de amistad.

La costumbre señalaba que él debería entregarle su arma a cambio.

—Esperad un momento.

El conde de Rascón y Cornejo fue a buscar la suya. En el Mundo se había hecho con una pieza antigua. La sacó de su vaina. Relucía y brillaba como nueva. Enrique la cuidaba con esmero y la limpiaba a menudo con la más fina arena. Era una tarea que nunca delegaba en sus sirvientes.

Se la entregó a Víctor mientras el monje esperaba arrodillado ante él.

—Sois un gran hombre, Víctor. Entiendo por qué Dimas confiaba en vos —le dijo apoyando la mano en su brazo—. Estoy convencido de que la salvación y protección de las almas del Mundo está en las mejores manos: en las vuestras.

Víctor se puso en pie.

Por primera vez Enrique fue consciente de que el monje era casi un palmo más alto que él.

—Y yo estoy poniendo en vuestras manos, Enrique de Rascón y Cornejo, lo que más amo. Cuidad del Mundo y gobernadlo con firmeza y sabiduría. Y... cuidad de ella. Si lo hacéis así, yo siempre, escuchadme bien, siempre permaneceré a vuestro lado. Y conmigo estará la Orden de Santa Ceclina: todos los monjes guerreros bajo vuestro mandato. Cuidad de ella —repitió—. ¿Lo prometéis?

—Por mi honor, os lo juro.

De los reyes del nuevo mundo

Habían adornado la iglesia para la ocasión con guirnaldas de hojas y flores. Las obras aún no habían concluido y sólo algunas ventanas se cubrían con cristales de color o alabastro, pero la mayoría dejaba pasar el viento que silbaba quedamente.

Enrique avanzó a lo largo del pasillo sabiendo que todas las miradas estaban puestas en él. Un enjambre de *odas* lo rodeaba vibrando con sus alas luminosas.

Las gentes del Mundo se habían congregado para la ceremonia, ni uno solo de sus habitantes quería perderse ese momento. Vestían sus mejores galas y hasta los campesinos se ataviaban con ropajes verdes, azules y rojizos, dando un tono de alegre colorido a la masa humana que se amontonaba incluso más allá de las puertas del templo.

El conde de Rascón y Cornejo estrenaba una túnica de seda sobre la que habían bordado su emblema: un pájaro y un arbusto oscuro sobre un fondo azulado. Habían añadido una pequeña flor que le recordaba que ahora también era el barón de Fleurilles. Bajo la túnica asomaba una camisa bordada con hilos de plata. Tras de sí, casi arrastraba por el suelo una larga capa blanca con ribetes de armiño.

A su paso, las cabezas de todos los presentes se inclinaron en señal de respeto.

Enrique de Rascón y Cornejo mantuvo la mirada alta y procuró mantener un gesto serio.

Los *reitos* lo perseguían saboreando el orgullo que hoy lo colmaba por completo.

Toda su vida había transcurrido para llegar a vivir esos instantes que ahora quería disfrutar con plenitud.

Aquél era su momento.

Respiró profundamente y su memoria repasó la evolución que había sufrido hasta llegar allá. Recordó aquella lejana vez en la que Juan de Aragón, el arzobispo de Tarragona, lo citó para una entrevista secreta. Entonces, nervioso, se había internado por corredores y pasillos pensando que había llegado a lo más alto. Y sin embargo aquello sólo había sido un paso, el primero, de una brillante carrera. Todos los cargos que había ocupado, incluso el haber llegado a convertirse en el Gran Inquisidor de Toledo, no eran ahora más que sombras perdidas entre las brumas del tiempo.

La realidad más brillante era la que finalmente había conseguido alcanzar en este Mundo.

Sonrió satisfecho sin ser consciente del rastro irónico que quedaba fijo en su semblante.

Continuó avanzando sin perder de vista el estrado al que se dirigía.

Veridiana lo esperaba.

Estaba más bella que nunca. Vestía un largo vestido granate y un sobreveste bermejo que dejaba asomar unas mangas plagadas de delicados botones de diminutas perlas. Un moderno cinturón bordado con adornos de hilo dorado marcaba su fina cintura. Recogía su cabello con una cofia con cintas también bordadas de perlas. Un *diélago* volaba alrededor refulgiendo en un arco iris de colores.

A su lado, la figura de Víctor ataviado con los hábitos blancos de la Orden contrastaba por su extrema sencillez. Ya no era un simple monje, sino el abad prior de Santa Ceclina. Pero nada en su persona delataba una posición diferente a la del resto de los frailes.

Tras ellos se encontraba el altar, la urna con las reliquias de Santa Ceclina y una antigua imagen de san Lucas. Y al lado reposaban dos coronas sobre sendos cojines de seda.

Eran de oro, y por su sobrio diseño parecían las propias de antiguos monarcas.

Enrique buscó la mirada de Veridiana y le sonrió.

Ahora tenía lo que siempre había deseado, y por encima de todo la tenía a ella. La mujer más hermosa que nunca había conocido. Alguien que además era como él.

Contempló de reojo a Víctor. Permanecía mortalmente serio. Todo lo que él ganaba podría haber sido para el fraile. Lo sabía bien. Y sin embargo él había decidido renunciar a todo.

Clavó sus pupilas en las del nuevo prior y sonrió triunfante.

Víctor inició una tímida sonrisa. Sentía sobre su pecho el peso del medallón que le había dado Dimas. Y sabía que el suyo, el que había entregado a Veridiana tiempo ha, ella lo llevaba siempre consigo. Junto a su corazón. Por siempre.

Víctor mostró entonces una amplia sonrisa.

Enrique subió los escalones que conducían hacia el altar. Sus pasos resonaron amortiguados por la alfombra de pétalos de colores que habían confeccionado a sus pies. El olor dulzón de las flores les rodeaba como un velo vaporoso.

Unos instantes más y serían coronados reyes.

Los reyes de un nuevo mundo.

Fin

ALGUNAS NOTAS DE LA AUTORA

Inmortal Toledo

Me gustaría haber podido trasladar al papel, aunque sólo sea en una milésima parte, el encanto de Toledo. Ojalá lleguéis a conocer los pasadizos, las iglesias, el silencio, la luz, las noches de niebla, las calles susurrantes, el aire frío y sobrio, y toda la magia de una ciudad a la que sólo cabe el adjetivo de «inmortal».

Cosecha negra es Toledo. La trama principal se gestó allí, y el destino me fue poniendo en bandeja cada uno de los elementos que necesitaba para encajar el puzzle en el que se convierte cada novela.

El conde de Rascón y Cornejo

Durante dos generaciones corrió la leyenda en mi familia de que éramos descendientes del conde de Rascón y Cornejo. Al escribir esta historia quise resucitar el título que se suponía había disfrutado mi bisabuelo, Jacobo Bermejo. Me hacía ilusión rescatar un título olvidado. Pero, cuando después de escribir *Cosecha negra,* me puse a indagar en los legados familiares, resultó que sólo encontré una confusa relación con el conde de Rascón y marqués de Cornejo.

¡Después de todo el conde de «Rascón y Cornejo» nunca había existido!... Pues bien, esa leyenda familiar hizo que finalmente existiese, aunque sea en una obra de ficción.

Susana Vallejo